Les quatre Grâces

Guy Saint-Jean Éditeur
3440, boul. Industriel
Laval (Québec) Canada H7L 4R9
450 663-1777
info@saint-jeanediteur.com
www.saint-jeanediteur.com

....

**Catalogage avant publication de Bibliothèque et Archives nationales du Québec
et Bibliothèque et Archives Canada**
Gaffney, Patricia
[Saving graces. Français]
Les quatre grâces
(Charleston)
Traduction de : The saving graces.
ISBN 978-2-89455-717-4
I. Luc, Elisabeth. II. Titre. III. Titre : Saving graces. Français.
PS3557.A33S2814 2013   813'.54   C2013-941580-7

....

*Nous reconnaissons l'aide financière du gouvernement du Canada par l'entremise du Fonds du livre du Canada (FLC)
ainsi que celle de la SODEC pour nos activités d'édition.*

Gouvernement du Québec – Programme de crédit d'impôt pour l'édition de livres – Gestion SODEC

Titre original : *The Saving Graces*
Publié initialement en langue anglaise par HarperCollins Publishers
© 1999 Patricia Gaffney
Édition française publiée par :
© Charleston, une marque des éditions Leduc.s, 2013
Traduction : Elisabeth Luc

© Guy Saint-Jean Éditeur inc. 2013 pour l'édition en langue française publiée en Amérique du Nord
Adaptation québécoise : Jean Paré
Conception graphique : Olivier Lasser
Photo de la page couverture : IStockphoto / ShaneKato

Dépôt légal — Bibliothèque et Archives nationales du Québec, Bibliothèque et Archives Canada, 2013
ISBN : 978-2-89455-717-4
ISBN ePub : 978-2-89455-749-5
ISBN PDF : 978-2-89455-750-1

Distribution et diffusion : Prologue

Imprimé au Canada
1ʳᵉ impression, octobre 2013

Guy Saint-Jean Éditeur est membre de
l'Association nationale des éditeurs de livres (ANEL).

PATRICIA GAFFNEY

Les quatre Grâces

ROMAN

Traduit de l'américain
par Elisabeth Luc

Guy Saint-Jean
ÉDITEUR

Dans la même collection

Des livres qui rendent heureux !

Les quatre Grâces, de Patricia Gaffney (octobre 2013)
La Villa Rose, de Debbie Macomber (octobre 2013)
Le châle de cachemire, de Rosie Thomas (novembre 2013)
Coup de foudre à Austenland, de Shannon Hale (novembre 2013)

www.editionscharleston.fr

1

Emma

Si un mariage sur deux se termine par un divorce, combien de temps dure un couple, en moyenne ? Ce n'est pas une question rhétorique : j'aimerais vraiment le savoir. Moins de neuf ans et demi, je parie. Les Quatre Grâces existent depuis neuf ans et demi et pas un nuage à l'horizon. On se parle encore, on remarque toujours des petits détails chez les unes et les autres, un kilo perdu, une nouvelle coiffure, des chaussures neuves... À ma connaissance, aucune d'entre nous n'est en quête d'une amie plus jeune et plus fraîche...

Jamais je n'aurais cru que le groupe tiendrait aussi long-temps. Je ne l'ai intégré que parce que Rudy m'y a poussée. En fait, lors de ma première réunion, les trois autres, Lee, Isabel et... Joan ? Joanne ? – elle est vite partie s'installer à Detroit avec son petit ami urologue et on a perdu tout contact –, les trois autres n'étaient apparemment pas mon genre de copine. Lee me semblait trop autoritaire et Isabel (trente-neuf ans) trop vieille. J'aurai quarante ans l'an prochain... et Lee est vraiment autoritaire, mais elle n'y peut rien : elle a toujours raison. Grâce à sa nature exceptionnelle, personne ne lui en tient rigueur.

La première réunion s'est mal passée. C'était chez Isabel, qui était encore mariée avec Gary. Je me suis dit : c'est fou ce qu'elles sont sérieuses. Sérieuses et riches. Cela m'a vraiment frappée. Il faut dire que je venais d'emménager dans un petit demi-sous-sol humide de Georgetown pour un loyer de mille cent dollars par mois à cause du quartier. L'argent était pour moi un sujet délicat. Lee avait l'air de sortir d'une journée de spa chez Neiman[1]. Elle était célibataire, toujours étudiante et éducatrice spécialisée à temps partiel. Chacun sait combien c'est payé. Et pourtant, elle vivait tout près de chez Isabel, dans le quartier huppé de Chevy Chase, dans une maison dont elle était propriétaire. Comment ne pas les détester ?

Durant tout le trajet de retour, j'ai expliqué à Rudy, avec force sarcasme et dédain, mais non sans esprit, ce que je leur reprochais et pourquoi je ne pouvais fréquenter des gens qui possédaient un taille-haie électrique, s'habillaient en Ellen Tracy, se souvenaient d'Eisenhower ou sortaient avec un urologue.

— Mais elles sont super ! insista-t-elle.

Ce n'était pas du tout la question. Il y a un tas de gens super, mais on n'est pas obligé de souper avec eux un jeudi sur deux pour échanger des confidences.

Autre problème : la jalousie. De façon assez mesquine, je ne supportais pas que Rudy ait une autre amie que moi. Un soir par semaine, Lee et elle donnaient des cours d'alphabétisation en ville, ce qui les avait rapprochées. Je n'ai jamais redouté que Lee devienne sa meilleure amie car tout les opposait. Néanmoins, je traînais (et je traîne encore) un vieux complexe d'insécurité et j'étais trop névrosée pour voir la beauté potentielle des Grâces.

Certes, nous n'étions pas encore les Quatre Grâces. D'ailleurs, nous n'utilisons toujours pas ce nom en public : trop poche. On dirait un titre de série télévisée. Les Quatre Grâces, avec Valerie Bertinelli, Susan Dey et Cybill Shepherd, des femmes belles, intelligentes et drôles, mais plus de première jeunesse, il faut bien l'avouer. De toute façon, l'origine de notre nom ne regarde que nous. Il est plutôt drôle et nous reflète bien, mais on n'en parle pas. C'est tabou.

---

1. Neiman Marcus : grand magasin chic à Washington (toutes les notes sont de la traductrice).

Nous rentrions d'un souper à Great Falls. (Quand celle dont c'est le tour de recevoir n'a pas envie de cuisiner, nous allons au restaurant.) Rudy avait raté la sortie d'autoroute, ce qui nous obligeait à faire un détour. À l'époque, le groupe avait environ un an. Nous venions de perdre Joan/Joanne mais nous n'avions pas encore adopté Marsha, transfuge numéro deux, donc nous étions quatre. J'étais assise à l'arrière. Rudy s'est retournée pour voir mon imitation de la serveuse qui, d'après nous, avait le physique et la voix d'Emma Thompson.

— Attention ! lança Isabel une fraction de seconde avant que la voiture ne percute un chien.

Je revois encore sa gueule et son regard curieux, à peine inquiet, juste avant l'impact. Heurté à l'épaule, il a volé sur le capot de la Saab.

Tout le monde a crié.

— Il est mort, il est mort, c'est sûr ! me suis-je exclamée, pendant que Rudy se garait.

Si j'avais été au volant, j'aurais peut-être poursuivi ma route. J'étais certaine que le chien était mort et je ne voulais pas voir ça. À douze ans, j'ai écrasé une grenouille à vélo et je ne m'en suis toujours pas remise. Mais Rudy a coupé le moteur et tout le monde est descendu, alors j'ai suivi.

L'animal était vivant, ce que nous ignorions jusqu'à ce qu'Isabel se transforme soudain en une Cherry Ames[2] des autoroutes, en plein MacArthur Boulevard. Vous avez déjà vu quelqu'un faire un massage cardiaque à un chien ? C'est drôle, mais seulement après coup. Sur le moment, c'est un spectacle dégoûtant et palpitant, comme la transgression d'un interdit. Rudy a ôté sa cape noire en cachemire que j'ai toujours convoitée et en a couvert le chien qui, selon Lee, était en état de choc.

— Un vétérinaire ! Il nous faut un vétérinaire ! criait Isabel.

---

2. Cherry Ames : héroïne d'une série de romans des années quarante à soixante racontant les enquêtes policières d'une infirmière.

Hélas, pas une maison en vue, pas un commerce, rien qu'une église sombre, de l'autre côté de la route. Isabel s'est relevée d'un bond et a agité les bras pour arrêter une voiture arrivant en sens inverse. Puis elle s'est précipitée vers le conducteur tandis que je restais plantée là, folle d'angoisse.

Rudy et Lee ont porté le chien sur le siège arrière de la Saab. Du coin de l'œil, je voyais son museau maculé de sang, mais je n'arrivais pas à le regarder franchement.

— Curtis va piquer une crise, ai-je marmonné en voyant une tache sombre sur le siège en cuir fauve de la 900 Turbo.

Rudy, celle qui allait payer les pots cassés si Curtis piquait une crise, ne sourcilla pas.

— Bon, il y a un vétérinaire à Glen Echo, a expliqué Isabel en prenant place à l'avant, à côté de Rudy, pour lui indiquer le chemin.

J'ai dû monter à l'arrière avec Lee et le chien. Je ne supporte pas la vue du sang : cela me rend littéralement malade. Un jour, j'ai vu un voisin rouler sur son propre pied avec sa tondeuse. J'ai carrément vomi sur le trottoir. Alors j'ai regardé par la vitre, concentrée sur les phares des voitures qui illuminaient la façade de l'église : Notre-Dame de la Miséricorde. Mais j'en viens à la chute de cette histoire...

Rudy a roulé à tombeau ouvert jusque chez le vétérinaire de Glen Echo. Il était onze heures du soir, mais un veilleur de nuit au regard endormi l'a appelé. Grace, la chienne, avait un poumon endommagé, une patte fracturée et une épaule déboîtée, mais elle a survécu... Pour la modique somme de mille cent quarante dollars de frais médicaux. Personne n'est venu la réclamer, ce qui n'a rien d'étonnant. À sa sortie de la clinique, Lee et Isabel se sont disputées pour la garder. Ernie, le vieux beagle d'Isabel, venait de mourir, alors elle a gagné – ou perdu, question de point de vue. Grace est vieille et décatie, comme nous, et elle a cessé de courir les autoroutes, mais elle est adorable, et je ne suis pas très chien. J'ai toujours cru qu'elle avait de quoi nous en vouloir de l'avoir renversée. Pourtant, elle nous adore car nous l'avons sauvée. Le jour de l'anniversaire de la création de notre groupe est devenu celui de Grace, et nous la couvrons de jouets et de friandises.

Voilà donc d'où vient notre nom. Vous aurez remarqué que je suis la seule à n'avoir rien fait, à n'avoir accompli aucun acte héroïque dans cette histoire. Le groupe, de même que Grace, dans sa bienveillance et sa générosité, ne m'en tient pas rigueur. Personne ne m'en a jamais parlé, même pas sous forme de plaisanterie (moi-même, je n'aurais pu résister à la tentation d'en rire, au moins une fois). Non, j'ai toujours été acceptée et, rien que pour ça, je leur serais loyale à vie, même sans cette affection, cette gentillesse, cette fidélité, cette com-passion, ce réconfort et cette solidarité.

Il ne s'agit pas d'un ordre religieux, donc nous avons aussi eu notre lot de jalousies, de mesquineries, de petites vacheries, sans oublier les crises de nerfs occasionnelles. Mais ce n'est rien. Quand je pense que, à cause de mes préjugés, j'ai failli laisser tomber après cette première réunion...

C'est Rudy qui m'a permis de maintenir le cap. C'est drôle, quand on y pense car, de nous toutes, c'est de loin la plus cinglée. La plus normale, c'est Lee. Au point qu'on l'appelle ainsi, et qu'elle le prend comme un compliment. Cela en dit long...

2

Lee

Notre première réunion eut lieu le 14 juin 1988, chez Isabel, dans Meadow Street. Elle avait préparé du poulet thaï avec une sauce aux arachides et des nouilles. Nous étions alors cinq : Isabel, Rudy, Emma, Joanne Karlewski et moi, et quatre d'entre nous avaient apporté une salade. Sur ma proposition, nous avons décidé de nous répartir les tâches : à moins de recevoir les autres et de préparer le plat principal, Rudy était chargée des amuse-gueule, Emma des salades, Joanne du pain, Isabel des fruits et moi du dessert. À part Rudy, qu'il a fallu transférer des amuse-gueule au dessert parce qu'elle est toujours en retard, chacune a conservé son rôle.

Jusqu'en septembre 1991, les réunions se tenaient le premier et le troisième mercredi du mois. Ensuite, j'ai repris mes études et, à cause d'un problème de cours du soir, nous sommes passées au jeudi, de 19 h 30 à 22 heures ou 22 h 15, et l'on s'y tient à peu près. Les premières années, le repas était suivi par un débat d'environ une heure sur un thème choisi la semaine précédente – les rapports mère/fille, l'ambition, la confiance, la sexualité, etc. Nous avons laissé tomber ce rituel et je le déplore. De temps en temps, je propose de le reprendre, mais personne ne me soutient.

Emma prétend que nous avons épuisé tous les sujets, ce qui n'est pas faux. Toutefois, je crois surtout qu'elles sont nonchalantes : il est bien plus facile de bavarder que d'organiser ses pensées autour d'un vrai sujet et de s'y tenir. Bien que j'adore papoter, le niveau de nos discussions était bien meilleur quand elles étaient structurées.

À l'époque où Susan Geiser était des nôtres (de février 1994 à avril 1995), nous avons institué la règle des quinze minutes, qui est toujours en vigueur, même si elle n'est plus nécessaire depuis le départ de Susan. Les Grâces étaient quatre depuis un bon moment quand Isabel a rencontré Susan et lui a proposé de se joindre à nous. Pleine de qualités, elle promettait d'être intéressante et drôle. Hélas, elle avait un gros défaut : c'était un vrai moulin à paroles. Cela ne me dérangeait pas tant que cela, mais Emma et Rudy, elles, devenaient folles. Un soir, avec ce tact merveilleux dont elle seule est capable, Isabel a donc suggéré la règle des quinze minutes. Depuis, chacune dispose d'un quart d'heure pour raconter comment elle va, ce qu'elle a fait, bref, pour raconter sa vie. Personne ne chronomètre les interventions. De toute façon, j'ai généralement terminé en cinq minutes, alors que Rudy en prend au moins vingt, donc tout va bien.

Emma et Rudy disent toujours que c'est moi qui ai eu cette idée, que j'ai tout planifié et organisé. En vérité, Isabel est aussi responsable que moi. Nous étions amies depuis environ un an et demi, depuis un soir d'Halloween où Terry, son fils, a vomi sur mes chaussures neuves. C'était mon premier Halloween dans la maison de Chevy Chase et je passais un bon moment à distribuer des bonbons aux enfants qui se présentaient par dizaines. Moi qui venais d'une tour de College Park, j'étais sidérée de les voir si nombreux dans le quartier. Et ils étaient tellement mignons dans leurs petits déguisements de princesse, de sorcière ou de Batman... Je l'avoue, j'avais un désir d'enfant. À 20 h 30, plus personne ne sonnait et, à 21 heures, la fête était terminée.

J'allais éteindre la lumière sous le porche avant de monter prendre ma douche quand quelque chose a heurté ma porte avec un bruit sourd. J'ai cru que quelqu'un me lançait l'une des citrouilles que j'avais sculptées et disposées sur mes marches. En regardant dans le judas, j'ai vu un garçon. Puis un second. Ils n'étaient pas déguisés. J'en ai reconnu un, alors j'ai ouvert.

— Des bonbons ou un sort !

Cela les a beaucoup amusés. Ils étaient littéralement pliés en deux de rire. Un rire d'ivrogne.

— Vous êtes des clowns ? ai-je demandé.

— Non, on est des bandits, répondit celui qui, je l'ai su plus tard, s'appelait Kevin.

Ils ont pouffé de plus belle. Ils portaient des taies d'oreillers pleines de friandises, le butin de toute une soirée de porte-à-porte. Ce qui signifiait que personne ne les avait pris en main. Et on se demande pourquoi les jeunes d'aujourd'hui tournent mal...

Ces deux-là avaient frappé à la mauvaise porte.

— Je te connais, toi, ai-je dit en désignant Terry. Tu habites Meadow Street, la maison blanche, au coin de la rue. Ta mère est au courant que ton copain et toi êtes dehors ?

— Ben oui...

Toutefois, il ne riait plus. Dans la nuit fraîche et humide, ses cheveux blonds étaient dressés sur sa tête et il avait les joues rouges. Terry avait quinze ans, à l'époque, mais il semblait bien plus jeune avec ses vêtements trop amples et difformes, comme un petit garçon déguisé en adulte.

Je m'en suis ensuite prise à Kevin :

— Tu habites où, toi ?

— Leland Street, a-t-il marmonné en reculant vers l'escalier.

Je fais toujours cet effet-là sur les enfants : quand je suis sévère, ils se calment aussitôt, mais pas par peur. Je leur fais voir la réalité à travers mon regard : de façon rationnelle.

— De quel côté de Connecticut ?

— Ce côté-ci, répondit Kevin.

— Bien. (Je ne voulais pas qu'il traverse cette artère fréquentée en état d'ivresse.) Alors tu rentres chez toi tout de suite. Et donne-moi ta bouteille. Confisquée !

Je tendis la main.

Kevin avait l'air d'un bébé, lui aussi, mais pas très avenant. Il avait les cheveux à ras et un faux tatouage figurant une tête de mort sur la joue. D'après moi, il était en bonne voie vers le look nazi.

— Allez vous faire foutre ! De toute façon, c'est Terry qui l'a.

Sur ce, il a descendu les marches pour gagner le trottoir d'un pas chancelant.

— Salut, T ! On se verra quand y aura plus la vieille conne !

— Charmant...

Terry a reculé et a heurté la porte moustiquaire, affichant un sourire qui se voulait désinvolte.

— Kev est un imbécile, bredouilla-t-il. Excusez-le...

Il a lâché sa taie d'oreiller.

Je l'ai ramassée. Une bouteille de vodka presque vide gisait au fond, au milieu des bonbons. J'ai déplacé une citrouille et posé la bouteille au sol.

— Tu peux rentrer chez toi tout seul ?

— Oui.

Mais il ne broncha pas, sur le point de s'écrouler.

— Allez, on y va... ai-je soupiré.

Je l'ai pris par le bras. Si aujourd'hui il mesure un mètre quatre-vingts format armoire à glace, à l'époque, nous étions à peu près de la même taille. Étant plus forte que lui, je n'ai pas eu de mal à le soutenir pour remonter le trottoir désert jusqu'au coin de la rue. Au départ, il a protesté puis il est devenu de moins en moins bavard. Si le porche avait été éclairé, j'aurais peut-être remarqué que Terry était pâle, le teint verdâtre, et qu'il était en nage. Devant la porte, il a soudain reculé. Je me suis dit qu'il redoutait des réprimandes.

À peine avais-je frappé qu'Isabel a ouvert en tendant un saladier de mini-Snickers. En la reconnaissant, je n'ai pas pu m'empêcher de lui sourire. C'était la femme entre deux âges au visage sympathique qui promenait son beagle sur un terrain vague que nous appelions le parc des chiens, et où j'emmenais Lettice, mon épagneul breton.

— Terry ? fit-elle fronçant les sourcils.

— Maman ?

Enfin, il n'est pas allé plus loin que « Mam... ». S'il avait refermé la bouche à temps, mes chaussures neuves auraient été épargnées. Hélas, un jet répugnant de M&Ms, de Milky Way et de vodka à moitié digérés a jailli pour asperger mes Ferragamo en daim gris clair achetées la veille.

Isabel est sortie en trombe, Gary sur les talons. Je ne me rappelle pas ce que j'ai pensé de lui, cette première fois. Pas grand-chose : un mari plus âgé, petit et trapu, quelconque. Il a fini par prendre Terry en main tandis qu'Isabel s'occupait de moi.

Depuis, j'ai passé beaucoup de temps dans cette cuisine... Isabel est différente des autres amies que j'ai pu avoir. Au départ, même si je l'aimais beaucoup, je n'imaginais pas que nous puissions être proches, d'abord à cause de notre différence d'âge. Elle n'a que huit ans de plus que moi, mais j'avais l'impression que c'était bien plus. Pour elle, nous ne sommes pas de la même génération. À mon avis, il y a autre chose : certains savent dès le départ ce que d'autres n'arrivent pas à apprendre en toute une vie. Et puis ses cheveux striés de gris coiffés en chignon et ses tenues démodées la vieillissaient (au fil des années, je l'ai aidée à trouver un style). Il n'empêche qu'elle était encore belle. Ce soir-là, je lui ai trouvé un air de Madone vieillissante. C'était en 1987, ses vrais problèmes n'avaient pas encore commencé. Pourtant, son visage exprimait une certaine tristesse, et de la sérénité, aussi, comme si elle était illuminée de l'intérieur. C'est extraordinaire.

Et puis... Malgré une vie bien remplie, avec mes cours à temps partiel, mes études et ma thèse à rédiger, je me sentais un peu seule. Voire... en quête d'une mère. Certes, j'en ai une.

« Oh que oui ! », dirait mon mari. Néanmoins, je recherchais sans doute à me faire un peu materner.

D'après Emma, je ne comprends rien à l'ironie. Elle se trompe : à part Isabel, aucune des Grâces n'a d'enfant. Or la seule qui en veuille, c'est moi, et je n'y arrive pas. Isabel et moi sommes faites pour être mères, bien que nous ayons toutes les deux eu des parents plutôt distants. Moi, je meurs d'envie d'être mère, d'être maternée, et Isabel materne tout le monde. Mais qui l'a maternée, elle ? Personne.

Finalement, l'ironie du sort n'a peut-être rien à voir là-dedans. C'est simplement pathétique.

Elle m'a fait enlever mon pantalon et enfiler des chaussettes propres (appartenant à Terry). Puis elle m'a servi une tasse de cidre chaud aux épices pendant qu'elle nettoyait mes chaussures dans le lavabo de sa salle de bain. Ensuite, nous avons eu une conversation très agréable. Elle m'a posé des questions sur moi. Je me rappelle notamment lui avoir raconté les frasques de mes deux frères, quand ils étaient adolescents. Cela ne les a pas empêchés de devenir des piliers de la société, selon l'expression consacrée. Je ne voulais pas qu'elle s'inquiète pour Terry. Je ne suis pas restée longtemps mais, en partant, je me suis rendu compte qu'elle en savait bien plus sur moi que moi sur elle.

Le lendemain, Terry est passé me présenter de très gentilles excuses et m'inviter à souper chez eux. Voilà comment Isabel et moi sommes devenues amies. Quand on n'allait pas chez l'une ou l'autre, on se voyait pour promener Lettice et Ernie, jouer au tennis ou se balader à la campagne. Le jour où Terry a décidé de faire ses études à McGill, à Montréal, j'ai pleuré avec elle. Elle m'a écoutée raconter par le menu la longue entreprise de séduction de mon mari. Après qu'elle a quitté Gary, elle et Grace ont passé trois semaines dans ma chambre d'amis. Et quand elle a eu son cancer, j'avais l'impression que c'était moi qui étais malade. Bref, je ne m'imagine pas sans Isabel et je me rappelle à peine ma vie avant de la rencontrer.

Environ un an après l'Halloween aviné de Terry, nous étions assises par terre à sécher nos chiens après leur dernier bain de l'été, quand Isabel a déclaré :

— Lee Pavlik, tu passes trop de temps dans cette cuisine avec moi. Tu devrais sortir, jouer avec des amies de ton âge.

— C'est toi qui devrais sortir et jouer avec des amis de mon âge.

Nous avons ri, puis je ne sais plus comment c'est venu, mais l'idée a germé de créer un groupe de femmes.

J'ai toujours eu un tas de copines et j'avoue que j'aime bien régenter mon monde. En sixième, j'ai créé un groupe de filles qui se réunissait dans le sous-sol de ma maison. À l'école, je secondais la capitaine des meneuses de claques, puis j'ai été présidente de ma classe... Depuis mon arrivée à Washington, je ne m'étais pas fait beaucoup d'amies, à part Isabel, sans doute parce que je suis débordée. J'adorais l'idée de fonder un groupe. Ce ne serait pas un club de lecture, ni un groupe politique ou féministe. De temps en temps, nous réunirions des femmes qui s'appréciaient et se respectaient pour échanger des expériences et débattre de questions intéressantes. Un objectif plutôt modeste. Nous ignorions que nous étions en train de semer les graines d'un jardin superbe.

C'est Isabel qui a dit cela, des années plus tard, pas moi. Elle a déclaré que nous cultivions de bons légumes pour se nourrir et des fleurs magnifiques pour le plaisir. Je lui ai demandé de quel côté elle me situait, certaine qu'elle voyait en moi un légume nourrissant : elle trouvait que j'étais les deux. « On est toutes un peu les deux, imbécile ! » a-t-elle déclaré.

Ah, les premières impressions... Au bout d'un an, j'ai suggéré que nous racontions ce que nous avions pensé les unes des autres lors de la première réunion (pour celles qui ne se connaissaient pas déjà). J'ai commencé en avouant qu'Emma m'avait donné l'impression d'évoluer dans le milieu artistique, qu'elle me faisait penser à une star du rock (une star en perte de vitesse, voulais-je dire, à cause de cet air blasé qu'elle aime afficher. En réalité, elle n'est pas du tout blasée et je ne comprends pas pourquoi elle cherche à tout prix à avoir l'air cool). Ravie, elle a voulu savoir à quelle star je pensais. J'ai répondu Bonnie Raitt[3], car elles avaient toutes les deux de beaux traits fins et, il faut l'avouer, le même air arrogant, parfois, sans oublier ses longs cheveux blond vénitien coiffés... disons, par ses soins (je ne voudrais pas être méchante). Je brûle de présenter Emma à Harold, mon coiffeur, mais elle dit qu'elle n'a pas le cœur d'y aller.

Rudy et Emma ont toutes les deux révélé avoir aimé Isabel d'emblée, l'avoir trouvée formidable, quoique un peu vieux jeu et un tantinet conservatrice. « Une mère de famille, mais dans le bon sens du terme », selon Emma. « Non, une femme maternelle », d'après Rudy. Je me rappelle que, lors de cette première réunion, Isabel portait un tablier en toile rouge sur son chandail et son pantalon et qu'elle l'a gardé toute la soirée. Elle avait oublié de l'enlever, ce qui prouve son absence totale de vanité. Mais conservatrice ? Jamais de la vie ! Cette première impression était totalement erronée. En voici la preuve :

Pour Isabel, Rudy était l'une des plus belles femmes qu'elle ait jamais vues, un avis qu'Emma et moi partagions. Nous sommes toutes normales, physiquement, plutôt dans la moyenne. Mais Rudy, elle, est d'une beauté remarquable. Partout où elle va, elle attire l'attention, avec son teint de porcelaine, son corps de mannequin, ses cheveux noir de jais, soyeux et dociles... Si elle avait seulement un visage superbe, on pourrait la détester mais, sous ces traits classiques il y a tant de douceur, d'innocence et de vulnérabilité, qu'elle réveille l'instinct de protection. Tout le monde veut sauver Rudy, surtout les hommes,

---

3. Chanteuse de country née en 1949.

dit-elle. Hélas, il faut bien admettre que, pour l'heure, personne ne s'est dévoué.

Emma m'a trouvée très « star du rock », aussi. Laquelle ? ai-je demandé avec enthousiasme. Un jour, un vieux beau m'avait dit que je lui rappelais Mary Osmond[4] pour son côté désinvolte. Emma m'a répondu : « Sinéad O'Connor. » Quoi ? « Oh, pas à cause du crâne rasé, même si tu avais les cheveux très courts, à l'époque, Lee. Je pensais surtout à ce côté froid et bien pensant. » Super, merci ! J'étais offusquée, mais Emma a ajouté : « Mais enfin, Sinéad O'Connor est sublime ! Tu n'as jamais remarqué ses yeux ? » Non. « C'est une femme superbe. Pour moi, c'était un compliment. » Ah bon ? J'en doute. Quoi qu'il en soit, je ne ressemble absolument pas à Sinéad O'Connor. Je ressemble à ma mère : petite, noueuse, sombre et intense. Et je ne suis jamais bien pensante, même s'il est vrai que j'ai souvent raison.

Donc les premières impressions...

En épousant Henry, je me disais que j'aurais peut-être moins besoin des Grâces, moins de temps et d'énergie à leur consacrer. Rien de tout cela ! Pendant sept ou huit mois, j'étais tellement obnubilée par mes ébats avec Henry que rien d'autre ne s'imprimait dans ma conscience. Ce phénomène ne concernait pas spécifiquement les Quatre Grâces.

Cette période de ma vie a beaucoup amusé Emma et Rudy. J'ignore quelle image elles avaient de moi avant ma rencontre avec Henry. Celle d'une prude, je suppose, ce qui n'est pas le cas. Je ne l'ai jamais été. Certes, je ne jure pas et je préfère garder certaines pensées pour moi, ne pas les partager avec le monde entier. Ou alors je les exprime apparemment en termes désuets, voire pittoresques. Alors quand j'ai rencontré Henry et que le sexe est devenu l'unique préoccupation de mon esprit notoirement rationnel et peu imaginatif, elles ont trouvé cela hilarant.

---

4. Actrice et chanteuse née en 1959.

J'aurais pu ignorer leurs rigolades et me contenter de me taire mais, pour une raison inconnue, sans doute mes hormones en folie, je ne pouvais m'empêcher d'en parler. Pas moyen de tenir ma langue ! Il faut dire que, à trente-sept ans, je vivais tout cela pour la première fois. Un jeudi soir, j'ai commis l'erreur de dire à mes amies combien Henry était beau dans son uniforme en coton bleu, avec son nom brodé en or sur sa poche et « Plomberie Patterson & Fils » inscrit dans le dos. Et il portait ses outils sur son ceinturon ! Ah, ce ceinturon ! Rudy et Emma m'ont répondu qu'elles connaissaient ça. Je parle du summum du charme viril, ce mélange irrésistible de sensualité et d'efficacité. Même Isabel a admis que le concept ne lui était pas étranger. Je me demande bien où j'étais, toutes ces années...

Ensuite, j'ai commis une erreur encore plus grave : je leur ai parlé de sa première visite (ce n'était que pour déboucher mes toilettes. Je ne l'avais pas encore engagé pour changer les canalisations et installer un nouveau chauffage). Pour que je comprenne ce qui clochait et comment il pouvait réparer, il m'a montré un croquis, dans un manuel de plomberie. « Ça fait partie du service », m'a-t-il expliqué de sa voix grave, avec son charmant accent du Sud, « un client informé, c'est un client satisfait ». Il avait les manches relevées et, par la fenêtre de la salle de bain, le soleil illuminait chaque poil de ses avant-bras que je qualifierais de noueux. Il faut voir cette illustration pour comprendre, mais croyez-moi : l'engin qui se fraye un chemin dans les courbes de la cuvette des toilettes ressemblait vraiment à un pénis dans un vagin.

Imaginez les histoires de plombier que j'endure depuis quatre ans !

Encore une ironie du sort. Outre le désir sain et libérateur que je ressens pour lui depuis notre rencontre, Henry serait, à mes yeux, le meilleur des pères. Mes gènes appelaient les siens, dis-je en plaisantant. Ensemble, nous ferions de superbes bébés juifs-protestants, intellos-ouvriers (l'élément intellectuel provenant de mes parents, pas de moi : mon père enseigne la physique quantique à Brandeis et ma mère est agent de change). Mais les choses ne s'annoncent pas très bien de ce côté-là. Apparemment, il y a quelque chose qui cloche dans la tuyauterie de mon plombier, à moins que ce ne soit chez moi, on ne sait pas très bien.

Je m'efforce de ne pas penser à ce qui pourrait nous arriver de pire : ne pas avoir d'enfant. C'est tellement triste... et bizarre. Je ne me suis jamais imaginée sans enfant. Quand je pense à toutes ces années passées à prendre la pilule ou à utiliser stérilet, diaphragme et autres spermicides...

J'ai mieux réussi à dissimuler ces craintes au reste du groupe que ma libido hilarante. Pourquoi ? Pour sauvegarder l'image qu'elles ont de moi, celle de la fille responsable, raisonnable, assurée, je suppose. Je ne tiendrai sans doute plus très longtemps.

Mais Isabel est déjà au courant, comme d'habitude. Un jour, elle m'a confié que, sans moi, elle n'aurait pu supporter son divorce puis son cancer et sa chimio. C'est très gentil, et ça ne m'étonne pas d'elle, mais ce n'est pas vrai. En revanche, si le pire se produit, si Henry et moi n'arrivons pas à avoir un enfant, je suis certaine de ne pouvoir le supporter sans Isabel.

3

Rudy

*J*e me demande comment font mes amies pour me supporter. Je suis constamment en quête d'attention... À leur place, je fuirais comme la peste. Or elles sont toujours tellement patientes ! Elles sont d'un soutien sans faille. « C'est très bien, Rudy », disent-elles en me prenant dans leurs bras. Je dois comprendre par là que tout va bien puisque personne ne m'a encore passé la camisole de force. Elles ont raison, même si j'ai toujours envie de toucher du bois quand elles me disent ça.

Ce que tout le monde ignore, même Emma qui croit tout savoir sur moi, c'est le rôle crucial des antidépresseurs dans ma santé mentale : norpramine, amitriptyline et, avant eux, protriptyline et alprazolam, sans oublier le méprobamate et j'en passe.

Seuls Curtis, mon mari, et Éric, mon thérapeute, sont au courant. Je parle librement de tout le reste, mes problèmes familiaux, mes décennies de suivi psychologique, mon combat contre la dépression, la déprime, les manies. De nos jours, tout le monde est sous Prozac ou Zoloft. Cela ne choque plus personne. Comme le dit Emma, il n'y a pas de honte à mieux vivre grâce à la chimie.

Pourtant, je garde ce détail pour moi, car j'ai besoin d'être crédible aux yeux de mes amies. Si elles étaient informées de mon attirail psychopharmaceutique, tout ce que je ferais de bien serait « grâce aux médicaments » et mes échecs... « à cause des médicaments ». Chez moi, rien ne serait authentique. Dans leur esprit, il n'y aurait pas de véritable Rudy.

Et quand elles apprendront ce que j'ai fait aujourd'hui... Je devine sans peine leurs réactions : le rire d'Emma, la compassion d'Isabel et la réprobation bienveillante de Lee. Pourquoi diable l'avons-nous acceptée dans notre groupe ? se demanderont-elles en leur for intérieur. Néanmoins, ce n'est pas leur jugement qui m'inquiète, c'est celui de Curtis.

Voilà : j'ai été renvoyée de SOS Entraide. À ma grande honte, je n'ai tenu qu'une semaine. Mme Phillips, ma responsable, m'a jugée trop familière avec Stéphanie, une correspondante, ce qui va à l'encontre du règlement. Certes, j'ai été maladroite. Je sais que les règles sont indispensables mais, en vérité, si c'était à refaire, j'aurais le même comportement envers cette jeune fille.

On recommande aux intervenants d'être prudents, au départ. J'avais déjà pris des appels de petits plaisantins. Mais en entendant la voix fluette et juvénile de Stéphanie, j'ai tout de suite compris qu'elle était tendue et qu'elle ne jouait pas la comédie.

— SOS Entraide, Rudy à votre écoute... Allô ? Ici Rudy ! Vous m'entendez ?

— Oui... Bonjour... Je... J'appelle pour une copine.

— Très bien, comment s'appelle cette copine ?

Silence, puis :

— Stéphanie.

— Stéphanie. Et elle a un problème ?

— Oui, si on peut dire... Elle a un tas de problèmes.

— Un tas de problèmes. Voyons, quel est le plus grave ? Celui qui la rend vraiment malheureuse ?

— Oh là là, j'en sais rien ! Elle pleure souvent... pour toutes sortes de raisons, vous voyez, sa famille, ses amis...

— Qu'est-ce qui pose problème, dans sa famille ?

— Tout, répondit-elle avec un grommellement désabusé.

J'ai patienté un instant, puis elle a repris :

— Sa mère ne va pas bien.

— Comment cela ?

Silence.

— Qu'est-ce qui ne va pas, chez sa mère ?

Toujours pas de réponse.

— Je parie qu'elle boit.

— Comment ?

— La mère de Stéphanie boit ?

— Oh que oui ! Comment avez-vous deviné ?

— Eh bien, ma mère boit trop, elle aussi.

Pourquoi ai-je dit ça ? Pourquoi ?

— Ah bon ? Alors c'est une ivrogne ? Ma mère, c'est une alcoolique finie. C'est tellement atroce que je ne vois pas comment... Oh, merde !

— Non, attends ! Ce n'est pas grave ! Stéphanie ? Écoute, ce n'est pas grave... Neuf correspondants sur dix commencent par prétendre qu'ils appellent pour un ami. Pas de problème ! De toute façon, tu serais capable d'appeler pour une amie, parce que tu es quelqu'un de bien.

En général, je ne parle pas comme ça. Enfin, pas avec cette voix. Bizarrement, quel que soit mon correspondant, j'ai tendance – enfin, j'avais tendance – à adopter son élocution. Avant de me renvoyer, Mme Phillips a déclaré que c'était l'une de mes meilleures stratégies.

— Ouais... fit Stéphanie, sceptique.

— Non, vraiment, je le sens.

— Vous avez quel âge ?

— Moi ? Quarante et un ans.

La jeune fille pouffa.

— Ah oui... Alors qu'est-ce que vous connaissez des angoisses de l'adolescence ?

— Les angoisses de l'adolescence...

J'ai ri et Stéphanie a ri avec moi. Enfin, c'est ce que j'ai cru, mais je me suis vite rendu compte qu'elle sanglotait.

— Oh, non... hoqueta-t-elle.

Je l'ai sentie sur le point de raccrocher.

— Oui, ma mère était alcoolique ! Elle a tenté de se suicider quand j'avais douze ans. Quand j'avais onze ans, mon père a réussi, lui.

Un long silence s'installa. Pourquoi lui avais-je raconté cela ? Je savais que c'était interdit par le règlement mais cela semblait le seul moyen de la garder en ligne.

En tout cas, ça a fonctionné car la jeune fille a repris la parole.

— Ma mère... Presque tous les jours, quand je rentre de l'école, elle est... complètement saoule. Ou alors elle est malade et je dois m'occuper d'elle. Je ne peux inviter personne à la maison, je n'ai pas d'amis. Enfin, j'en ai une, Jill, mais elle ne... enfin, je ne peux pas lui avouer ce qui se passe...

— Je comprends. Pendant toute mon adolescence, je n'ai pas eu d'amis, moi non plus. Mais je me trompais.

— Comment ça ?

— Je ne peux m'en prendre qu'à moi-même. En fait, j'avais honte, comme si c'était moi qui avais ce problème d'alcool. Stéphanie, écoute-moi bien : tu n'as rien fait de mal. Tu es innocente. Tu n'es qu'une enfant ! Tu ne mérites pas ce qui t'arrive.

Elle a fondu en larmes. Moi aussi. Pendant un moment, aucune n'a pu prononcer un mot. Je crois que Mme Phillips a commencé à nous écouter à ce moment-là.

— Vous savez, ce n'est pas le plus grave, reprit enfin Stéphanie, mais ça prend le dessus sur tout le reste, vous voyez ?

— Je vois.

— Bref, pour l'heure, il y a autre chose d'encore plus...

— Oui, Steph ? Quoi ?

— Oh...

Elle s'est remise à pleurer. J'ai patienté. Je pleurais aussi, mais en silence. Je pensais à Éric, mon thérapeute. Il ne pleure jamais, lui, même si je m'écroule devant lui. Jamais je ne le considère comme un être froid ou indifférent, bien au contraire. Il ne pleure pas et c'est tant mieux : il faut bien que quelqu'un tienne le coup.

Je me suis donc ressaisie pour Stéphanie.

— Que s'est-il passé ? Je sens que c'est grave.

— C'est grave, en effet. J'ai... fait une bêtise.

— Avec un garçon ?

Silence pesant, puis :

— Et merde...

Je n'ai pu m'empêcher de rire.

— Ce n'est pas grave. J'ai deviné, c'est tout. Tu peux m'en parler, si tu veux.

— Vous êtes mariée ? Comment vous appelez-vous, déjà ?

— Rudy. Si je suis mariée ? Oui.

— Depuis combien de temps ?

— Quatre ans et demi, presque cinq.

— Donc vous aviez... trente-sept ans ?

— Oui. Je sais, c'est vieux, ai-je ajouté avant elle, devinant ses pensées.

— Et vous avez déjà... fait quelque chose avec un type dont...

— Quelque chose dont j'ai eu honte, par la suite ?

— Oui.

Les intervenants ne sont pas autorisés à raconter leur vie. Ils sont formés à écouter, poser des questions, puis à orienter le correspondant vers les services sociaux appropriés. Ce que j'ai dit n'était pourtant pas si grave.

— Stéphanie, j'ai fait avec des hommes des choses dont je n'ai même pas parlé à mon psy.

La jeune fille a éclaté d'un rire nerveux, mais semblait soulagée.

— Vous allez chez un psy ?

— Il s'appelle Éric Greenburg. Il est dans le Maryland...

— Eh, attendez...

— Non, note-le. Au cas où...

Je lui ai aussi indiqué son numéro de téléphone. Je crois qu'elle l'a noté. Inutile de préciser que c'est strictement interdit...

— Voilà, dit Stéphanie en se raclant la gorge. Ce garçon, il est dans ma classe. Il s'appelle George, mais tout le monde le surnomme Spider, Spiderman. Je ne sais pas pourquoi. Il ne me plaît pas tant que ça, en réalité. Ce n'est pas mon chum, ni rien. Hier soir, il était au centre commercial, avec des copains. Moi, j'y étais avec Jill. On a commencé à discuter, tout ça. Bientôt, Spider nous a proposé d'aller dans sa voiture parce qu'il avait... des trucs, vous voyez, qu'on pourrait fumer. Jill a répondu « pas question, on s'en va » et... Bon, d'accord, c'était vraiment stupide, je sais, mais je lui ai dit de partir toute seule, parce que j'avais envie de rester.

— Oui...

— Elle est partie et j'ai suivi Spider et les deux autres garçons dans le stationnement. Et je me suis gelée.

— Oui...

— Ce n'était pas la première fois que je fumais. Je crois que j'étais d'humeur à le faire. Je... enfin...

— Tu n'avais pas envie de rentrer à la maison.

— C'est ça.

— Tu voulais t'amuser un peu. Te défouler.

— Oui... Oh, Rudy...

— Je sais. Alors...

— Alors... Vous savez ce que j'ai fait ensuite.

— Je le devine. C'était comment ?

Elle a ricané, puis s'est remise à pleurer. Le téléphone est posé sur un bureau avec, de part et d'autre, deux cloisons en fibre de verre qui arrivent au menton de l'intervenant. Pour ne pas être vu des autres, il faut pratiquement se plier en deux. Une main sur ma nuque, j'ai écouté Stéphanie pleurer à chaudes larmes.

— Ce n'est pas grave, ça va aller... lui ai-je répété encore et encore. Tu es toujours toi-même.

— C'était atroce, vraiment atroce ! Et il ne me plaît même pas ! Il va raconter ça à tout le monde, à tous ses copains, et ensuite...

— Et alors ? Tu n'es pas comme ça et tu le sais. Qu'ils aillent se faire voir !

— Jill me fait la tête !

— Elle est en colère, mais...

— Non ! Elle me déteste. Ma meilleure amie me déteste !

— Mais non.

— Si !

— Elle est troublée et elle t'en veut, mais elle ne te déteste pas. C'est vraiment ta meilleure amie ? Depuis combien de temps ?

— Depuis la sixième année. Ça fait quatre ans, m'a-t-elle répondu comme j'aurais dit quarante ans. Qu'est-ce que je vais faire ?

— Eh bien, il faut lui parler.

— Elle refuse de m'écouter ! De toute façon, je ne peux pas lui raconter ça.

— Mais si. Tu me l'as bien raconté, à moi. Ce sera un peu difficile, voilà tout.

— Je ne peux pas ! Elle est tellement stricte, raisonnable. Elle l'a toujours été. Parfois, je me dis que, si j'avais une sœur, ce serait moins dur. Ou même un frère. Si j'avais quelqu'un...

— Pas nécessairement...

— Mais si. Si j'avais une sœur, par exemple, j'aurais quelqu'un avec qui partager toutes ces embrouilles.

— On pourrait le croire, oui.

— Ce sera bien plus facile. Vous savez, c'est dur, d'être toute seule...

Alors j'ai remis ça :

— Écoute-moi : j'ai des frères et sœurs, et ils n'ont fait qu'aggraver les choses, quand j'avais ton âge.

— Je ne comprends pas.

— Le fait que ta mère boive te donne l'impression d'être une ratée, non ?

— Oui.

— Eh bien, si tu avais un frère ou une sœur, tu aurais l'impression de ne pas être à la hauteur pour eux, non plus. Au lieu de te soucier d'une seule personne, tu en aurais plusieurs à supporter. Les frères et sœurs n'arrangent pas tout.

— J'aimerais quand même avoir quelqu'un...

Pourquoi n'en suis-je pas restée là ?

— Écoute, Stéphanie, ma sœur Claire a fugué quand j'avais seize ans. Elle en avait dix-huit. Elle a intégré une secte et s'y trouve encore.

— Oh...

— Cette secte affirme qu'il faut vénérer les chats car ils descendent de Yahvé. Les chats !

— Qui c'est, ce Yahvé ?

— Dieu. Yahvé signifie Dieu.

Stéphanie a éclaté de rire.

— Je ne plaisante pas. Et je t'épargne leurs autres croyances. Quant à Allen, mon frère, il a tout simplement disparu. C'est comme ça, dans ma famille. Mon père s'est suicidé, ma mère buvait, ma sœur est adepte d'une secte et mon frère est perdu. Et moi, je suis dans ce centre d'appels, à me comporter comme une personne saine d'esprit, alors... Non, écoute-moi (elle ricanait toujours), je crois que la priorité est d'appeler le Dr Greenburg. Ensuite, appelle Jill, parce que tu as vraiment besoin d'elle.

— Oui, mais je ne sais pas...

Quand la responsable veut intervenir, un voyant rouge se met à clignoter. Il faut alors mettre le correspondant en attente, appuyer sur le bouton et voir ce qu'elle veut. Mon voyant clignotait depuis environ deux minutes.

— Je te conseille de faire le premier pas, avec Jill. C'est ce que je ferais à ta place. Tu l'aimes beaucoup, n'est-ce pas ?

— Oui, je crois...

Elle fondit en larmes de plus belle. J'avais vraiment touché une corde sensible.

— Allons, Stéphanie, ce n'est pas grave. Allons... Tout va s'arranger...

Le voyant clignotait furieusement.

— Rudy ?

— Oui ?

— Vous allez bien, maintenant ?

— Oui, ça va vraiment bien.

Nous avons le droit de mentir. Et si ce n'est pas le cas, c'est regrettable.

— Mais... Et votre mère ? insista Stéphanie d'une petite voix.

— Elle est toujours là. Nous avons toutes les deux survécu. Elle vit au Rhode Island avec mon beau-père. On se téléphone de temps en temps.

Inutile de préciser que je ne l'ai pas vue depuis presque cinq ans, depuis mon mariage.

— Elle dit qu'elle regrette, ai-je ajouté. Enfin, elle me l'a déclaré une fois.

— Ah bon ?

— Oui. Et cela m'a beaucoup touchée.

— Rudy, reprit Stéphanie avec un soupir, j'ai l'impression que votre famille est encore plus pourrie que la mienne. Oh, pardon ! Ça ne se dit pas...

La pauvre gamine...

— Si je commençais à te parler de ma famille, tu serais encore là demain matin et tu arriverais en retard à l'école.

Elle s'est mise à rire. J'étais tellement touchée par cette fille qu'une idée m'est venue.

— Tu vis dans le coin ?

— Oui, à Tenley Circle. Je vais au collège de Wilson.

— Si tu veux, on pourrait se voir pour discuter. Qu'en dis-tu ? Ce n'est qu'une suggestion...

— J'aimerais bien. Samedi, par exemple ?

— Parfait. En général, mon mari travaille le samedi. On pourrait luncher...

— Mince ! J'avais oublié que vous étiez mariée.

— Oui, je suis mariée.

— Alors... C'est bien ?

— D'être mariée ? Très bien. Enfin, en général.

— Oui, en général...

Sa voix s'éteignit. Elle était si cynique que j'en eus le cœur brisé.

— Alors, repris-je, ça marche pour samedi ?

— Oh, ce serait...

Click.

— Allô ? Stéphanie ? Allô ?

J'ai fixé le combiné. Sur ma console, six ou sept voyants verts clignotaient, indiquant les correspondants en ligne avec des bénévoles. Avait-on transféré l'appel de Stéphanie vers quelqu'un d'autre ? J'ai appuyé sur un bouton au hasard.

— ... Ce n'est vraiment pas le moment de faire son coming out ! disait un correspondant. Et ce pédé le savait...

Click.

— Madame Lloyd.

J'ai sursauté. Mme Phillips m'avait toujours appelée Rudy. C'est une superbe femme noire très impressionnante qui me fait une peur bleue. Elle me dominait de toute sa hauteur. Son imposant giron se soulevait au rythme de son souffle. Je ne pus que lever les yeux vers elle comme une enfant coupable.

— Madame Lloyd, raccrochez, prenez vos affaires et sortez de ce bureau.

— Attendez, je sais que j'ai...

— Dehors !

Elle désigna la fenêtre donnant sur la rue. Avec ses longs ongles vernis, ses nombreuses bagues et ses bracelets qui tintaient, elle me faisait penser à une déesse ou une amazone.

— Je vous en prie, Madame Phillips, si je pouvais parler à cette fille encore deux minutes, je crois qu'elle...

— Madame, coupa-t-elle, incrédule, vous êtes renvoyée. Qu'est-ce qui vous a pris ?

Elle était indignée, furieuse. Je ne l'avais encore jamais entendue hausser le ton.

— Madame Phillips, j'ai eu tort, je sais, et je ne...

— Nous sommes au service des gens, Madame Lloyd. Vous croyez que nous sommes là pour faire votre propre thérapie ?

— Non, je...

— Vous aurez de la chance si je ne porte pas plainte contre vous.

— Plainte ?

C'était un cauchemar. Éric me conseillait d'extérioriser ma colère. Hélas, elle était trop profondément enfouie sous ma culpabilité, mes remords, ma tristesse et ma mortification. Ce fut l'un des pires échecs de ma vie.

Pauvre Stéphanie, ai-je pensé en rentrant chez moi, d'humeur lugubre. Qu'allait-elle devenir ? Et si elle retournait vers Spiderman ? Je pouvais essayer de la trouver. Elle vivait à Tenley Circle et fréquentait le collège de Wilson... Elle avait quinze ans...

Pourquoi croyais-je pouvoir l'aider ? Je n'avais fait que lui parler de moi, de ma mère alcoolique, de ma famille tordue. Mme Phillips avait entièrement raison : je méritais cette honte, et plus encore.

Eh bien, ce n'était pas terminé. Le pire restait à venir : il fallait encore que j'explique tout cela à Curtis.

4

Isabel

J’ai lu un livre écrit par une femme qui, dans une autre vie, aurait été sympathisante nazie. Elle a collaboré avec les SS, raconte-t-elle, espionné ses voisins, s’est enrichie (enfin, il s’est enrichi, car elle était un homme, à l’époque) de façon éhontée. Cette conviction se fonde à la fois sur une thérapie de régression et sur sa situation actuelle. La malheureuse est tétraplégique. À la suite d’un terrible accident de la route, à l’âge de seize ans, elle a perdu l’usage de tous ses muscles, à part ceux du visage. Elle prétend payer de ses souffrances les péchés qu’elle a commis en Allemagne dans les années quarante.

C’est le karma. La roue tourne, comme on dit.

Je n’ai jamais pratiqué l’hypnose ou la régression, et si j’ai eu des vies antérieures, je les ai oubliées. Néanmoins, je n’en rejette pas la possibilité. Le scepticisme est un luxe que je ne m’accorde plus. Je le laisse aux jeunes et aux immortels. S’il est vrai que le yin et le yang se pondèrent, j’aime à croire que c’est ce qui m’arrive dans *cette* vie. Je sais même où se situe le centre de l’équilibre le plus parfait : au cœur de ma quarante-sixième année. Tel un cœur brisé, les deux moitiés de mon existence se déploient comme des ailes de part et d’autre. J’ai vécu une renaissance. En cette troisième année de ma nouvelle vie, j’essaie de racheter l’ancienne à coups d’espoir et d’amour, d’empathie, de chaleur, de gentillesse et autres petites joies gratuites. J’ai tant de choses à rattraper ! Rien d’aussi haineux que les crimes nazis, toutefois. J’espère que j’en aurai le temps. J'aimerais bien vivre quatre-vingt-douze ans : deux fois quarante-six.

Entre amis proches, dix ans de différence d'âge, ce n'est pas grand-chose. Pourtant, j'ai parfois l'impression d'être d'un autre siècle que les Grâces. Je n'ai pas encore cinquante ans, donc je suis théoriquement une baby-boomer. Mon père étant missionnaire, j'ai passé la moitié de mon enfance au Cameroun et au Gabon, et l'autre dans l'Iowa. Par la suite, le métier de mon mari nous a menés en Turquie pendant six ans, après notre mariage. Notre fils est d'ailleurs né là-bas. Si mon malaise à l'égard de la culture populaire s'explique assez facilement, je crois qu'il y a autre chose, tout au fond de moi. Une non-modernité incurable, comme dirait Emma. Pourquoi pas, après tout ?

Les Grâces sont des femmes actives, plutôt saines d'esprit avec, à l'exception de Rudy, un bagage affectif normal pour des yuppies sur le retour. Et pourtant, nous avons toutes connu une enfance plus ou moins désastreuse. Rudy aurait de quoi écrire un roman et Emma va sans doute le faire. La famille de Lee et la mienne ont en commun une banalité apparente qui dissimule une réalité bien plus sombre. De temps à autre, nous nous demandons ce qui nous unit et nous en arrivons toujours à la même conclusion : les Grâces sont toutes le fruit d'une enfance difficile.

Aurais-je guéri de mon cancer sans leur affection et leur soutien ? J'aurais sans doute survécu, rien de plus. Or aucune autre expérience ne m'a à ce point équilibrée. Moi qui croyais ne jamais m'en remettre, avoir changé à jamais... Ce fut le cas, mais pas comme je le pensais. J'avais lu tout ce qui me tombait sous la main sur cette maladie. De nombreuses femmes affirmaient que le cancer avait bouleversé leur existence, fait d'elles des êtres différents. Elles affirmaient même que c'était un mal pour un bien. Ces témoignages me rendaient folle de rage ! Je me sentais trahie, trompée, profondément offensée. On me mentait.

Aujourd'hui, je suis l'une de ces femmes. Il y a deux ans, j'ai perdu un sein, et je débite désormais ce discours qui me hérissait tant : « Je ne le souhaite à personne, mais ce fut pour moi une expérience positive qui a transformé ma vie. »

Et elle en avait besoin. J'avais déjà connu un tournant en découvrant, entre autres, l'infidélité chronique de mon mari. J'ignore pourquoi, mais je pense souvent à Gary, ces derniers temps. Fallait-il faire de sa dernière trahison le catalyseur de notre rupture ? Si cela se produisait aujourd'hui, lui pardonnerais-je ? Je crois que oui. Enfin, je l'espère, car je ne suis plus la même. Je n'ai plus cette colère en moi. Dieu merci. Que dirait Lee si je le lui avouais ? Ou Emma, ou Rudy ? Je n'ose l'imaginer ! Leur amitié, leur façon de faire corps, de s'unir pour détester Gary fut le seul aspect positif de ce divorce. En l'espace d'une réunion, elles en sont arrivées à souhaiter sa mort. À l'époque, j'ai trouvé cela extrêmement réconfortant.

À ce jour, je n'ai toujours pas raconté toutes ses infidélités aux Grâces. Par honte, sans doute. Le comportement de Gary est méprisable et je réagis comme si j'étais en partie coupable. C'est peut-être vrai... Certainement, même. En tout cas, je leur serai éternellement reconnaissante d'avoir exprimé une telle furie en apprenant comment j'avais découvert sa première aventure. C'était le soir de notre dix-neuvième anniversaire de mariage, ce qui, avec le recul, n'a rien d'étonnant : Gary n'a jamais su choisir son moment.

Il m'a emmenée dans un nouveau restaurant turc à Bethesda, un clin d'œil nostalgique au bon vieux temps, quand nous vivions à Ankara, au début de notre mariage. J'étais à la fois surprise et touchée. Nous avons bu du raki, mangé des brochettes d'agneau, des aubergines... Et, en rentrant, nous avons fait l'amour sur le canapé. Ce n'était pas dans nos habitudes, mais Terry passait la nuit à Richmond avec sa chorale et, pour une fois, la maison était à nous. Ensuite, je me suis assoupie, pour me réveiller un peu plus tard. Dans le noir, j'ai ramassé mes vêtements et gravi les marches, toute contente de batifoler encore avec mon mari au bout de dix-neuf ans. Soudain, par la porte entrouverte de la chambre, j'ai entendu sa voix étouffée. Curieuse, je me suis arrêtée sur le palier. À qui pouvait-il téléphoner à minuit ? Avec ce ton suave ?

À Betty Cunnilefski, un nom qui ne m'a amusée que bien plus tard. Elle était assistante dans son entreprise. Je l'avais rencontrée une fois et j'en gardais le souvenir vague d'une petite femme vaporeuse, fade, de celles que l'on voit manger seules au restaurant et qui dissimulent avec soin le titre du livre qu'elles sont en train de lire.

Cette nuit-là, Gary m'a tout avoué. Il m'a juré qu'il ne la verrait plus, qu'il la ferait muter. Malgré ma douleur et ma colère, j'ai eu un peu de peine pour Betty. Fidèle à sa parole, Gary l'a transférée dans un autre service en moins d'une semaine. Sans doute ne l'a-t-il plus revue. Sur le moment, je l'ai cru. Il pleurait de façon si convaincante, il implorait mon pardon avec tant de sincérité... Incapable d'expliquer pourquoi il avait agi de la sorte, il semblait presque aussi sonné que moi. C'était tout aussi bien car, s'il avait invoqué la solitude du mari incompris, frustré sexuellement, ivre, en pleine crise de la quarantaine, il aurait réveillé le volcan de colère qui sommeillait en moi et dont j'avais à peine conscience. S'il avait su, Gary aurait été sidéré.

L'éruption a couvé pendant trois ans. Betty était peut-être sa première maîtresse – ou peut-être pas – mais elle ne fut pas la dernière. Comment séduisait-il ses conquêtes ? Voilà ce que j'aimerais savoir, maintenant que ma colère est retombée. Il est petit, trapu, court sur pattes, il a un double menton, une barbe et des cheveux poivre et sel. Au lit, il se montre brutal. Il y en a qui apprécient mais, au fil des ans, j'en suis venue à détester cela. Son sourire amical cache un homme plutôt froid, calculateur, un prédateur qui flirte de façon inepte et envahissante. Comment imaginer qu'il plaise à une femme ? Or c'est le cas.

Il faut dire que c'est un homme fougueux, passionné. Voilà pourquoi je suis tombée amoureuse de lui. Ensuite, il choisit des filles solitaires, en manque, mal à l'aise, des coups faciles, pathétiques, exactement comme moi. J'ignore s'il le fait exprès, s'il est cruel et calculateur, ou s'il suit quelque instinct aveugle. Je n'ai jamais réussi à en avoir le cœur net, mais je lui accorde le bénéfice du doute, car j'ai envie de pardonner.

Ce n'est pas de l'altruisme. Je ne suis pas une sainte, mais je n'ai plus de place pour l'amertume. Au risque de sembler idiote, je dirais que le monde regorge de femmes comme Betty. À qui dois-je cet optimisme ? Au Dieu de mon père, pasteur luthérien ? En partie. De nos jours, je suis aussi attirée par ce qu'Emma appelle le paranormal : boules de cristal, tarot, réincarnation, astrologie, numérologie, méditation, hypnose, tout ce qui entre dans le nouvel âge (d'après Emma, toute pratique ésotérique en dehors du protestantisme pur et dur). J'y crois. Le mépris de mon amie est sans limite, mais elle me taquine gentiment, avec affection. C'est un petit jeu entre nous, car nous sommes plus proches que jamais.

Je peux lui confier combien je suis heureuse de trouver Dieu dans tous ces nouveaux univers. Le poids des conventions et du rationnel s'est envolé quand j'ai compris que j'allais peut-être mourir vraiment. Maintenant, je suis libre. Libre, à quarante-neuf ans, et ravie de commencer une autre vie. Le yin et le yang. Je suis retournée à l'école, j'ai déménagé de Chevy Chase à Burleith puis Adams-Morgan, un parcours qui parle de lui-même. Je me teins les cheveux, peut-être prendrai-je un amant... Me réveiller le matin n'est pas une épreuve, c'est le début d'une aventure potentielle. Je me suis recréée. Non, j'ai été recréée par une nouvelle conception de la mortalité imposée par les circonstances. Et cela valait la peine : il m'a suffi de donner un sein en échange.

L'affaire de ma vie.

5

Emma

Une mauvaise nouvelle fait moins mal quand on la reçoit entouré de proches : si on se fait pousser par la fenêtre du cinquième étage, on a une bonne chance de survivre en rebondissant sur un auvent, le toit d'une voiture ou un tas de sacs à ordures avant de s'écraser sur le trottoir.

D'accord, la comparaison est un peu excessive, d'autant plus que je ne sais pas quelle Grâce symbolise les sacs à ordures. Disons simplement que, le soir où j'ai découvert que Mick Draco était marié, mes trois meilleures amies ont amorti le choc de façon extraordinaire.

Un jeudi, nous étions en train de souper à La Cuillerée, dans le quartier d'Adams-Morgan, car la cuisinière d'Isabel était en panne.

— Ma nouvelle a encore été refusée, venais-je d'annoncer aux Grâces.

J'étais sur le point de balayer d'un geste désinvolte une sollicitude et une compassion qui me faisaient pourtant grand bien. Pas question de leur montrer combien j'étais anéantie. Soudain, Lee a regardé derrière moi :

— Mick Draco !

Stupeur. Cinq minutes plus tôt, je fantasmais sur lui. Lee lisait-elle mes pensées ? Suivant son regard, je me suis retournée et je l'ai vu : mon rêve devenait réalité.

Lee a répété son nom en agitant la main, mais elle préférerait manger une coquerelle que d'élever la voix en public. Mick ne l'a donc pas entendue. Lee le connaissait ? J'étais intriguée.

— Hé ! Mick ! ai-je lancé en me levant.

Il a fait volte-face et a souri, puis il est venu vers nous.

Cela faisait quatre jours que je pensais à lui, depuis notre brève conversation, dans un café sordide, en face de son atelier d'artiste de la 8e rue, pour mon article. Il m'avait dit qu'il vivait tout près, à Columbia Heights. Le croiser dans ce bistro branché de Columbia Road était troublant.

En tout cas, il était toujours aussi beau. Mince, élancé, pas trop grand, tout à fait mon genre, avec ses cheveux bruns striés de gris, son air intelligent. Dès qu'il m'a vue, une lueur chaleureuse est apparue dans ses yeux noisette.

— C'est le gars dont je t'ai parlé, ai-je eu le temps de souffler à Rudy.

Les mains dans les poches de son manteau, il souriait, ravi mais un peu nerveux, gêné, peut-être. Et soudain, je me suis dit : « Merde, il va poser les yeux sur Rudy et m'oublier complètement. » C'est ce que font les hommes, en général. Philosophe, je m'y suis habituée. Ce soir-là, pourtant, j'avais envie d'enfoncer un sac sur la tête de mon amie.

— Bonjour Mick, dit Lee. C'est cool de te voir ! Je comptais téléphoner à Sally. J'ignorais que tu connaissais Emma.

Sally ? Qui est Sally ? me suis-je demandé pendant que Lee présentait Mick à Rudy et Isabel. J'ai vite compris : c'était sa femme. Génial... C'est toujours la même histoire. Et je n'allais même pas m'en sortir par une pirouette, raconter une de mes anecdotes hilarantes : un rendez-vous galant qui vire au cauchemar ou la dernière bourde de l'un de mes partenaires sexuels désastreux. Cette fois, je souffrais, un point c'est tout. Je n'avais rien vu venir. Je ne m'attendais pas à cette douleur. Vous trouvez ça bizarre, immature, de réagir aussi fortement en apprenant qu'un homme que l'on connaît à peine est marié ? Eh bien, moi aussi. Et je suis incapable de l'expliquer, car c'est la première fois que cela m'arrive.

— Jay, le fils de Mick, fréquente le centre, expliqua Lee, les yeux pétillants, visiblement ravie. C'est là que j'ai rencontré Sally.

Marié et père de famille ! Encore un coup de poignard. Et son enfant fréquente le centre de Lee ! Affichant un large sourire, j'ai expliqué à tout le monde comment je connaissais Mick.

— Nous nous sommes vus il y a quelques jours pour un article que j'écris sur les changements de carrière à la quarantaine. Mick en sera la vedette.

Rudy et Isabel ont émis un grommellement intéressé. Mick n'a pas réagi, alors j'ai poursuivi :

— Il était avocat spécialiste des brevets et est désormais artiste peintre.

— Un artiste qui galère, admit-il, avec un sourire gêné, en remuant les mains dans ses poches.

Il était timide... Seigneur, encore une de mes faiblesses. Deux choses me font craquer chez un homme : la timidité et le fait qu'il soit plus intelligent que moi. Or Mick ne m'avait pas paru timide, au café, en tête à tête. Et il ne semblait pas ébloui par Rudy, non plus. En fait, il ne cessait de me lancer des œillades tout en bavardant avec Lee. Isabel les observait en silence et enregistrait tout.

Théoriquement, les Quatre Grâces étaient en réunion, de sorte que personne ne l'a invité à se joindre à nous. Je m'en réjouis. Pourquoi me torturer plus que nécessaire ? Ne trouvant plus rien à raconter, il a déclaré à Rudy et Isabel qu'il était ravi de les avoir rencontrées et a promis à Lee de demander à Sally de l'appeler. Sally. Je n'avais jamais connu de Sally, mais je l'imaginais sans peine, celle-là. Ce devait être une de ces blondes saines et sûres d'elles. Sans doute portait-elle un tablier pour mitonner de bons petits plats nourrissants pour ses hommes. Car elle les appelait certainement « mes hommes ».

Mick recula d'un pas et me regarda enfin directement.

— À lundi, alors.

— D'accord, à lundi.

— Et si on déjeunait, avant ?

— Non, je ne peux pas, répondis-je d'un ton un peu brusque. On commencera à l'atelier, comme prévu.

Ma réaction était stupide. Il n'avait rien fait de mal, après tout. Il ne portait pas d'alliance, mais il ne m'avait pas menti. Il n'était même pas de ces dragueurs qui laissent entendre qu'ils sont célibataires. Tout était de ma faute. Je m'étais fait des illusions. Une erreur de débutante. J'aurais pourtant juré avoir surmonté ce problème depuis longtemps.

Mick s'est éloigné vers un homme voûté aux cheveux gris noués en chignon, près de la fenêtre. Je les ai observés du coin de l'œil tandis que Lee chantait les louanges de Sally : elle était tellement gentille ! Elles envisageaient de prendre des cours de danse classique ensemble. J'ai failli lui crier que j'avais le cœur brisé. Je l'aurais fait avec humour, bien sûr. Je cache encore quelques secrets au groupe, mais pas mes problèmes de cœur, en général. Pourquoi n'ai-je rien dit ? Le fait que Lee connaisse l'épouse de Mick était délicat. Et puis, il y avait Isabel. Son divorce était récent et l'adultère était encore un sujet difficile, pour elle.

Je n'envisageais toutefois pas l'adultère. Oh non ! Je déteste la trahison, les trompeurs, l'infidélité, toutes ces histoires sordides. Mais quand même... Quelque chose chez Isabel – son silence, la douceur de son expression, son sourire de Bouddha, sa façon de ne pas porter de jugement – m'a empêchée de faire un commentaire cynique et dénigrant sur mon béguin pour un homme marié.

Comme d'habitude, nous avions gardé Rudy pour la fin, parce que son quart d'heure de parole a tendance à se transformer en une demi-heure, voire davantage. Personne ne s'en offusque, mais il vaut mieux prévoir. Elle nous a raconté de façon hilarante comment elle avait perdu son poste d'intervenante téléphonique.

— Je savais bien que ça te ferait rire, m'a-t-elle dit. Mais je t'assure que ce n'était pas drôle.

— Rudy ! Tu lui as vraiment donné le numéro du Dr Greenburg ?

— Pourquoi pas ? Il fait des thérapies familiales et s'occupe des adolescents. Cette fille avait besoin...

— Le règlement l'interdit, intervint Lee du ton de maîtresse d'école qu'elle prend souvent avec Rudy.

Jamais avec moi : j'en ferais autant, mais en exagérant le trait, pour être encore plus irritante, ce qui n'est pas peu dire.

— Je sais, admit Rudy, mais...

— Ces services n'ont pas le droit de recommander des médecins. Ils ne te l'ont pas expliqué ? Les intervenants ne sont pas formés avant de prendre les communications ?

— Oui, il y a une formation. Il est interdit de recommander des médecins, des cliniques ou des hôpitaux, ni même des programmes. Je sais que je n'aurais pas dû, mais je n'ai pas pu m'en empêcher. Si vous l'aviez entendue... (Elle se tourna délibérément de Lee, Isabel et moi.) Vous auriez fait pareil.

— J'espère bien, répondit Isabel avec un sourire.

— Mais ça ne se fait pas ! insista Lee. Sinon, le service d'écoute devient un service commercial. Imaginez les dérives potentielles...

Isabel recula en passant une main dans ses boucles blond cendré. Elle est superbe, en ce moment, elle fait à peine quarante-cinq ans.

— Rudy, dit-elle doucement, tu es bénévole dans combien d'associations caritatives ?

— En ce moment ? Quatre.

— Ah oui ? Lesquelles ?

— Je fais de l'alphabétisation, de la distribution de repas, le dimanche, de la protection des animaux, sans oublier mes heures de lecture.

— De lecture ?

— Je lis des histoires aux enfants malades, à l'hôpital.

— Ah...

Un ange passa, le temps d'assimiler tout cela. Au coin de la Quinzième et de G, il y a une vieille dame noire qui joue de la guitare. Parfois, je dépose un dollar dans sa boîte à cigares, en passant. Outre quelques chèques à des associations, à Noël, si mes moyens me le permettent, mon action caritative s'arrête là.

Isabel n'a pas insisté. À quoi bon ? Lee a cessé de me faire la leçon et j'ai arrêté de rire. Rudy, la douce et inconsciente Rudy, a demandé de l'eau au serveur. Elle ne savait même pas qu'Isabel avait eu le dernier mot.

Rudy m'a surprise en train de lui sourire.

— Quoi ? a-t-elle demandé en me rendant mon sourire.

— Rien.

J'adore le sourire malicieux de Rudy. Il y a douze ans, étudiante à la bibliothèque de l'université de Duke, elle ne devait pas sourire beaucoup. Sinon, je l'aurais remarquée. Nous ne nous connaissions que de vue, à l'époque : deux étudiantes en licence pressées qui se voyaient, sans vraiment s'en rendre compte. Aujourd'hui, nous nous émerveillons du hasard, de la providence – voire du destin, si nous avons bu. Heureusement que nous sommes arrivées à Washington la même année ! Le fait que nous ayons intégré le même groupe de lecture relève du miracle.

— Qu'est-ce que tu m'as trouvé, au départ ?

Nous ne nous lassons pas de nous poser cette question, mais de façon plus subtile.

— Tu riais à toutes mes blagues, dis-je systématiquement. Personne d'autre n'avait le moindre sens de l'humour. De plus, tu as un rire génial.

C'est vrai, mais il y a une autre raison : Rudy exprimait toujours tout haut ce que je pensais tout bas. Elle trouvait toujours les mots qui reflétaient ma vie intérieure, se mêlaient à mes sentiments profonds, comme si elle était moi. J'avais

l'impression d'avoir rencontré mon double. Je suis sa meilleure amie, mais elle attire d'autres personnes grâce à cette
qualité. J'ignore si ce sont ses années de thérapie, mais Rudy
a une façon d'exprimer l'indicible comme si c'était normal et
humain. Pardonnable.

Quand je lui demande ce qu'elle, m'a trouvé, elle répond :
« Tu étais tellement drôle ! » C'est gentil. J'aime bien amuser
les gens. Pas besoin d'un thérapeute pour comprendre pourquoi. « Et tu étais honnête, un peu insolente, aussi, mais dans
le bon sens du terme. Une petite maligne au cœur d'or. »

Personne ne m'avait jamais fait un tel compliment.

Au moment du dessert, mon esprit s'est mis à vagabonder.
Mon regard aussi. Mick Draco avait des épaules incroyables.
Draco, c'est un nom grec, non ? Or il avait le profil romain.
J'ai mis mes lunettes. Il avait un grain de beauté au bout de
son sourcil droit, et le front bien net, même si ses cheveux
raides étaient trop longs (trop longs pour être à la mode, pas
trop longs pour lui). Il a ri aux propos de son ami. Dans le
vacarme, je n'ai pas entendu son rire, mais j'ai esquissé un
sourire d'empathie.

Lee m'a souri à son tour.

J'ai enlevé mes lunettes et je me suis ressaisie. Mick Draco
était une impasse. Je suis nulle dans les rapports homme-
femme ! Passer la moitié de sa vie à essayer de rester plus d'un
an ou deux avec un homme, c'est grave. Il n'est plus question
de « se chercher ». Je ne me trouverai jamais, parce que je suis
vouée à l'échec.

— Qu'est-ce que je ferais sans vous, les filles ?

J'ai coupé la parole à Rudy pour faire cette déclaration, au
milieu de ma crème brûlée. Tout le monde m'a souri avec
affection. Dans un geste maternel et bienveillant, Isabel a
regardé mon verre de vin.

— Je suis sincère ! Si j'avais autant la poisse avec les femmes
qu'avec les hommes, je me serais tiré une balle dans la tête.

Rudy me tapota l'épaule et reprit son récit à propos de son psy. Je mourrai peut-être vieille fille, mais j'aurai toujours mes copines. Il y a bien pire que de vivre seule. La plupart des hommes ne sont en général que des ralentisseurs, des moments de distraction qui jalonnent une vie par ailleurs toute tracée. De temps en temps, je tombe sur un bon numéro, mais il y a toujours quelque chose qui cloche. Les femmes bien, en revanche, sont partout. On n'a que l'embarras du choix. Il suffit de choisir les meilleures, de former un groupe et on a des amies pour la vie !

En sortant de La Cuillerée, Lee s'est tournée pour faire signe à Mick Draco, mais pas moi. Je suis partie sans un regard. Je m'en étais remise. Grâce à mes amies, je voyais clair. Sauvée par les Grâces, une fois de plus !

Et j'allais le revoir dès le lundi, de toute façon.

6

Rudy

Cette nuit, j'ai fait un terrible cauchemar. Pour une raison quelconque, j'étais en retard, mais je ne me suis pas rendu compte tout de suite qu'il s'agissait de mon rendez-vous avec Éric. J'avais pris la voiture de Curtis. Ne trouvant nulle part où me garer, j'ai traversé la rue pour me stationner sur le trottoir, devant le cabinet de mon psy. Oh là là... me suis-je dit. Il ne va pas apprécier... Pensais-je à Curtis ou à Éric ? Je ne sais pas très bien. Bref, j'étais impatiente, car j'avais quelque chose d'important à lui dire à propos de mon père (Quoi ? Mystère). Je suis entrée en trombe, j'ai gravi les marches quatre à quatre, puis j'ai traversé la salle d'attente pour débouler dans son bureau sans frapper. Et là, il était en train de faire l'amour à même le sol avec une femme dont je ne voyais pas le visage.

Ils étaient habillés – c'est bizarre, cette censure – mais ils faisaient bel et bien l'amour. Enfin, Éric a levé les yeux vers moi et m'a souri, comme il le fait toujours. Alors j'ai vu les cheveux roux et le visage pâle de sa partenaire : Emma.

Faut-il parler de ce cauchemar ? Le raconter à Emma ? Je l'entends déjà s'esclaffer... Sur le moment, ce n'était pas drôle du tout.

Le cœur brisé, j'ai fondu en larmes. Je me suis cachée derrière la porte, mais ils m'ont vue. Quelle humiliation ! Et puis tout a changé : Éric et moi faisions l'amour, nus, sur son divan en velours. Emma est apparue, les mains sur les hanches.

— Génial ! Ne vous gênez pas ! lança-t-elle. Attends un peu que Curtis soit au courant !

Dès qu'elle a prononcé le nom de mon mari, je me suis réveillée en tremblant comme une feuille.

Curtis me tournait le dos, mais je devinais la forme de ses épaules sous la couette, le rythme de son souffle. Je l'ai observé longuement, terrifiée à l'idée qu'il fasse semblant de dormir et devine mes pensées. *Ce rêve ne signifie rien*, avais-je envie de déclarer. *Ne sois pas triste, cela ne voulait rien dire, je n'aime que toi.*

Naturellement, plus je le regardais, plus j'émergeais de mon cauchemar. Au bout d'un moment, j'ai glissé un bras autour de sa taille pour me blottir contre lui. Et là, je me suis sentie en sécurité.

Mais fallait-il parler à Éric de ce rêve ? Au moins, il connaîtrait sa signification. Jamais, au grand jamais, je ne pourrais l'avouer à Curtis. Ce rapport sexuel n'était même pas agréable, soit dit en passant. En fait, il était meilleur à regarder qu'à vivre. Ce n'était pas qu'une question de sexe. Il s'agissait surtout de contrôle, de domination, voire d'amour. Comment se fait-il que, dans les rêves, la sexualité signifie autre chose ? Comme la carte de la Mort, au tarot, du moins c'est ce qu'on raconte... Avais-je rêvé de ce que je désire ou de ce que je redoute ? Ou les deux ?

Je ne sais pas, je ne sais plus. Il faut dire que je ne sais jamais. Un jour, Éric m'a demandé : « Que pourrait-il vous arriver de pire si vous aviez une opinion marquée qui se révèle erronée ? » Je n'ai pas peur d'avoir tort. Je me trompe tout le temps. Demandez à Curtis. Le problème, c'est que, en optant pour une opinion tranchée, on élimine toutes les autres. Ce n'est pas juste. Pourquoi choisir ? Il est tellement moins brutal de ne pas choisir. De plus, mieux vaut s'accorder une porte de sortie.

Non, c'est décidé : je ne parlerai à personne de ce cauchemar.

Éric est fasciné par les Quatre Grâces. Quand il commence à s'assoupir à force de m'écouter radoter, il me suffit de parler d'elles pour qu'il se réveille. À mon avis, il y a quelque chose de sexuel là-dessous. Il nierait sans doute, mais mon psy n'apprécie pas seulement leurs anecdotes : il aimerait bien coucher avec elles. Toutes en même temps.

Il n'en ferait rien, bien sûr, même si c'était possible. Il n'y a pas plus droit qu'Éric. Toutefois, au plus profond de son noble inconscient, je suis sûre qu'il nous culbuterait bien.

— Décrivez-moi les Grâces, m'a-t-il dit un jour. Comment est Emma, physiquement ?

— Très belle ! Elle doit se trouver grosse, mais c'est faux. Elle a les cheveux blond vénitien et un teint pâle d'Irlandaise, avec des taches de rousseur en été. Elle rougit facilement et ne peut rien cacher de ses émotions, mais elle s'efforce d'avoir l'air détaché en toutes circonstances. Son air désinvolte est trompeur. En réalité, elle est aussi... j'allais dire névrosée, que moi, mais ne nous égarons pas.

— Bon... Et Isabel ?

— Elle est plus âgée, mais je la trouve vraiment jolie. Quand je l'ai rencontrée, elle avait les cheveux grisonnants. Maintenant ils sont blonds. Elle a les yeux bleus. Elle est grande, mais pas autant que moi, et s'entretient en marchant beaucoup. En fait, elle a l'air plus en forme qu'avant son cancer.

Que dire de plus ? Isabel est réservée et discrète, même dans son apparence. Il faut être très observateur ou la connaître depuis longtemps pour déceler sa beauté.

— Lee est mignonne. Elle déteste ça, mais c'est la vérité. Elle est si menue que l'on dirait un elfe. Les enfants l'adorent, sans doute parce qu'elle est à leur taille. Elle est brune et je l'ai toujours connue avec les cheveux très courts. C'est plus pratique, d'après elle. Cela lui ressemble bien.

— Donc vous êtes toutes ravissantes, commenta Éric en se frottant le menton, l'œil pétillant, innocent mais intéressé.

Il me fait rire. Il est tellement transparent, parfois !

— Merci, dis-je en prenant le compliment également pour moi. Je n'y ai jamais réfléchi, mais je suppose que ce n'est pas faux.

Hier il m'a demandé de but en blanc :

— Que pense Curtis de votre groupe, ces derniers temps ?

— Curtis ? Oh... C'est un peu mitigé.

Une réponse évasive qu'Éric comprend mieux que quiconque.

— Mais il était contre, au départ, non ?

— Oh...

Le lui avais-je avoué ? Cela me semblait déloyal, à présent.

— Peut-être un peu, mais seulement au début. Et il ne l'a jamais exprimé franchement. Il est tellement occupé...

— Alors ?

— Alors il aime que je sois là quand il rentre à la maison.

Curtis est assistant parlementaire pour un membre du Congrès nommé Wingert. Sa journée commence à six heures du matin et se termine à huit, voire dix heures du soir. Il affirme passer son temps à parler à des « imbéciles », alors il apprécie que je sois là quand il rentre à la maison. C'est assez légitime, non ? « J'ai besoin d'être avec toi, affirme-t-il. Rien que nous deux. J'en ai vraiment besoin. Tu m'empêches de péter les plombs. »

Moi ? Équilibrer quelqu'un ?

— Donc... reprit Éric, il ne voulait pas que vous intégriez le groupe parce que... vous seriez trop absente de la maison ?

— Non, ce n'est pas cela. Comment dire ?

Il haussa les épaules, mais je devinais son verdict : attitude passive-agressive.

Une fois, j'ai commis l'erreur de confier à Éric que Curtis me rappelle volontiers l'importance du facteur biologique en soulignant les antécédents de névrose dans ma famille. D'après lui, c'est sans doute congénital. Naturellement, Éric s'est inscrit en faux. C'est la dernière chose qu'un psychiatre a envie d'entendre (moi aussi, mais pas moyen d'y échapper. Si Curtis ne me le rappelle pas, je m'en charge moi-même). Cette histoire d'hérédité va à l'encontre de toutes les convictions d'Éric, qui s'est interrogé sur les motivations de Curtis.

Dans les périodes sombres, pourtant, cette théorie me semble parfaitement logique. Curtis est mon réconfort, mon consolateur. Il m'enlace et jure de me protéger. Tant qu'il me serre dans ses bras, je sais que je suis en sécurité.

Éric trouve que j'écoute trop Curtis, mais il ne comprend pas que c'est plutôt le contraire.

— Et que pensent les trois autres Grâces de Curtis ? demanda Éric au bout de quelques minutes de silence.

— Oh, elles n'en parlent pas souvent. Ce n'est pas notre propos. Nous ne passons pas notre temps à parler des hommes, vous savez.

Il afficha un air patient. En général, Éric me voit venir.

— Bon, d'accord, nous évoquons parfois Curtis. C'est normal. En dehors du groupe, c'est sans doute à Isabel que je parle surtout de lui.

— Vraiment ? Pas à Emma ?

— Non, pas à Emma. En fait...

Ce souvenir est tellement pénible que je m'efforce de ne pas y penser.

— Emma et moi... Il y a des années, Curtis a été à l'origine de notre pire dispute, donc nous évitons de parler de lui, désormais, à part les banalités d'usage : Comment va Curtis ? Bien. Dis-lui bonjour de ma part... C'est à peu près tout.

— Vous ne m'aviez jamais parlé de cette dispute avec Emma... Quand est-ce arrivé ?

Je n'avais pas envie de lui en parler.

— Il y a longtemps. Je crois toujours que c'était en grande partie de sa faute.

— Pourquoi ?

— Parce qu'elle a attendu la veille de mon mariage, la veille au soir, même, pour me dire ce qu'elle pensait vraiment de Curtis. Je lui ai pardonné. Enfin, il n'y a rien à pardonner... Mais c'est dur à oublier.

— Racontez-moi.

— C'est vraiment de l'histoire ancienne !

— Je sais, mais ça m'intéresse.

— Pourquoi ?

— Parce que. Allez, je vous écoute.

La mort dans l'âme, je lui ai tout raconté.

— C'était il y a quatre ans, cinq ans en décembre. Curtis et moi vivions ensemble depuis une éternité mais, la veille du mariage, il n'a pas dormi à la maison pour respecter la tradition. Emma est donc venue chez moi. Elle prenait son rôle de demoiselle d'honneur très au sérieux, se montrait pleine de sollicitude, d'esprit pratique et d'initiative. Tant mieux, car j'avais besoin qu'on s'occupe de moi. Ma mère et mon beau-père étaient arrivés du Rhode Island dans la journée et mon frère de Los Angeles dans la soirée. Quant à ma sœur, elle avait une permission de sa secte et je l'attendais le lendemain matin. Nous serions tous réunis pour la première fois depuis environ vingt-cinq ans, depuis l'enterrement de mon père.

Il y aurait aussi les parents de Curtis. Venus de Géorgie deux jours plus tôt, ils séjournaient au Willard. J'ignore laquelle des deux familles m'énerve le plus, la sienne ou la mienne. Curtis qualifie les siens d'« aristocrates du vieux Sud ». Comment peut-on être aristocrate et à ce point fauché ? Les Lloyd sont un peu trop directs, trop méridionaux pour moi, qui suis originaire de Nouvelle-Angleterre. Ils affichent un sourire de façade mais, au fond, ils ne ressentent que du mépris. Et cet accent traînant... Ils me font penser à de gros lézards paresseux qui se prélassent au soleil. Ils n'arrêtent pas de boire en public, et non en secret, comme dans ma famille : un martini-gin par-ci, deux doigts de bourbon par-là, un scotch dans une flasque en argent terni, un verre de cognac... Pour eux, boire est un art délicat, sensuel et obscène. Quand nous allons chez eux, j'ai l'impression de jouer les voyeuses, d'épier des scènes érotiques cachée derrière un massif de magnolias ou de chèvrefeuille. C'est écœurant. J'entends presque un personnage de Tennessee Williams crier : « Mendicité[5] ! »

J'exagère à peine. Curtis pense que j'amplifie les excentricités de sa famille pour minimiser les miennes. C'est vrai.

La veille du mariage, Emma est rentrée à la maison avec moi après le souper de répétition de la cérémonie. Elle devait passer la nuit chez moi, puis se lever tôt pour m'aider à m'habiller. Nous avions encore faim, malgré le repas. Nous avons donc préparé des omelettes et débouché une bouteille de vin, le tout après une vingtaine de toasts au champagne, j'avais perdu le compte. Je sais que j'abuse de la boisson mais, ce soir-là, j'avais d'autres problèmes.

Nous avons passé la soirée à boire et à bavarder, à chanter à tue-tête sur de la musique en échangeant d'ultimes confidences de célibataires, même si nous refusions de nous l'avouer. En fait, nous faisions même comme si c'était le contraire. Rien n'allait changer. Mon mariage avec Curtis n'était qu'une formalité administrative. Emma était affalée par terre, dans le salon. J'habitais alors D Street, à Capitol Hill, une maison de ville étroite et sombre, avec six pièces sur trois niveaux. Moi, j'étais sur le canapé, vêtue de ma plus vieille chemise de nuit. Les autres étaient dans ma valise, pour la lune de miel.

Certes, je savais qu'elle n'appréciait pas Curtis. Je le savais depuis que je les avais présentés l'un à l'autre, dix ans plus tôt, peu après l'arrivée de Curtis à Washington. Or elle n'en avait encore rien exprimé, du moins pas verbalement.

— Le moment était bien choisi, commenta Éric.

5. Tennessee Williams, *La chatte sur un toit brûlant*, l'histoire d'une famille du Mississippi : « Il n'y a rien au monde de plus puissant que l'odeur de la mendicité. »

— Oui...

Tout avait commencé en douceur. Nous parlions du nouvel emploi de Curtis, de l'argent qu'il allait gagner, du fait que nous pourrions bientôt déménager dans une maison plus grande. Emma a dit :

« C'est formidable, mais ce que je ne comprends pas, c'est ce mariage. Pourquoi te passer la corde au cou ? »

Elle semblait vraiment énervée, ce qui m'étonnait. J'ai parlé de rituel, de cérémonie, d'engagement, la réponse classique.

C'était en juin. Il faisait chaud. Emma ne portait qu'un T-shirt de foot sans manches et sa culotte. Elle a glissé les genoux sous le T-shirt et a enroulé les bras autour de ses jambes repliées, puis elle a secoué la tête pour écarter ses cheveux blond vénitien de ses yeux.

« Oui, mais tu pourrais vivre avec lui. Pourquoi légaliser votre union ? »

Elle a fait une plaisanterie sur Mickey Rooney ou Liz Taylor, qui se seraient épargné bien des problèmes s'ils étaient restés en concubinage. Nous avons ri, mais ce n'était pas sincère. Lorsqu'elle a détourné les yeux, elle était en colère.

Cela m'a fait peur, bien sûr, mais j'ai déclaré :

« Cela va peut-être t'étonner, mais Curtis me rend heureuse. Le problème, c'est que tu ne m'as jamais connue sans lui. Tu ne sais pas comment je suis quand il n'est pas là. (J'ai émis un rire faux.) Je veux dire... si tu trouves que ma situation actuelle est dure...

— C'est faux. Qu'est-ce que tu racontes ? Je te vois avec lui et sans lui. Quand il est là, tu n'oses pas dire un mot, Rudy ! Ou alors tu le regardes pour chercher son approbation. Cela me rend malade. »

La répulsion qu'exprimait sa voix nous a choquées toutes les deux.

« Tu mens », ai-je répondu sans sourire.

Nous étions fâchées. Je me suis levée pour éteindre la musique.

Nous ne nous étions jamais parlé sur ce ton. Nous n'avions jamais été aussi directes. C'est tellement atroce de traiter une amie de menteuse qu'on ne le fait pas pour la taquiner.

— Vous aviez peur, déclara Éric.

— J'étais morte de trouille. Nous étions différentes, certains aspects de l'une agaçaient l'autre, mais tout s'arrangeait grâce à l'humour. Emma est très douée pour faire passer un message sérieux sous le couvert de la plaisanterie. C'est très efficace. Elle pense que personne ne le sait, mais elle est prête à tout pour éviter une confrontation. Elle craint la colère, surtout la mienne, je crois. (J'ai ri.) C'est incroyable, non ?

— Vous aviez donc peur toutes les deux.

— Oui. Nous étions effrayées, furieuses et saoules. Elle a tenté d'arrondir les angles en me demandant : « C'est parce que tu veux avoir des enfants ? Avec Curtis ? Je comprends qu'on se marie pour avoir des enfants. Non, ai-je répondu. Bien sûr que non. Je veux avoir des enfants, mais ce n'est pas la raison de ce mariage. Emma, pourquoi es-tu si... »

Il y eut un silence pesant durant lequel nous n'avons pu nous regarder.

« J'aime Curtis. C'est donc si difficile à comprendre, pour toi ? Il me fait du bien.

— C'est faux ! »

Elle se leva, son verre de chardonnay dans une main, une cigarette dans l'autre. Sur son T-shirt des Redskins était imprimé le nombre 28 en rouge. Emma boit peu et ne fume que quand elle est avec moi. C'était à la fois bizarre et touchant. Je mourais d'envie qu'elle dise quelque chose de drôle pour effacer cette conversation, nous ramener au point de départ. Mais elle a déclaré :

« Je ne sais pas comment, mais il a réussi à te faire croire qu'il te faisait du bien. Tu ne vois donc pas que c'est sa méthode ?

— Sa méthode ? Oh...

— Rudy, tu vaux tellement mieux qu'il ne veut te le faire croire ! Aurais-tu arrêté tes études sans Curtis ? Non. Et tu aurais un vrai métier, aujourd'hui.

— Parce que tu critiques mon boulot, maintenant ! Génial ! »

Cela faisait vraiment mal. Je vendais des bijoux de créateur dans une boutique de Georgetown. D'accord, ce n'était pas ma vocation, mais c'était un travail correct dans lequel j'étais plutôt compétente. En tout cas, Curtis n'y était pour rien. Après sa licence en droit, nous sommes venus à Washington. Et moi, je n'ai jamais terminé ma maîtrise en histoire de l'art.

« En quoi Curtis serait-il responsable du poste que j'occupe ? ai-je demandé. Tu crois qu'il m'a forcée à arrêter mes études ?

— Oui, c'est exactement ce que je pense. Mais il l'a fait sans que tu t'en rendes compte.

— Ça c'est la meilleure ! Tu es tellement sûre de toi, c'est...

— Rudy, Curtis est un manipulateur ! Il dirige ta vie. Il est comme ça et je ne comprends pas comment tu ne t'en rends pas compte ! Il te fait croire que tu es cinglée alors qu'il n'est qu'un sordide sociopathe du Sud, comme Bruce Dern quand il interprétait ces tarés psychopathes... »

Je lui ai lancé un CD au visage. Elle l'a reçu dans le cou. Sa plaie était minuscule, mais elle a saigné. Emma a blêmi. Nous nous sommes regardées, bouche bée, horrifiées, attendant que l'autre s'excuse. Si nous n'avions pas bu autant, nous aurions trouvé une solution pour sauver la face. Mais nous étions ivres. De toute façon, nous en avions assez de mentir à propos de Curtis.

Éric me regardait fixement.

— Vous lui avez vraiment lancé un CD ?

— C'est difficile à imaginer, n'est-ce pas ?

Je comprenais sa stupeur, car je suis non-violente.

— Que s'est-il passé ensuite ? Comment cela s'est-il terminé ?

— Je lui ai dit que si c'était ce qu'elle pensait de Curtis, mieux valait qu'elle n'assiste pas au mariage.

Éric a de gros yeux marron, comme les personnages de Velasquez. Quand il les écarquille derrière ses lunettes à monture métallique, je comprends que j'ai dit quelque chose d'incroyable.

— Elle a répondu : d'accord, si c'est ce que tu veux. Alors j'ai déclaré : je crois que c'est ce que tu veux. Elle a dit : Et toi, qu'est-ce que tu veux ? Nous avons tourné en rond pendant un moment. Emma est très forte à ce petit jeu-là. Elle se cache derrière des questions et fait diversion. Ceux qui ne la connaissent pas pensent qu'elle est franche et ouverte, mais ce n'est pas vrai. C'est l'une des personnes les plus réservées que je connaisse.

— Elle est venue au mariage ?

— Bien sûr. Mais nous n'avons rien résolu.

— Elle a passé la nuit chez vous ?

— Oui. Nous avons laissé tomber par lâcheté. J'ai porté les assiettes et les verres à la cuisine. À mon retour, elle était penchée sur sa valise et enfilait son jeans.

« Tu rentres chez toi ? lui ai-je demandé en tremblant intérieurement.

— Oui », a-t-elle répondu sans me regarder, mais je sentais qu'elle pleurait. Cela m'a tuée, car elle ne pleure jamais. Nous avons sangloté ensemble. Je lui ai dit que je voulais qu'elle vienne au mariage. Elle m'a avoué qu'elle voulait venir, et c'était fini. Nous ne nous sommes pas vraiment réconciliées et personne ne s'est excusé. Nous sommes simplement allées nous coucher. Moi, je me suis évanouie : j'ai pris mes cachets, histoire de m'évader. Le mariage... le mariage fut atroce. Je me suis réveillée avec une migraine qui a duré trois jours. Chaque fois que je voyais l'égratignure, au-dessus de sa robe de demoiselle d'honneur, je sombrais dans la dépression. Lee et Isabel, qui étaient aussi demoiselles d'honneur, n'ont mis que trente secondes à comprendre que quelque chose clochait entre nous. Emma et moi sommes restées fâchées pendant trois mois.

— Mais vous vous êtes réconciliées...

— Oui. Si seulement je vous avais connu, à l'époque.

Éric a souri.

— Comment est survenue cette réconciliation ?

— Oh... Je ne peux pas vous le dire. C'est l'histoire d'Emma, pas la mienne. Encore un drame impliquant un homme, mais je ne peux pas vous en révéler davantage. C'était son homme, cette fois, pas le mien.

Éric secoua la tête.

— Qu'avez-vous ressenti quand elle vous a dit que Curtis était manipulateur et... quoi, déjà ?

— Elle l'a traité de sociopathe. Qu'est-ce que j'ai pu ressentir, d'après vous ? J'ai reçu un coup au cœur. Ce sont les deux personnes que j'aime le plus au monde ! Je ne supporte pas qu'ils se détestent. Le pire, c'est qu'il ne la déteste pas. Il n'a jamais dit de mal sur elle.

— Vous croyez ? Rudy, pensez-vous vraiment que Curtis apprécie Emma ?

— Le seul côté positif de ce mariage, c'est que nous avons enfin rencontré le petit ami de Lee. Enfin, il n'était pas encore son petit ami. C'était leur premier rendez-vous. On l'appelait « Henry le plombier ». Nous étions impatientes de faire sa connaissance. Vous connaissez Lee, la petite princesse bien sage, folle de désir pour l'homme qui installait des conduits de sanitaires dans le sous-sol de sa maison. Nous avons toutes fini par craquer pour lui. Neuf mois plus tard, elle l'a épousé.

Ce fut la fin de nos cinquante minutes.

7

Emma

Que faire quand on regarde une œuvre d'art moderne en se disant qu'elle ne ressemble à rien ? Quand son esprit s'embrume et qu'on ne trouve aucune réflexion spirituelle, au cas où l'on croiserait une amie ? On se dit : soit je suis folle, soit c'est ce peintre raté. Puisque l'artiste en question expose dans une vraie galerie et que tout le monde s'extasie en faisant des commentaires intelligents, ce doit être moi. Dans ce cas, que faire ?

Personnellement, je file à la première occasion sans dire grand-chose. S'il s'agit d'un vernissage, j'en profite pour boire un maximum de vin blanc bon marché, histoire de ne pas avoir tout perdu. Je suis bien plus loquace quand je suis, disons, légèrement pompette...

Et si vous vous trouvez dans l'atelier de l'artiste, en sa présence, et qu'il n'y a que vous, lui et son œuvre ? Son travail vous mystifie. Vous ignorez s'il est inestimable ou s'il ne vaut pas un clou. Or vous êtes chargée de rédiger un article sérieux et rémunéré sur cet artiste pour un grand journal. Cerise sur le *sundae*, vous êtes attirée physiquement par ce peintre, au point de souffrir d'une passion désespérée et totalement incongrue, alors qu'il est marié. Que faire ?

Vous êtes fichue.

— Dites-moi, Mick, comment passe-t-on du droit à la peinture, de Constitution Avenue à G street ?

Il n'est jamais trop tôt pour envisager les gros titres : de la bourgeoisie au Bauhaus, du costume trois pièces au postmodernisme.

— Eh bien...

— Au fait, c'est quoi, le postmodernisme, au juste ?

Quand je suis stressée, je deviens insupportable. Je m'en rends compte, mais je n'y peux rien. Pas moyen de me faire taire ! Plus la situation est grave, plus je suis pénible. Et ce jour-là, je battais des records.

Nous nous tenions au milieu de l'atelier encombré et froid de Mick Draco. C'était plus petit que je ne me l'étais imaginé, d'autant qu'il le partage avec deux autres personnes. Richard, le photographe du journal, venait de partir avec environ deux cents clichés sous tous les angles – même les plus incongrus – de Mick étalant de la peinture jaune à la truelle sur une toile. J'en ai profité pour l'examiner de plus près. Je n'avais pas à parler, je pouvais me contenter de le regarder. En fait, trois qualités me font craquer, chez un homme. Outre la timidité et l'intelligence, j'ai du mal à l'admettre, il y a la beauté physique. Je sais, je suis superficielle et je déteste ça. Parfois je sors déli-bérément avec des moches pour ne pas être taxée de frivolité. En vérité, à qualités égales, je préfère un homme séduisant.

En scrutant Mick, j'ai constaté que sa beauté tenait autant à sa façon de se mouvoir qu'à son corps superbe et autant à ses expressions – humour, gêne, patience, concentration intense, impatience – qu'à son visage superbe. Il portait un pantalon noir, une veste en tweed, une chemise bleue et une cravate rouge, et moi j'étais en jeans et T-shirt. C'était drôle, presque attendrissant : il s'était fait beau alors que moi, j'étais plus négligée que de coutume, comme si nous avions pensé l'un à l'autre en nous habillant.

À sa décharge, il n'a même pas essayé de répondre à mes questions facétieuses. Il m'a invitée à m'asseoir en prenant un chiffon crasseux sur sa table de travail pour dépoussiérer l'unique chaise de la pièce.

— Euh... non merci, ai-je répondu en considérant le siège.

Son sourire est magnifique. D'un air contrit, il baisse les paupières – ses cils sont plus longs que les miens – puis il esquisse un sourire comme s'il songeait : « Bien fait pour moi. »

— Effectivement, ce n'est pas l'endroit idéal pour bavarder. Et si nous allions en face ?

Oh oui ! Retournons chez Murray, ce boui-boui à la climatisation déréglée, où tout le monde a une mine cadavérique et où le café a le goût d'antigel ! Asseyons-nous face à face à une table fendillée, près d'une vitre sale, dans la lumière blafarde, comme la semaine dernière, et bavardons, bavardons !

— Bon, d'accord, ai-je marmonné. Si vous voulez...

En chemin, emmitouflés dans nos manteaux sous la bruine de novembre, il a répondu à la question essentielle, du moins à ses yeux. Une fois de plus, il m'a frappée par sa timidité, sa réserve, sa façon de se détourner. En observant G Street luisante de pluie, il me racontait ce qui devait être l'un des événements marquants de son existence, mais je l'entendais à peine. Il avait choisi le pire moment pour aborder le sujet, au beau milieu de la circulation, comme s'il voulait que sa réponse passe inaperçue.

— Je suis venu à l'art quand j'ai senti l'instant propice, dit-il, du moins je crois, car il marmonnait. Vous plaisantiez, à propos du postmodernisme...

— Non.

— Vous savez, il a eu de bons côtés. On peut même dire qu'il a rendu le figuratif respectable en réintroduisant le concept de signification dans la peinture, ce qui n'était plus vraiment possible avec le modernisme.

Au carrefour, il m'a pris le bras pour traverser d'un pas vif.

— Pardon ?

Mick s'est raclé la gorge.

— Je n'ai jamais aimé l'abstraction. Je ne la sens pas, je ne la comprends pas... C'était peine perdue. Pendant des années, j'ai été assez fier ou stupide pour croire que cela m'interdisait d'être un artiste. Oui, je dis bien stupide.

Il a ensuite bredouillé autre chose que je n'ai pas saisi.

— Pardon ?

Mais il m'a ouvert la porte du café, alors je suis entrée.

Chez Murray, il y a un petit comptoir, à droite, avec des tabourets en similicuir rouge craquelé et, sur la gauche, une rangée de tables et de banquettes en similicuir rouge tout aussi usé. La semaine précédente, nous étions au comptoir mais, ce soir-là, nous avons pris une table. Quant au décor... imaginez une cafétéria de gare routière. Les murs sont tapissés de miroirs sépia un peu troubles. En voyant son propre reflet, on sursaute car, dans la lueur fluorescente, on a moins mauvaise mine que son interlocuteur : la graisse des miroirs fait office de filtre ou de voile ; du coup, on se trouve assez beau. La température ; tourne autour de vingt-cinq degrés, ce qui explique la présence des artistes des ateliers et lofts voisins : ils viennent se réchauffer, d'après Mick.

— Café ? proposa-t-il.

J'ai acquiescé. Il s'est dirigé vers le comptoir car, chez Murray, il n'y a pas de serveur.

— Bon, fis-je à son retour, prête à prendre des notes dans mon calepin. En gros, vous dites que vous êtes devenu peintre parce que l'atmosphère postmoderniste du monde artistique vous a permis de vous sentir libre d'être un artiste.

— Non. C'est ridicule. N'écrivez pas ça.

Moi je trouvais cela pas mal...

— J'écris quoi, alors ? C'est un article sur ceux qui abandonnent un emploi stable qui ne les satisfait pas pour vivre un rêve qui, selon eux, les comblera.

Je le lui avais déjà expliqué, mais il n'était pas inutile de le rappeler.

— Ce que je cherche, c'est un logisticien qui devient garde forestier ou un dentiste qui se lance dans la littérature policière.

Washington s'y prête à merveille. Les gens adorent les histoires d'employés du service d'hygiène qui abandonnent tout pour devenir jockeys, mimes, dresseurs de chiens ou hard-rockeurs.

— Je sais, je comprends ce que vous cherchez.

— Bon, alors essayons autre chose. Quel était le problème, avec le métier de juriste ? Pourquoi l'avoir abandonné ?

Il m'a souri, les yeux pétillants.

— Je suis impressionné.

— Pourquoi ?

— Vous m'avez posé cette question d'un air sérieux.

J'ai ri. Je me sentais légère, aérienne, allègre. Il avait l'air content, comme s'il remarquait chez moi des détails qu'il appréciait. Toutefois, il ne me draguait pas. Il m'aimait bien, c'est tout. Nous sommes restés silencieux une minute, à tourner notre café en prenant une serviette en papier dans le distributeur.

— Bon, dis-je, concentrée sur mon calepin. Pour en revenir au postmodernisme. Vous...

— Non, Emma. Laissez tomber. Je vais vous avouer la vérité.

Il semblait peiné.

— D'accord, répondis-je, hésitante. Mais ce n'est pas un interrogatoire de police. Ne me dites rien qui puisse blesser quelqu'un.

Un vrai travail de journaliste de terrain... Plus tôt, il m'avait priée de ne pas enregistrer notre entretien. En général, j'insiste un peu en assurant que c'est sans danger, purement pratique, mais aussi pour le protéger, etc. Cette fois, j'ai cédé sans résistance.

Il s'est voûté, serrant sa tasse tachée entre ses mains. De jolies mains, d'ailleurs, noueuses et élégantes, aux longs doigts fins.

— C'est... Ce n'est pas tout à fait un secret.

Il m'a regardée droit dans les yeux. J'ai soutenu ce regard sans sourciller, mais je me sentais comme une biche aux abois. De toute évidence, il me jaugeait, se demandant s'il pouvait me faire confiance. Je suis restée silencieuse. Que dire ? « Oh, Mick, si tu savais... », pensais-je toutefois.

Il s'est redressé et a pivoté légèrement pour s'appuyer contre le mur, un pied sur le siège craquelé. Puis il a desserré sa cravate.

— Draco est un nom grec, reprit-il sur le ton de la conversation.

Perplexe, j'ai griffonné « grec ».

— Mon père est Philip Draco. Ce nom vous dit quelque chose ? (Je secouai la tête.) Percy, Wells, Draco et Dunn, un cabinet juridique très connu, avec des bureaux dans la plupart des grandes villes. En réalité, pourtant, je ne m'appelle pas Draco.

— Ah non ? fis-je, intriguée.

— Ce n'est pas mon nom de naissance. J'ai été adopté et je n'ai jamais connu mes parents biologiques.

— Ah...

— Étant fils unique, j'ai grandi dans l'idée que je devais devenir avocat comme mon père, qui est par ailleurs quelqu'un de bien. Un grand homme, à bien des égards, un avocat brillant, sans doute l'un des cinquante meilleurs du pays.

— Vous avez grandi à Washington ?

— Non, à Chicago.

— À quel âge avez-vous appris que vous étiez un enfant adopté ?

— Je l'ai toujours su.

— Déjà tout petit ?

— Je n'ai pas le souvenir de l'avoir ignoré.

Il hésita, tripota son napperon de papier, un plan des sites de Washington destiné à amuser les enfants.

— Mes parents étaient des gens formidables. Ils ne voulaient pas que je me sente jugé. Je me suis infligé moi-même ce genre d'épreuves parce que...

Il prit sa tasse vide et en fixa le fond.

Je sais qu'il ne faut jamais brusquer une personne que l'on interviewe, pourtant je suis intervenue :

— Parce que vous ne vouliez pas qu'ils regrettent... de vous avoir choisi.

— C'est ça.

Sa surprise et sa gratitude manifestes me donnaient le tournis. Je me suis levée pour aller remplir les tasses au comptoir en pensant : « Il faut absolument que cessent ces moments partagés. »

À mon retour, il affichait un comportement normal, mais portait sur moi un regard différent. Il arrive que l'on fasse ou dise quelque chose, délibérément ou non, qui modifie la perception de l'autre. Parfois on s'en réjouit, parfois on regrette de ne pas avoir été plus circonspect. Dans ce cas précis, je ne savais que penser, mais une chose était claire : Mick m'intéressait et je l'intéressais aussi, désormais.

J'ai repris mon stylo. Il a poursuivi :

— Il y a environ quatre ans, après mûre réflexion, je me suis décidé à rechercher ma mère biologique. Je pratiquais le droit depuis sept ans, mais sans passion. Tristement, même, a-t-il ajouté avec un rire, en levant les yeux. J'étais marié, mon fils Jay avait presque deux ans. Sally – c'est ma femme – avait démissionné après sa naissance pour l'élever.

— Que faisait-elle ? demandai-je d'un ton professionnel, comme s'il s'agissait d'une précision essentielle pour mon article.

— Elle était auxiliaire juridique. C'est comme ça que je l'ai rencontrée.

Auxiliaire juridique, ai-je noté.

— Vous avez retrouvé votre mère biologique ?

— Oui. Mais d'abord, il faut que je vous parle un peu de moi. J'ai toujours peint, dessiné, sculpté, construit, fait des collages. Tout petit, déjà, je créais.

— Vous avez toujours été un artiste.

— Eh bien, je n'employais pas ce terme. Il ne me serait jamais venu à l'esprit, car il n'y avait aucun artiste dans ma famille, même éloignée, à part un vague petit-cousin qui bricole dans la photographie.

Soudain, une idée a germé dans ma tête.

— Et votre mère ? Vous l'avez retrouvée ? Qui est-ce ? Que fait-elle ?

Il sourit. Mon enthousiasme lui plaisait.

— Oui, je l'ai retrouvée. Quand elle m'a abandonné, elle était étudiante en deuxième année à l'Institut des beaux-arts de Chicago.

— Mon Dieu ! C'est incroyable !

— Je me doutais que vous adoreriez. C'est un bon sujet d'article, non ?

— Vous plaisantez ?

Mon comptable devenu joueur de country, mon livreur devenu prêcheur faisaient pâle figure, en comparaison.

— C'est génial. Ce pourrait être le thème de tout un article. Vous la voyez ? Que fait-elle, à présent ? Est-elle toujours... ?

— Je ne l'ai jamais rencontrée.

— Ah bon ?

— Je lui ai envoyé une lettre et je sais qu'elle l'a reçue, mais elle ne m'a pas répondu. Alors j'ai laissé tomber. Je n'ai jamais cherché à la voir.

Quand il évoque un sujet douloureux, il a une façon de pincer les lèvres dans un demi-sourire qui décourage toute empathie. J'ai très bien compris et je me suis gardée de compatir ouvertement, mais j'avais de la peine pour lui.

— Le problème, dit-il au bout d'un moment, c'est que la découverte de ma mère a été comme... (il porta un index à sa tempe puis agita la main) une explosion ! Quand la fumée s'est dissipée, tout s'est remis en place. Je savais ce que j'avais à faire. Pour la première fois, je me suis vraiment compris.

— Ouah... ai-je fait avec un soupçon d'envie. C'est un peu comme réaliser qu'on est gai et sortir du placard.

— Exactement. Cela ne s'est pas produit du jour au lendemain, toutefois. La fumée a mis environ un an à se dissiper.

— La prudence de l'avocat, sans doute...

— En partie.

Il n'a pas développé. J'aurais aimé formuler une question
sur sa femme, savoir comment elle avait vécu tout cela, mais je
me suis ravisée. Dans la même situation, je l'aurais posée à tout
autre interlocuteur, mais mes motivations profondes n'étaient
pas claires.

Je l'ai donc interrogé sur ses débuts. Avait-il eu peur de
démissionner de son poste d'avocat ? Il m'a avoué qu'il était
terrorisé. Ses revenus sont passés de... il s'est vite repris. « Ils
ont baissé d'environ quatre-vingt-dix-huit pour cent », résuma-
t-il en me regardant griffonner.

— Cela fait trois ans que je suis peintre à plein temps, et je
n'ai vendu que deux toiles. Et encore, à des amis. Je risque de
ne jamais gagner d'argent.

À mon avis, il n'y croyait guère, parce qu'il ne semblait pas
angoissé alors qu'il me donnait l'impression d'être un homme
à culpabiliser d'être heureux.

Mon âme sœur, en quelque sorte.

Il m'avait au moins ouvert une porte et il était de ma responsabilité d'entrer.

— Votre femme...

— Sally.

— Sally, ai-je noté. Comment vit-elle tout cela... ?

— Elle a été formidable. Elle a été formidable.

Il hochait la tête, encore et encore, tandis que je notais :
Sally formidable. Puis je l'ai regardé, attendant la suite. C'est
fou ce qu'on peut obtenir des gens sans rien dire, en patien-
tant. Mick a frotté sa joue mal rasée avant de déclarer enfin :

— Jay va à la garderie – vous le savez, vous connaissez Lee
Patterson – parce que Sally a dû reprendre un emploi. Elle est
auxiliaire juridique au ministère du Travail.

— Hum...

— Elle était obligée, c'était une question de survie. Et nous nous sommes installés à Columbia Heights.

— Vous veniez d'où ?

— Q Street, Dupont Circle, près du parc.

— Hum...

— Nous retapons une vieille maison mitoyenne.

— Je connais le problème.

— Vraiment ?

— Enfin, non. Je veux dire : j'en ai juste acheté une. Une vieille maison de ville. C'est quelqu'un d'autre qui l'a restaurée.

— Hum... fit-il avec un sourire un peu moqueur. Ce n'est pas la même chose.

— Sans doute.

Ce changement d'adresse représentait une déchéance sociale, et son comportement indiquait que cela le contrariait. J'ignorais toutefois si c'était pour lui-même ou pour Sally. Comment le lui demander ? Cela ne me regardait pas, après tout.

J'ai parcouru mes notes.

— Dites-moi... Comment qualifieriez-vous votre style de peinture, à l'heure actuelle ?

Il prit un air pensif et fronça les sourcils.

— Comment vous le qualifieriez, vous ?

J'ai ri nerveusement. Mick n'était ni hostile ni agressif, simplement curieux.

— Écoutez, je ne connais strictement rien à la peinture. Franchement, je suis nulle, alors si vous voulez que cet article soit bon et crédible, mieux vaut que vous m'expliquiez tout comme à une enfant.

Il se mit à rire. C'est fou ce que j'aime le faire rire. Trop, sans doute...

— Ou alors parlez très, très lentement.

C'est ce qu'il fit. En gros, il n'avait pas encore trouvé son style propre, ni son véritable sujet, mais il travaillait sur un mode figuratif parce qu'il avait besoin de se forger une expérience et parce que, pour lui, l'abstraction était une impasse. À ses yeux, le postmodernisme n'était pas une époque en soi, mais une transition avant la phase suivante. Il n'avait pas la prétention de dire à quoi elle ressemblerait mais, comme j'ai insisté, il m'a avoué qu'il imaginait un regain du formalisme, ce dont l'art contemporain était incapable. C'était d'ailleurs pour cela qu'il l'avait rejeté avec cynisme.

Qui admirait-il ? Rembrandt, Fantin-Latour, Arshile Gorky, Alice Neel, Eric Fischl. Qui détestait-il ? Il n'a accepté de me le révéler qu'en confidence, puis il a cité environ cinq noms, des hommes, dont je n'avais jamais entendu parler. Il se voyait bien évoluer vers le portrait. En fait, ces derniers temps, il avait remarqué un personnage récurrent, dans ses peintures et croquis, un jeune homme, voire un adolescent, qu'il nommait Joe et qui, selon lui, devait être lui-même. La couleur était sa force, le trait sa faiblesse. Quatre soirs par semaine, il prenait des cours de dessin dans deux écoles différentes, et il commençait à voir quelques progrès. Il aurait aimé avoir plus de temps et d'argent pour passer un diplôme aux Beaux-Arts, car il en était à un stade où son manque de formation classique devenait un handicap.

J'ai réussi à presque tout noter, mais plus il parlait, plus j'étais distraite. Il était si passionné... De toute évidence, l'art était sa vie, à la limite de l'obsession, or je craque pour les hommes qui adorent leur travail. Je trouve cette fougue terriblement sexy et désirable. Le mieux, c'est qu'ils ne sont pas dépendants de moi pour donner un sens à leur existence.

À court de questions, j'ai consulté ma montre.

— Et si nous mangions un morceau ? Je commence à trembler – il a tendu la main. Effectivement, ses doigts tremblaient. Je ne bois jamais autant de café.

Il s'est levé pour aller se laver les mains, puis nous avons commandé le genre de nourriture que nous jurions ne jamais consommer : cheeseburger, frites, *milk-shake*. Nous n'avons eu aucun mal à tout dévorer. En mangeant, il m'a posé des questions. Je ne m'en suis pas rendu compte tout de suite tant cela ressemblait à une conversation, un échange normal. Quand il m'a demandé : « Vous avez toujours eu envie de travailler pour un journal ? » ou « Si vous appreniez soudain que votre mère n'était pas votre mère biologique, qui choisiriez-vous ? », j'ai compris que les rôles étaient inversés et qu'il m'interviewait.

D'accord, j'étais flattée. D'après mon expérience, la majorité des gens se moquent de la vie intérieure des autres. Ils sont gentils, polis, ils vous demandent comment vous allez, mais dès que vous commencez à le leur expliquer, ils décrochent et se mettent en mode « attente ». Ils guettent la moindre pause pour s'y engouffrer et vous rappeler combien leur propre existence est bien plus captivante que la vôtre. N'y voyez pas du cynisme de ma part : cela se produit sans cesse.

Il y a des exceptions, bien sûr : les hommes qui essaient de coucher avec vous. Les plus doués savent écouter. Plus ils vous désirent, plus ils boivent vos paroles. Le plus drôle, c'est que cette méthode éprouvée fonctionne vraiment, du moins sur moi. J'ai des heures de vol, comme on dit, donc je devrais être plus avisée. Mais non ! Je me fais avoir chaque fois.

C'est donc en proie à des émotions contradictoires que j'ai soutenu le regard brun et intelligent de Mick Draco, concentré sur moi avec intérêt, plein d'espoir. J'ai réfléchi à cette question précise. En pensée, je lui demandais : « Cherchez-vous à me séduire ? Je l'espère... »

Non. Je détesterais ça.

— Mary McCarthy.

— L'auteur ? a-t-il demandé en arquant les sourcils.

— Oui. Ou Iris Murdoch, Katherine Anne Porter. Non, pas vraiment. Je me demandais qui pouvait être en âge de m'avoir mise au monde il y a environ quarante ans. Enfin trente-neuf.

Merde ! Je venais de lui avouer mon âge. Et il était plus jeune que moi ! D'un an seulement, mais tout de même.

— Donc vous aimeriez écrire des romans ?

Le plus déconcertant n'était pas que je lui aie révélé mon âge, mais mon rêve secret. Pas si secret que cela, d'ailleurs, car les Grâces sont au courant. Rudy est la seule qui sache à quel point j'y tiens. Ma mère aussi, et quelques-uns de mes ex, parce que j'ai été assez bête pour le leur confier. Néanmoins, c'est censé être un secret. Pourquoi ? Parce que je déteste échouer ouvertement. Et parce que le cliché de la journaliste qui rêve d'écrire le grand roman américain est ridicule et humiliant. Je ne veux pas lui être associée.

Je m'adressais à un homme qui avait renoncé au métier d'avocat pour la peinture. Si quelqu'un pouvait me comprendre, c'était bien lui. Alors je n'ai pas reculé, je n'ai pas tenté de m'en sortir par une pirouette. Je l'ai regardé droit dans les yeux :

— Oui. Un jour. C'est ce que je souhaite le plus au monde. Mais... vous savez, j'ai peur.

— Oui, répondit-il comme s'il n'y avait rien de plus naturel. C'est terrifiant.

— Terrifiant, en effet.

Rien que d'y penser, j'étais morte de peur.

— Alors qu'allez-vous faire ?

— Eh bien, j'ai écrit quelques nouvelles si nulles que personne n'en veut. (J'étais sur la défensive, les bras croisés en guise de bouclier.) Je travaille en ce moment sur un texte plus long, mais il ne vaut rien, sans fausse modestie.

— Quelqu'un l'a lu ?

— Vous plaisantez ? Par chance, j'ai un sens du ridicule très développé, ce qui m'évite bien des problèmes.

Mick s'est détourné avec un sourire. En comprenant qu'il était un peu gêné pour moi, je me suis crispée. Mes propos étaient tellement transparents.

— D'après vous, qu'y a-t-il de plus personnel, une peinture ou un poème ? Lequel des deux est le plus révélateur ?

— C'est facile : un poème, répondis-je.

— Pourquoi ?

— Parce qu'il est plus facile de se cacher derrière une peinture.

— Vraiment ? Pourquoi ?

Avec le sourire, j'ai opté pour la franchise :

— Parce que je ne comprends pas les peintures.

— Je ne comprends pas les poèmes.

J'ai ri, mais pas lui.

— D'accord, fis-je, un peu irritée. Je vois ce que vous voulez dire.

— Qu'est-ce que je veux dire, selon vous ?

— Vous êtes plus courageux que moi. Vous êtes un héros et moi une peureuse. Regardez, je ne discute même pas, vous avez raison, sans contestation.

— Ce n'était pas mon intention. Attendez, ce n'est pas ce que j'ai dit. Je...

— D'accord, laissez tomber. Ce n'est pas grave, de toute façon. De quoi parlions-nous, d'ailleurs ?

Il poussa un soupir exaspéré.

— Je suis certain de ne pas être plus courageux que vous, Emma.

— Vous ne me connaissez pas.

— C'est vrai, mais je vois bien que vous n'êtes pas une froussarde.

— Comment ? Hein ? Comment le voyez-vous ?

Oh, comme c'était gênant, puéril, immature, pathétique, implorant...

Il ne m'a jamais répondu. La sirène assourdissante d'une voiture de police, puis d'une ambulance, puis d'une autre voiture de police, rendait tout dialogue impossible. Mick sourit et haussa les épaules, puis il se tourna pour voir les véhicules passer en trombe derrière la vitre crasseuse.

— Oh mon Dieu ! Il est trois heures moins dix !

C'est en effet ce qu'indiquait l'horloge, au-dessus de la porte.

— Oui, et alors ?

Abasourdi, il a fouillé ses poches, en quête de son portefeuille.

— Il faut que j'aille chercher Jay ! Désolé, j'ignorais qu'il était si tard. J'ai dix minutes pour arriver à Judiciary Square, mais c'est jouable. Je n'en reviens pas ! Donc... nous avons terminé ?

— Oui, je crois.

Je n'arrivais plus à réfléchir tant j'avais l'esprit embrumé.

— C'est pour moi, dis-je en le forçant à reprendre ses billets.

— Non...

— Le journal vous invite. Je ferai une note de frais.

— Bon, d'accord. Écoutez, je suis désolé, mais il faut que je file.

— Je comprends. Prenez le métro. Il n'y a qu'une station.

— Non, je crois que je vais y aller à pied.

Il me dominait de sa hauteur, les sourcils froncés mais souriant. Il repoussa ses cheveux en arrière, hésitant, énervé.

— Si vous avez d'autres questions, vous savez comment me joindre.

— Oui. Voici ma carte. Vous pouvez m'appeler si vous... pensez à autre chose.

— Ce sera certainement un excellent article.

— Merci pour cet entretien passionnant.

— Ce fut un plaisir. La preuve, ajouta-t-il en désignant l'horloge.

— Pour moi aussi.

— Bon... Bonne continuation.

— Merci. Je guetterai votre signature dans la rubrique des arts, désormais.

— Ah...

J'ai dû cesser de sourire, car l'expression de Mick est passée de la politesse stressée à de la gêne. L'espace de trois secondes, nous étions tous les deux à nu. J'étais incapable de prononcer un mot. Lui aussi. C'était fini. Bonjour, au revoir. Si nous échangions une poignée de main...

Mais non. Il a simplement prononcé mon nom avec un signe de tête. J'ai vu ses lèvres se pincer dans un rictus, comme lorsqu'il est mal à l'aise, puis il est sorti de ma vie sans m'avoir touchée.

Il était moins une : je ne l'aurais peut-être pas lâché. C'était tout aussi bien.

Je suis rentrée chez moi en bus. J'ai une voiture, mais j'aime bien prendre les transports en commun pour circuler en ville. Cela me permet de réfléchir. Si je suis de bonne humeur, j'adore observer les autres passagers, imaginer leur vie, les jauger selon mes critères impitoyables de normalité. Si je suis de mauvaise humeur, je m'enfonce davantage en regardant vaguement par la vitre du numéro 42 ou de la ligne rouge du métro. Je transforme chaque bâtiment, chaque piéton, chaque antenne téléphonique en un symbole de la corruption, de la décadence et de l'ennui urbain. Cela me remonte le moral.

Mais ce jour-là, j'étais au-delà de la bonne ou de la mauvaise humeur. J'étais en perdition. Je ne me comprenais pas. Je suis ma meilleure amie, je me fais confiance, je suis en conversation perpétuelle avec moi-même, à voix haute quand je suis seule, et j'ai besoin de me connaître. C'est vital pour éviter le chaos.

Pourquoi étais-je dévastée ? Oh là là, même ce terme me fait du mal, tant il est mélodramatique ! J'ai bu du café tout l'après-midi avec un homme, nous avons bavardé. C'était une conversation intéressante, avec des accès d'honnêteté qui m'ont beaucoup plu, de petites explosions de sincérité qui sont rares entre moi et les autres, à part Rudy, et presque inexistantes entre moi et les hommes que je connais depuis environ cinq minutes. Surtout à jeun.

Ce n'était pas si extraordinaire, finalement. Si Mick m'avait laissé enregistrer l'entretien, je pourrais l'écouter puis me demander : « Pourquoi tant d'histoires ? » En surface, il ne s'est pas passé grand-chose, finalement. Pourquoi ce désarroi ? Et cette souffrance ? J'avais l'impression d'avoir eu un accident sans parvenir à mettre le doigt sur l'endroit où j'avais mal. Partout, sans doute.

Il fallait que je prenne du recul. Je convoitais quelque chose que je ne pouvais obtenir, voilà tout. On appelle ça le renoncement. Il faut donc faire son deuil. Une réaction normale. Combien de temps cela peut-il durer ? Pas longtemps : je suis Emma DeWitt, pas Emma Bovary.

À seize heures, ma maison était aussi sombre qu'en pleine nuit. J'ai allumé les lampes, augmenté le chauffage. Et si j'adoptais un chat ? Ou un oiseau qui ferait beaucoup de bruit à mon retour ? Je me suis préparé une tasse de thé, encore un excitant, avant de parcourir mon courrier ennuyeux. Puis j'ai regardé la pluie glisser en traînées monotones sur la fenêtre de la cuisine.

Lorsque le téléphone s'est mis à sonner, mon cœur s'est emballé.

— Allô ?

— Sondra ?

— Qui ?

— Oh, pard...

Il a raccroché. *Toi-même.*

Ce petit incident était révélateur. J'avais les jambes en coton. Je me suis pris la tête entre les mains pour me morfondre pendant une longue minute.

Mick ne m'appellerait pas. Dans mon cœur, je ne voulais même pas qu'il le fasse. Et pas question d'inventer une question bidon pour l'appeler. Nous valions tous les deux mieux que cela.

L'impossible a quelque chose de réconfortant, mais c'est triste. Je déteste l'ambiguïté. Je peux accepter le pire quand il n'est pas dilué dans l'espoir ou un « oui, peut-être ».

J'ai décidé de prendre un bain. Je suis plutôt du genre « douche », mais s'immerger dans l'eau chaude est apaisant quand on n'a pas le moral. Un bain et un bol de flocons d'avoine sont les deux meilleurs remèdes à la déprime. Enfin, les deux plus sains. Je comptais téléphoner à Rudy. Curtis ne serait pas encore rentré, donc elle pourrait parler.

Dans mon bureau, le voyant du répondeur clignotait.

— Salut, Em, c'est Lee. On est lundi, vers... 14 h 47. Je voulais t'inviter à souper à la maison vendredi.

Génial ! Une diversion. Je n'avais pas vu Henry depuis une éternité, et il me fait mourir de rire.

— Tu vois toujours ce Brad, le consultant en ingénierie ? *Hélas, oui.* En tout cas, tu peux l'amener, si tu veux, ou venir avec quelqu'un d'autre. Ou seule si tu préfères, peu importe. Mais le plan de table sera déséquilibré. J'espère que je ne te préviens pas trop tard. (Lee se fait une idée erronée de ma vie sociale.) Ce sera décontracté, à la bonne franquette, viens comme tu veux. (Ce qui signifiait que je serais en leggings et en pull et qu'elle porterait une tenue à deux cents dollars, un genre de « robe d'hôtesse ».) Je crois que les Draco seront le seul autre couple. Hier, j'ai croisé Sally et je me suis rappelée que tu connaissais Mick, alors j'ai pensé que ce serait cool de souper ensemble. Tu vas adorer Sally ! Intelligente, drôle... Plus je la connais, plus je l'apprécie.

Seigneur...

— Bon, rappelle-moi. Je serai à la maison toute la soirée. Ou alors demain. Laisse-moi un message si tu ne passes pas la nuit à faire la fête. Ha ! Ha ! Salut.

Comme je le disais, je déteste l'ambiguïté, de sorte que j'ai du mal à gérer une joie et un malheur qui surviennent en même temps. Il était temps pour moi de sortir le grand jeu : un bol de flocons d'avoine et un bon bain chaud.

8

Lee

Mon souper aurait été plus réussi si Emma et Mick Draco, le mari de Sally, s'étaient mieux entendus. Cela ne se fait pas de montrer son animosité lors d'une soirée, car cela met tout le monde mal à l'aise. Emma et Mick ne se sont pas disputés, loin de là : non seulement ils n'ont pas échangé une parole, mais ils se sont à peine regardés. Et moi, je trouve ça impoli envers eux-mêmes et envers leur hôtesse, c'est-à-dire moi, en l'occurrence. Il faut croire que leur entretien de lundi dernier ne s'est pas bien déroulé... or je n'y suis pour rien !

J'ai arrondi les angles du mieux que j'ai pu. Un observateur n'aurait sans doute rien remarqué d'anormal. Henry, par exemple, me l'a avoué, quand nous en avons discuté par la suite. C'est un homme... Les femmes sont plus sensibles aux subtilités des rapports humains.

En fin de repas, j'ai servi le dessert au salon : ma mousse de pommes au calvados.

— Depuis combien de temps êtes-vous mariés ? m'a demandé poliment Sally.

— Quatre ans. Et vous deux ?

— Six ans. C'est bien ça ? (Elle s'est tournée vers Mick, qui a opiné.) C'est fou ! J'ai l'impression que c'était hier. Comment vous êtes-vous connus ? J'adore les histoires de rencontres, pas toi ?

C'est une femme très chaleureuse dont j'ai apprécié les efforts pour entretenir la conversation. Sans doute a-t-elle perçu le malaise entre Mick et Emma, elle aussi.

J'allais répondre, mais Henry s'est exprimé le premier.

— Eh bien, je rentrais chez moi, après une journée de travail, quand j'ai reçu un appel de ma mère. Elle était retenue sur une intervention à Alexandria et me demandait de prendre son dernier client.

— Ah bon ? Ta mère est...

— Elle est plombier, comme moi. Chez Patterson & fils, je suis le fils.

— Vraiment ? Je l'ignorais...

— Bref, elle m'a envoyé chez une dame dont les toilettes étaient bouchées.

— Comme c'est romantique ! s'est esclaffée Sally. Je suppose qu'il s'agissait de Lee.

— Je me suis rendu à Chevy Chase, a poursuivi Henry en hochant la tête. J'ai frappé à la porte, cette porte, et voilà ! Il m'a suffi d'un regard pour être conquis.

— Ouah ! fit Emma. Comment étais-tu habillée, Lee ?

— Oh, je ne m'en souviens pas...

— Moi si, intervint Henry avec un sourire attendri. Elle portait un petit tailleur à carreaux, avec un gilet et un nœud papillon noir. Un look un peu masculin. C'était drôle, parce qu'elle n'a rien d'un homme... Et elle avait des chaussures rouges à talons hauts. Pourtant, elle ne m'arrivait qu'au menton. Elle était adorable...

Je n'ai jamais possédé de chaussures rouges à talons hauts. Bordeaux, oui, ainsi qu'une paire d'escarpins à petits talons en cuir verni vermillon. Je n'ai rien dit sur le moment. Tout semblait si clair dans l'esprit de Henry... et il était si ému que je m'en serais voulu de le reprendre.

Quant à moi, je me souviens parfaitement de sa tenue, ce jour-là : son uniforme bleu et sa ceinture d'outils, avec des bottes de travail usées. Et j'ai trouvé son accent du Sud irrésistible... Il me dévorait du regard, mais il est resté poli, prévenant, au prix de gros efforts, alors que nous ne parlions que de toilettes. C'est plutôt moi qui ai été conquise.

— Quand j'ai eu terminé ma réparation, elle m'a offert une tasse de thé et un biscuit...

— Un scone.

Là, je me devais de le corriger.

— Un scone, oui. Nous avons discuté pendant une heure et demie dans la cuisine.

— De quoi ? s'enquit Sally, fascinée.

Henry et moi avons échangé un regard, puis il a haussé les épaules.

— Je suis incapable de le dire. Bref, quand je suis parti, elle m'avait embauché pour changer toutes ses canalisations.

— Puis les conduits de chauffage.

— Et ensuite, le système d'air conditionné.

— Finalement, il a fallu qu'on se marie, parce que j'étais ruinée, ai-je plaisanté.

Sally s'est levée pour servir du café.

— Et toi, Emma ? Comment as-tu rencontré Brad ?

Son sourire désarmant cherchait à amadouer Emma, qui a fait la moue en essayant de dissimuler son malaise.

— Oh... marmonna-t-elle. Comme tout le monde... dans un bar.

— Tiens ! s'exclama Sally avec entrain. Voilà qui me paraît intéressant.

— Pas vraiment...

Assis à côté d'elle sur le canapé, Brad a posé une main sur sa cuisse. Je la trouvais ravissante, ce soir-là. Pour une fois, elle s'était vraiment maquillée et avait tressé ses cheveux, sans parler de ses efforts vestimentaires. Je ne l'avais pas vue en jupe depuis très longtemps. Elle doit tenir à Brad car, en général, elle ne se donne pas autant de mal pour ses petits amis.

— Eh bien moi, dit Brad, j'ai trouvé ça très intéressant. Elle a su se faire désirer et j'ai dû déployer tout mon charme.

— Il t'a suffi de me payer quelques verres.

— Elle plaisante, ai-je assuré à Sally. Son humour est un peu difficile à comprendre quand on ne la connaît pas. Et même quand on la connaît...

— J'étais avec quelques collègues et Emma avec une copine, poursuivit Brad.

— Qui ça ? ai-je demandé, curieuse, car je n'avais jamais entendu cette histoire.

— Tu ne la connais pas. Une collègue du journal. Vous savez, ce n'est pas très...

— C'était chez Shannon, sur L Street, un soir de semaine, un mercredi, enchaîna Brad. En fin de journée, après le cinq à sept, à l'heure où on se demande si on va rentrer à la maison ou passer la soirée dehors.

En bon ingénieur, il aime la précision. En dehors de son physique avantageux, il n'est pas vraiment le genre d'Emma, selon moi : il est trop normal.

— J'étais à la table voisine de la sienne et je ne parvenais pas à la quitter des yeux. Quand elle s'est levée, je l'ai imitée, et je lui ai dit... Allez, raconte-leur, toi...

— Non, toi ! rétorqua Emma, mal à l'aise.

— Tu veux que je te raconte une blague ? ai-je suggéré.

— Pourquoi ?

— Parce que tu as un rire merveilleux et que j'ai envie de l'entendre.

— Tiens, elle est bonne celle-là ! commenta Sally. N'est-ce pas, Mick ?

— Oui, très bonne.

— J'ai mis une heure à la convaincre de souper avec moi... Pas vrai, Emma ? Ensuite, comme aucun d'entre nous ne semblait se plaindre, eh bien...

— Vous voyez ? coupa Emma en croisant les jambes pour ôter la main de Brad de sa cuisse, ça n'a rien de passionnant !

— Ensuite, il m'a fallu deux heures pour lui faire accepter que je la raccompagne. Et nous...

— Bon, fin de l'histoire ! coupa Emma. Ils vécurent heureux et eurent beaucoup d'enfants...

— D'accord, concéda Brad en riant. J'arrête. J'ai l'impression que la suite est censurée.

Sally rit d'un air entendu.

— Depuis combien de temps vous fréquentez-vous ? demanda-t-elle.

Emma haussa les épaules.

— Quatre mois, presque cinq, répondit Brad. C'est ça... C'était le lendemain du 4 juillet et les couloirs du métro étaient encore jonchés de détritus. Tu te souviens, Emma ?

— C'est ça, confirma-t-elle en secouant négativement la tête.

J'ai examiné Emma de plus près pour voir si elle avait vraiment rougi. Eh oui ! Elle a baissé la tête, mais j'ai vu ses joues s'empourprer. Tiens, tiens... À ma connaissance, il n'est pas dans ses habitudes de lever un homme dans un bar et de le ramener chez elle. Cela dit, elle se moque éperdument que les gens aient cette image d'elle. Elle les enverrait même promener. Et voilà qu'elle rougissait de honte parce que Brad et elle avaient couché ensemble le premier soir... Très, très intéressant... Ce devait être à cause de Sally. Elle est si saine et naturelle. Emma craignait sans doute de l'avoir choquée.

— Quant à nous, dit Sally en prenant le bras de Mick, nous nous sommes rencontrés parce qu'il m'a sauvée. C'est mon chevalier blanc ! Il a repoussé un type qui voulait me voler mon sac, à McPherson Square.

— C'est passionnant ! me suis-je exclamée.

Je ne voyais pas l'expression de Mick. Il s'était penché pour caresser Lettice, tombée endormie sur sa chaussure. Sally et lui formaient un très beau couple. Le contraste était saisissant : le grand brun réservé et la blonde menue et énergique. Ils semblaient vraiment faits l'un pour l'autre.

— Attendez, ce n'est pas tout ! Il m'a à peine laissé le temps de le remercier. Il était en retard, paraît-il. Il s'est assuré que je n'avais rien, puis il a filé. C'était troublant. Il était si séduisant, dans son costume trois pièces ! Il portait même des bretelles. J'adore les hommes qui portent des bretelles !

— Je n'y ai jamais pensé, ai-je avoué en riant.

— Vraiment ? Et toi, Emma, tu n'aimes pas les hommes qui portent des bretelles ?

— De temps en temps, peut-être...

— Et les vestes sans manches ! J'adore quand ils enlèvent leur veston et qu'ils sont en veste et en chemise. C'est tellement sexy !

Sally haussa les sourcils en regardant Mick, qui a passé un doigt sur ses lèvres en esquissant un sourire.

— J'en prends bonne note, déclara Brad en donnant un coup de coude à Emma. Rappelle-moi de d'enlever mon veston plus souvent.

Elle l'a foudroyé d'un regard noir, mais il s'est contenté de rire.

— Bref, c'était un jeudi et, le vendredi, devinez qui j'ai croisé à la fête de Noël du bureau ? Eh oui ! Mick !

— Vraiment ? ai-je répondu.

— Nous travaillions dans le même immeuble de Vermont Avenue. Incroyable, non ? Pour le même cabinet juridique.

— Nous ne nous étions jamais croisés, précisa Mick en se raclant la gorge. D'abord, elle était nouvelle, et j'avais passé beaucoup de temps en déplacement.

— C'est tout de même une drôle de coïncidence, commenta Brad.

— Pour moi, c'était un miracle, reprit Sally en s'appuyant sur l'épaule de son mari. Nous étions voués à nous rencontrer. Le destin, quoi !

— Très romantique, ai-je commenté.

— Ouais... Roméo et Juliette, bougonna Emma en se levant.

Tous les regards se sont posés sur elle. Elle-même semblait un peu étonnée d'être debout.

— Désolée, il faut que je rentre. Je travaille, demain.

— Un samedi ? a demandé Brad.

— Je n'y peux rien. C'est un quotidien.

Tous les autres ont décidé qu'il était temps de prendre congé. La soirée s'est achevée bien trop tôt. Tandis que je lui tendais son manteau, Emma s'est excusée à mi-voix.

— Désolée d'avoir interrompu une belle soirée, Lee.

— Tu aurais dû me le dire...

— Je sais, mais j'ai oublié. Je m'amusais bien. Ne m'en veux pas. C'était super. Parfait, comme toujours ! Tu es la meilleure des hôtesses.

Tournant le dos aux autres, qui enfilaient leurs manteaux en bavardant, je lui ai dit :

— Dommage que tu ne l'aimes pas.

— Qui ça ?

— Mick.

Emma a cligné les yeux d'un air ahuri.

— Quoi ?

— Chut... Je t'appelle. On en discutera.

— D'accord.

Soudain, elle s'est mise à rire à gorge déployée, triomphante. Une fois de plus, tous les regards se sont tournés vers elle.

— Qu'est-ce qu'il y a de drôle ? a demandé Henry.

— Rien, ai-je assuré en me détournant pour ouvrir la porte.

Peut-être m'étais-je méprise. Sally m'a embrassée, comme tous les autres. Brad a serré la main de Henry, puis de Mick. Henry a embrassé Emma, Mick m'a embrassée... Mais Mick et Emma n'ont même pas échangé un regard. Peut-être ont-ils échangé un vague « bonsoir ». Alors j'ai compris. Je me trompe rarement dans ces cas-là...

— Plaisant, ce souper, commenta Henry, plus tard, en se regardant dans le miroir de la salle de bain.

— C'est vrai.

J'avais servi un *thaazi saag aur narial* (curry de bœuf aux épinards et à la noix de coco), une recette « pour dix personnes », et nous avons tout mangé à six. Telle est ma définition d'un souper réussi.

— Sally est très sympathique. Mick et toi, vous vous êtes bien entendus, non ?

Cela dit, qui n'aime pas Henry ?

— Ouais, c'est vrai, il est intéressant. Tu sais ce qu'il m'a proposé ? Ça ne débouchera peut-être sur rien, mais il va nous recommander, Jenny et moi, au proprio de son atelier, pour des travaux de plomberie. Et devine qui est ce proprio...

— Qui ?

— Carney Brothers. Si nous avions nos entrées au centre-ville... Dans un de ces grands bâtiments, il y a toujours quelque chose à réparer. Une vraie mine d'or pour un plombier. Quelques contrats de maintenance et nous serions tranquilles. Ce serait bien, non ?

— Oh oui !

— Demain, j'appellerai Jenny. C'est trop tard, ce soir. Et ça ne donnera peut-être rien, répéta-t-il. En tout cas, c'est gentil à Mick de me l'avoir proposé. La plupart des gens n'y penseraient pas.

Henry appelle sa mère Jenny. Je trouvais cela bizarre, au début. Je ne me vois pas appeler ma mère Irène. Il faut dire qu'il a grandi dans une communauté de femmes en Caroline de Nord, dans les années soixante, alors il a eu un tas de mères. Pas de père, mais une foule de mères. Et au lieu de les appeler maman, il utilisait leur prénom, y compris pour sa génitrice. C'est assez logique, finalement.

— Ouais, c'était une bonne soirée, même s'il y avait quelque chose dans l'air, poursuivit Henry en s'écartant pour que je puisse me démaquiller. Je me suis dit qu'Emma n'aimait pas Sally, ou qu'elle s'était disputée avec Brad. Je ne vois pas ce qu'elle lui trouve, à ce type, d'ailleurs.

— Brad ? Oh, il est très correct. Emma aime les gens intelligents et Sally l'est. Non, ce n'est pas Sally. C'est Mick qu'elle n'aime pas.

— Mick ? Tu crois ?

— Tu les as entendus parler ensemble ?

— Euh... fit Henry, pensif.

— Ils se sont à peine regardés, mais sans échanger un mot. Leur entretien pour le journal s'est manifestement mal passé.

— Hum...

Je me suis mise à bâiller.

— Tu es fatiguée ? m'a demandé Henry en m'observant dans le miroir.

— Bof... ai-je répondu en haussant les épaules au cas où il aurait une idée derrière la tête.

J'ai vite cassé l'ambiance.

— Tu sais, ma pintade fourrée aux fruits secs ? Tu crois que c'est assez bien pour mes parents, quand ils viendront en décembre ?

Il avait entrepris de me masser le dos.

— Sans doute pas, a-t-il dit en ôtant sa main, avant de s'éloigner. Rien n'est assez bien pour tes parents.

Quelques instants plus tard, je me suis dirigée vers la chambre, Lettice trottinant près de moi dans le couloir. Henry était déjà couché, lumière éteinte, les yeux fermés, les mains croisées sur son ventre. Oh non ! J'ai installé Lettice dans son panier, puis je me suis assise sur le lit, de son côté, pour l'obliger à me regarder.

— Cela t'embête qu'ils viennent ? C'est seulement pour deux nuits, tu sais.

— Bien sûr qu'ils peuvent venir. Ce sont tes parents.

— Vraiment ?

— Oui. Mais ils ne restent pas deux nuits, chérie. Ils restent quatre nuits.

— Non, deux.

— Deux à l'aller, deux au retour.

— Non. Une à l'aller, une au retour.

Mes parents comptaient s'arrêter chez nous en route pour la Floride, puis avant de rentrer chez eux.

— Ah...

Il semblait tellement soulagé que j'ai ri. Je me suis mise à tortiller sa moustache entre mes doigts. Il a souri, puis a refermé les yeux. Mon mari a une tête de hippie. Étonnamment, chez lui, cela me plaît. Durant la journée, il porte un manteau. La nuit, il défait ses cheveux qui s'éparpillent sur l'oreiller comme un tissu doré et luxuriant. Je ne peux pas résister à l'envie de les toucher.

— De toute façon, ce ne sera pas si pénible. Ils t'aiment bien.

— Bien sûr...

— Mais si !

— Lee, laisse tomber. Tu as épousé un artisan, un artisan de la campagne, en plus. Aux yeux de tes parents, ce n'est guère mieux qu'un taliban.

— Allons, tu dis n'importe quoi !

Je me suis levée pour contourner le lit jusqu'à ma place, puis je me suis glissée sous les couvertures.

— Toi, tu as épousé une hétérosexuelle, et ta mère ne me déteste pas.

Excellent argument. Un point pour Lee.

Henry s'est mis à rire. N'y voyant rien de drôle, je n'ai pas réagi. Du coup, il s'est détourné, les mains sur le front, et a fixé le plafond d'un air boudeur.

Je dois bien l'avouer, ma famille impressionne Henry. Ils l'apprécient sincèrement. Hélas, il ne s'en rend pas compte. Il est complexé face à mon père physicien, ma mère économiste, un frère psychologue et un autre cardiologue. Lui n'est qu'un plombier sans père originaire du Sud, qui travaille avec sa mère. Certes, j'ai plus d'argent que lui, mais je ne l'ai pas gagné à la sueur de mon front. Mon domaine, c'est la petite enfance, un métier de femme, donc sans prestige et mal payé. Si je suis aisée, c'est parce que ma mère me conseille sur mes placements et elle se trompe rarement. Là encore, c'est un problème, pour Henry. Il ne me reproche rien, il s'en veut à lui-même. Dans ces moments-là, il se renferme, et nos difficultés à concevoir un enfant n'arrangent pas les choses.

De mon pied, j'ai caressé sa cheville. Pas de réaction. Chaque soir, il enfile un caleçon et un T-shirt propres avant de se coucher. J'aime l'odeur de l'assouplissant, du linge propre. Elle me met dans de bonnes dispositions.

Hélas, notre vie sexuelle est devenue tellement compliquée... Ce n'est plus qu'une question de courbes de température, d'ovulations. Je dois me lever aux aurores pour recueillir mes premières urines, puis faire un test en trois étapes. Je suis incollable sur la lutéinostimuline. J'ai trois kits d'ovulation dans la salle de bain. Henry avait une varicocèle, une veine variqueuse dans le scrotum qui élève la température des testicules, un problème qui constitue la première cause d'infertilité masculine. Il s'est donc fait opérer, puis nous avons tout recommencé. En vain. Nous en sommes revenus aux courbes de température et aux bâtonnets roses qui virent au bleu. Qu'on en ait envie ou non, il faut faire l'amour quand le bâtonnet est bleu.

J'ai bougé le pied pour lui caresser le mollet. La période était propice, sur le plan hormonal. Henry était au courant : je le lui avais dit le matin même. Si je lui faisais des avances, il penserait que c'était pour cette raison. En vérité, ce n'était pas la seule...

Parfois, Henry n'y arrive pas. C'est rare : ce n'est arrivé que deux fois. À cause du stress, naturellement, nous le savons tous les deux. La seconde fois, il a dit : « Je n'ai jamais été impuissant ! » Je lui ai répondu : « Moi aussi, je suis impuissante, mais cela ne se voit pas. » Ça l'a un peu aidé. Depuis, l'incident ne s'est pas reproduit.

J'ai tellement envie d'un enfant ! Ma vie est au point mort, je stagne. Je ne pourrai pas avancer tant que ce problème ne sera pas résolu. Je sais que c'est injuste, surtout pour Henry. Que faire ? Comment sortir de ce cycle infernal de tentatives et d'échecs ?

J'ai soupiré, puis j'ai éteint la lumière. Chaque soir, avant de dormir, nous nous embrassons. Parfois, ce baiser évolue vers autre chose... En général, toutefois, c'est juste un petit geste tendre. Nous avons tâtonné dans le noir, puis nos lèvres se sont trouvées.

— Bonne nuit.

— Bonne nuit.

J'ai voulu rouler sur le côté, mais Henry m'a attirée vers lui, presque sur son torse si puissant. Je ne peux pas dormir dessus, car c'est inconfortable comme un oreiller trop haut. J'ai déjà essayé.

— Chéri...

Mais il m'a saisie par les hanches pour me prendre sur lui.

— Je me disais...

Voilà qui était mieux. Je me suis étirée, mise à l'aise.

— Tu pensais à quoi ? ai-je demandé.

Il a glissé ses grosses mains dans mon bas de pyjama.

— Je me disais que tu voudrais peut-être abuser de moi.

— J'aurais pu, ai-je soufflé dans un bâillement. Je suis fatiguée...

Il a essayé de me dévisager dans le noir. Je ne suis pas du genre boute-en-train, et il se demandait si je plaisantais.

— Vraiment ?

— Non, pas vraiment, dis-je en enroulant les bras autour de son cou.

Alors nous avons fait l'amour. C'était bien. C'est toujours bien, mais je n'ai pas joui. Je ne pense pas que Henry s'en soit rendu compte. J'avais l'esprit ailleurs. Je me disais : « Cette fois, ça va marcher, cette fois, ça va marcher, c'est sûr. »

9

Isabel

ier soir, Kirby m'a embrassée. Je n'aurais pas été plus étonnée s'il avait sorti un fusil pour m'abattre : depuis des mois, je le croyais gai.

Ma conviction reposait sur pas grand-chose, en fait. Je ne l'ai jamais vu sortir avec quelqu'un et il ne me parle pas de ses fréquentations. Ce n'est pas tout : il est comédien à ses heures perdues. J'ai honte, car je déteste ce genre d'idées reçues. Kirby a en outre quelque chose de monacal, de contemplatif. C'est un homme très calme, très doux, très gentil, qui préfère écouter les autres que de parler de lui-même.

Il ne pouvait qu'être gai, non ?

Nous rentrions à pied du Church Basement Theater, sur la 17ᵉ rue, une pièce expérimentale montée par un dramaturge local, dans laquelle Kirby interprétait un employé de péage muet. Comme je n'avais pas tout compris, il essayait, avec tact, de m'expliquer. Il s'est mis à neiger, alors nous nous sommes arrêtés pour voir les épais flocons tournoyer à la lueur des réverbères. Nous ne nous étions jamais touchés, pas même la main. Pourtant, j'ai tout naturellement posé la tête sur son épaule.

— C'est superbe, non ?

On aurait dit une scène de film. Il m'a regardée dans les yeux en répétant :

— Superbe...

Il a effleuré mon visage de sa main gantée, puis il m'a donné un baiser sur la joue. Soudain intimidée, je l'ai dévisagé, incrédule. Comment expliquer cette tournure étrange des événements ? Et au moment où je me suis dit : « il est gai ! », il m'a embrassée sur la bouche. J'ai compris qu'il ne l'était pas. Ce fut aussi troublant que si je découvrais qu'un ami proche est un travesti, qu'une bonne copine est en fait un homme.

Il a reculé et m'a souri. Hélas, je n'ai pas pu en faire autant. J'étais même incapable de prononcer un mot. Peu à peu, mon silence est devenu gênant.

— Je suis désolé, Isabel, pardon...

— Ce n'est pas grave, ai-je répondu machinalement, ce qui ne voulait rien dire.

Nous nous sommes remis en marche. Il a repris son explication de la pièce, mais nous étions mal à l'aise. Et pas moyen de détendre l'atmosphère... J'avais assez de mal à remettre de l'ordre dans mes idées.

Nous vivons dans le même immeuble, au cœur du quartier animé d'Adams-Morgan. Kirby habite juste au-dessus de chez moi, au deuxième étage. C'est un voisin discret. Les cloisons étant très minces, je l'entends très bien. Je sais dans quelle pièce il se trouve, par exemple, et généralement ce qu'il est en train de faire. Il doit m'entendre, lui aussi. La première fois que nous nous sommes parlés, c'était au téléphone. Il voulait que j'augmente le volume de ma chaîne pour mieux entendre la *Sonate au clair de lune*. Sa voix grave et distinguée m'a intriguée, même si j'ai d'abord cru à un sarcasme de sa part. Encore une impression erronée...

Son physique ne suggère en rien qu'il est homosexuel. Grand, mince, le crâne dégarni, il a une façon intense d'observer les gens, un regard qui serait perçant sans la douceur de ses yeux marron. Son air un peu famélique dissimule une certaine force. J'en ai eu la preuve quand il a déplacé mes meubles et bricolé chez moi. Une passion partagée pour la musique demeure notre lien le plus solide. Nous adorons aller à des concerts ensemble. Il est d'ailleurs étrange que nous ne nous soyons jamais rencontrés ou remarqués au Kennedy Center, au DAR, au Lisner ou au Baird Auditorium, car nous occupons systématiquement les places les moins chères.

Hier soir, Kirby m'a raccompagnée jusqu'à ma porte, comme toujours, mais c'était différent.

— Tu veux entrer ? lui ai-je proposé.

— Non, merci. Je vais monter. Il est tard.

Je ne pouvais pas le laisser partir comme ça. Il fallait que je dise quelque chose. Feindre qu'il ne s'était rien passé aurait été lâche et insultant. Et si je faisais trop de cas de ce baiser ? S'il n'avait été qu'une impulsion, un geste d'amitié ? Non. C'était plus que cela pour lui, j'en suis certaine.

— Ma vie est en train de changer, Kirby. Tout s'enchaîne tellement vite, depuis quelque temps... J'ai du mal à suivre. Je suis plutôt centrée sur moi-même. Bref, le moment est mal choisi pour... m'engager dans une histoire sentimentale. Je suis trop égoïste pour être digne de qui que ce soit. Notre amitié m'est précieuse et je ne veux pas la perdre. Je tiens à toi. Il faut que tu comprennes...

J'ai dit autre chose, mais je ne sais plus quoi. La tête inclinée, il m'a écoutée avec attention. Il est vraiment doué pour cela.

Finalement, je me suis tue, piteuse, insatisfaite. J'avais l'impression de passer à côté de quelque chose.

— Isabel, a-t-il dit d'une voix basse et assurée, je ne voulais surtout pas te bouleverser. Je ne pensais pas que tu serais aussi surprise. En vérité, cela faisait longtemps que j'avais envie de t'embrasser.

Je crois que j'ai rougi.

— Je l'ignorais...

Abasourdi, il a froncé les sourcils. Quoi qu'il arrive entre nous, désormais, jamais je ne pourrai lui avouer ce que je pensais. Je trouve déjà inconcevable d'avoir cru que Kirby était gai.

Il a posé une main sur la poche de son manteau, puis a baissé les yeux.

— Je te laisse réfléchir à tête reposée. Ensuite...

Il fit un signe désinvolte de la main, plein d'espoir, en m'observant à la dérobée.

— Cette nuit, je ne vais penser qu'à cela.

— Eh bien nous serons deux.

Excellente conclusion. Il s'est incliné en murmurant « bonne nuit » avant de s'éloigner. Belle sortie. Sans doute son expérience du théâtre. À cet égard, il est tout le contraire de Gary, qui choisit toujours le pire moment. En fait, il est l'opposé de mon ex-mari dans presque tous les domaines.

Comme prévu, j'ai beaucoup pensé à Kirby. Le temps était peut-être venu pour moi de refaire ma vie. Je suis divorcée depuis quatre ans, et je n'ai pas eu d'amant depuis Richard Smith – qu'Emma détestait cordialement. Je m'efforce de ne jamais penser à lui, car il me rappelle trop de mauvais souvenirs. Un an et demi après le divorce, trois mois après le début de ma relation avec Richard – il était formateur dans mon programme de troisième cycle – je me suis découvert une boule au sein. Ou plutôt, c'est Richard qui l'a trouvée en faisant l'imbécile au cinéma.

— C'est quoi, ça ? m'a-t-il murmuré en interrompant une scène touchante de *Raison et Sentiments*.

Je savais très bien ce que c'était. En l'espace d'une seconde, j'ai envisagé tout ce qui allait m'arriver, y compris ma mort. Par chance, je me suis en partie trompée, mais il n'en fallait pas davantage pour Richard. Il est resté dans les parages pour l'opération. Très vite, il m'a annoncé qu'il ne « voyait pas d'avenir pour nous deux ». Je n'étais pas en colère. Emma s'en est chargée pour moi. Que ferais-je sans elle ? Grâce à elle, je déteste les hommes et je suis rancunière par procuration.

Avec Richard, c'est fini depuis deux ans, et il n'y a eu personne d'autre. Je n'ai jamais été en manque. Je profite des plaisirs de ma vie solitaire. J'adore mon petit appartement encombré, que j'ai peint en pêche, blanc et vert. J'ai arraché la moquette marron pour récupérer le vieux parquet. Il y avait trop de meubles dans ma maison de Chevy Chase. Je les laisse à Gary ! Je me contente de ma bibliothèque, mon fauteuil à bascule, un vieux canapé, quelques lampes un peu déglinguées, et de gros coussins pour que mes amies puissent s'asseoir quand elles viennent me voir. J'ai assez de vaisselle et de couverts pour recevoir huit convives, un nombre idéal. J'ai des voisins bruyants, des voisins discrets, des voisins excentriques. Ma proprio, Mme Skazafava, ne parle que trois mots d'anglais. Lee affirme que je vis comme une hippie. Elle a sans doute raison. Ramakrishna affirme que la vie fonctionne par cycles sans ordre déterminé. Je traverse une période que mes contemporaines ont connue il y a trente ans. Peu m'importe. Seul le voyage a de l'importance...

Dans l'après-midi, je rêvassais à mon bureau, à caresser Grace tout en regardant par la fenêtre au lieu d'étudier en vue de mon examen de « familles dysfonctionnelles », quand j'ai entendu la porte de l'appartement de Kirby s'ouvrir puis se refermer. Cela se produit souvent et, malgré moi, je dresse l'oreille. J'ai entendu ses pas dans le couloir, puis il a frappé à ma porte.

Grace a cessé d'aboyer dès qu'elle l'a vu. Il portait son éternel pantalon de velours côtelé avec un pull ample. Et il tenait un CD à la main.

— Tiens, je t'ai apporté quelque chose. Le *Triple Concerto* de Beethoven. Tu as envie de l'écouter ?

J'ai préparé du thé et nous nous sommes installés, presque comme avant, sauf que ce n'était pas comme avant. Quand la musique s'est arrêtée, j'ai évité les banalités pour entrer directement dans le vif du sujet.

— Tu as déjà été marié ?

— Oui.

— Vraiment ? fis-je en tripotant ma passoire à thé pour masquer mon étonnement. Tu ne m'en avais jamais parlé.

— J'ai été marié pendant dix-neuf ans. J'avais un fils et une fille, expliqua-t-il en buvant une gorgée de thé. Il y a onze ans, ils sont morts tous les trois dans un accident de voiture, sur l'autoroute. Julie avait douze ans et Tyler huit.

— Je suis désolée pour toi, ai-je balbutié, consciente que ces paroles étaient inutiles.

On cherche toujours quoi dire, dans ces circonstances, mais il n'y a pas de mots.

— Merci, répondit Kirby, sincèrement.

Ce triste rituel était passé.

— Onze ans, reprit-il après un silence, c'est long. Au début, la solitude me convenait. Plus maintenant.

Il m'a regardée d'un air entendu.

Je me suis levée pour éjecter le CD. Puis je me suis penchée sur mon porte-CD. Il me fallait une musique adéquate pour ce que j'allais dire, mais je n'ai rien trouvé.

— Kirby... (Je me suis appuyée au rebord de la fenêtre.) Tu es au courant que j'ai eu un cancer du sein.

Je lui en avais parlé quelques mois plus tôt. Ce n'est pas un secret, mais je ne le raconte pas à n'importe qui. J'avais énoncé les grandes lignes, sans entrer dans les détails.

— Tu penses peut-être que je me suis seulement fait enlever la tumeur, ou bien que j'ai eu recours à la chirurgie réparatrice. Mais non. Ici, il n'y a... plus rien (j'ai désigné mon soutien-gorge). J'ai une prothèse mammaire.

À part le personnel médical, personne n'a jamais vu ma poitrine asymétrique. Je m'étais habituée à l'idée que personne ne la verrait. J'avais donc cessé de m'imaginer cette conversation gênante avec un amant potentiel.

Kirby s'est dressé sur ses longues jambes pour venir se poster devant moi, la mine sévère, un peu impatient.

— Cela ne me dérange pas le moins du monde. Je m'en moque complètement.

— Bon, ai-je répondu, les bras croisés.

Je le croyais.

— Isabel, je suis en train de tomber amoureux de toi.

Sous le choc, je me suis écartée. Là, je ne le croyais pas. Je n'avais pas envie de tomber amoureuse ! J'avais déjà donné. Je suis trop vieille, trop égoïste, je veux m'occuper de moi et pas de quelqu'un qui est en train de tomber amoureux de moi !

— Oh, Kirby, tu n'aurais pas dû dire ça...

Soulagée, j'ai constaté qu'il ne semblait ni triste, ni furieux ou gêné, mais pensif. Et il souriait.

— Alors je regrette de te l'avoir dit.

Il a sorti un objet de sa poche et me l'a tendu. Un anneau. Saisie d'effroi, j'ai reculé.

— J'ai apporté quelques joints pour faire des essais, expliqua-t-il.

— Quoi ?

— Pour le robinet de ta cuisine. Il fuit, non ?

J'ai hoché bêtement la tête.

— Je vais voir si je peux le réparer.

Il s'est dirigé vers la cuisine et s'est mis à l'œuvre.

Je me suis écroulée par terre. Grace a quitté sa place près du radiateur pour venir se coucher près de moi. Ma chienne aime bien Kirby, ai-je pensé en lui caressant le museau. À part cela, une foule d'idées incohérentes se bousculaient dans ma tête.

Mardi, je devais passer mon dernier examen médical semestriel. Ensuite, si tout allait bien, je ne verrais plus mon oncologue qu'une fois par an. Encore une étape dans mon parcours. En caressant Grace, les yeux dans le vague, j'ai compris que ma décision était prise. Si tout était normal, s'il n'y avait pas de masse suspecte, de tumeur, de mammographie, ce dont je ne doutais pas, je réfléchirais à la possibilité d'une relation avec Kirby. J'y songerais sans me mettre de pression.

En attendant, c'était bon d'être assise là, avec Grace, à écouter un homme bricoler pour moi dans ma cuisine, des sons masculins, mystérieux et réconfortants, qui me donnaient la sensation d'être une femme. Ce que je n'avais pas ressenti depuis longtemps...

10

Rudy

Curtis ne juge pas nécessaire que j'aie un vrai métier parce que nous n'avons pas besoin de revenus complémentaires. Selon lui, mes activités caritatives (à l'exception du service d'entraide au téléphone) me suffisent et sont utiles aux autres. À ses yeux, une carrière à plein temps me rendrait folle et je ne parviendrais jamais à gérer le stress.

Je ne sais pas... Je ne suis pas sûre... Sans doute a-t-il raison. Quand je vois Lee, avec son doctorat, à la tête d'un centre pour enfants au niveau fédéral... Elle a toujours su ce qu'elle voulait et a franchi toutes les étapes pour y arriver. Jamais je ne pourrais être aussi responsable et avisée. Et Isabel, qui a repris ses études à près de cinquante ans... Elle travaille d'arrache-pied pour atteindre son objectif. Comment savent-elles ce qu'elles veulent ? Même Emma sait ce qu'elle veut ! Toutefois, elle se garde bien de le dire aux autres.

Comme moi, elle a peur, mais par fierté, car elle redoute de se ridiculiser. Personnellement, c'est parce que je suis consciente de mon incompétence.

Hier soir, en rentrant du cinéma, j'ai essayé de le lui expliquer en vain. Curtis est le seul qui comprenne vraiment. Emma et moi avons même failli nous disputer. En arrêtant la voiture devant chez elle, je regrettais que nous ne soyons pas allées boire un verre au lieu de manger une glace après le cinéma, car notre discussion aurait été différente.

Une main sur la portière, elle m'a foudroyée du regard. De l'autre, elle a écrasé sa cigarette dans le cendrier. Quand il fait froid, elle enfonce un béret en laine noire sur sa tête en couvrant presque ses sourcils. Ses mèches rousses ressemblent à des flammes.

— Rudy, tu es une artiste ! Tu as un talent fou, tu pourrais faire tout ce que tu veux ! Pourtant, tu restes figée, coincée ! Je ne comprends vraiment pas ce qui te retient.

Lâcheté, incompétence, inertie... Je me sentais attaquée, mais je refusais de me battre. En lui renvoyant ses propres peurs au visage, je l'aurais blessée.

— Je fais des choses ! ai-je protesté. Je vais peut-être me présenter à un concours de photo, au Corcoran. Et on me propose d'enseigner la poterie à la Free School, l'an prochain.

— Un cours de poterie ? Tu n'avais pas arrêté ?

Encore un sujet sensible. Quand j'ai revendu mon tour de potier, Emma a tenu Curtis pour responsable. Je l'avais remisé dans la cave et les appareils de musculation de mon mari commençaient à envahir les lieux. Ce n'est pas vraiment pour cela que j'ai laissé tomber la poterie. Cette activité me prenait beaucoup de temps. Curtis m'a dit, et j'ai fini par être d'accord avec lui, que si je ne faisais pas carrière dans la céramique, il ne servait à rien de continuer.

— Je ne suis pas très assidue, ai-je déclaré à Emma, mais je suis capable d'enseigner à des débutants. Bref, je suis sur plusieurs projets. Je ne t'en parle pas systématiquement, voilà tout.

— Je sais.

Elle a compris que sa franchise m'avait blessée.

— Ne m'en veux pas de te parler comme si j'étais ta mère. Enfin, pas *ta* mère, une mère normale.

— C'est vrai, pas *ma* mère.

J'ai ri, elle aussi, et tout s'est arrangé. Néanmoins, j'ai décliné son invitation à entrer. Il ne valait mieux pas. Malgré cette réconciliation, Emma était d'humeur querelleuse, et j'avais peur qu'elle ne recommence.

— Bonne nuit, dit-elle avec une tape sur l'épaule, car elle n'est pas démonstrative.

Je l'ai regardée gravir les marches du perron sous la pluie. Une fois à l'intérieur, elle a allumé puis éteint la lumière du porche. C'est notre signal pour indiquer que tout va bien, qu'il n'y a pas de violeur tapi dans l'ombre. J'ai klaxonné avant de m'éloigner.

Tandis que je longeais Rock Creek, la pluie s'est transformée en neige fondue. Je me suis alors réjouie que nous ne soyons pas allées boire un verre pour terminer la soirée. Chez moi, le rez-de-chaussée était éclairé, ce qui m'a fait plaisir.

Dieu merci, je suis sobre, ai-je songé en faisant le tour pour chercher une place. Curtis était revenu d'Atlanta plus tôt que prévu et j'aurais dû être présente pour l'accueillir. Il déteste trouver la maison vide.

J'ai pensé au conseil d'Éric sur la culpabilité injustifiée. Dans ces moments-là, je suis supposée me demander ce que j'ai fait de mal. Selon lui, la réponse est presque toujours « rien ». Peut-être. Le problème, c'est que je ne me sens jamais innocente, surtout avec Curtis. J'ai toujours l'impression que je pourrais dire ou faire mieux.

— Curtis ?

Il avait laissé les lumières allumées, mais il n'était pas en bas. Je suis montée en enlevant mon manteau. Il ne se trouvait pas dans la chambre, ni dans la salle de bain.

— Curtis ?

J'ai entendu du bruit dans son bureau plongé dans la pénombre. À mon entrée, il ne s'est pas retourné. Avachi sur sa chaise, il gardait les yeux rivés sur son écran d'ordinateur.

— Curtis ?

Il était encore en costume. J'ai touché son épaule : pas de réaction. Alors j'ai glissé une main sur sa nuque. J'ai senti ses muscles se crisper.

— Qu'est-ce que tu fais, tout seul, dans le noir, chéri ?

Ses cheveux forment un petit V sur sa nuque. Curtis déteste ça. Il demande à son coiffeur de luxe de Capitol Hill de le tailler tous les quinze jours, mais il ne disparaît jamais complètement. Avant, j'aimais bien jouer avec. Il ne me laisse plus faire, car cela l'agace.

— Tu étais où ? m'a-t-il demandé lentement, avec son accent traînant.

— Je croyais que tu ne rentrais que demain...

Il attendait la véritable réponse.

— Je suis allée au cinéma.

— Seule ?

— Non. Avec Emma. Elle avait envie de voir ce film français, tu sais, une histoire d'amour... J'en ai déjà oublié le titre. Elle a aimé. Moi, j'ai trouvé ça un peu niais.

Ce n'était pas tout à fait vrai.

— Les sous-titres étaient à peine lisibles, ai-je ajouté pour lui confirmer que je n'avais pas passé une bonne soirée.

J'ai enfoui les doigts sous le col de sa veste pour entamer un lent massage. Le parfum de son eau de toilette flottait encore, en cette fin de journée, comme celui de la mousse qu'il applique sur ses cheveux lisses et soyeux. Lorsqu'il a incliné la tête, j'ai senti qu'il commençait à se détendre.

— Comment ça s'est passé, à Atlanta ?

Erreur. Je n'aurais pas dû lui poser cette question. Pas encore. Tous ses muscles se sont crispés.

— Un désastre.

Pourquoi me sentais-je responsable ? Quoi qu'il ait pu se produire à Atlanta, je n'y étais pour rien. Or ses paroles résonnaient comme une accusation...

J'ai attendu qu'il développe, mais il est resté muet.

— Que s'est-il passé ?

— C'est Morris.

— Oh, non ! ai-je soupiré, pleine d'empathie, en crispant les doigts sur son épaule.

Frank Morris est l'ennemi juré de Curtis. Bien qu'il ait moins d'ancienneté, il convoite son poste et cherche à donner une mauvaise image de lui à son patron.

— Qu'est-ce qu'il a encore fait ?

Pas de réponse.

— Euh... Dis-moi, pour Morris...

— Qu'est-ce que ça peut te faire ?

Je sentis l'épais manteau de la culpabilité m'envelopper. D'où venait-il ? Et pourquoi ?

— Tu sais bien que ça m'intéresse.

Qu'avais-je fait de mal ? J'avais forcément commis un impair. Curtis, lui, savait, mais je n'ai pas osé le lui demander.

Une longue minute s'est écoulée, puis j'ai compris qu'il n'allait pas satisfaire ma curiosité. C'était sa pire punition : le silence. Il ne voyait donc pas qu'il se punissait aussi ?

Je l'ai enlacé en posant ma joue sur la sienne.

— Chéri... ai-je murmuré.

Si seulement je pouvais le réchauffer, l'attendrir.

— Curtis, c'est...

Quand il s'est levé, j'ai baissé les bras et reculé. Sans un regard, il est passé à côté de moi, avant de quitter la pièce.

Cette attitude fait partie de nos rituels. Cela allait passer. Il ne m'excluait pas vraiment. Personne ne comprend que Curtis a autant besoin de moi que j'ai besoin de lui, voire davantage. Toutefois, c'est lui le plus fort de nous deux. Sans lui, je serais perdue. Éric prétend que non, mais c'est faux.

Plus tard, je lui ai porté un verre de cognac au lit.

— J'en veux pas !

Je l'ai siroté à sa place en observant Curtis. J'avais enfilé ma chemise de nuit en velours frappé noir et décolletée, sa préférée.

— Tu es fatigué ?

Il a haussé les épaules, puis m'a presque souri.

— Tu travailles tellement...

J'ai posé le verre. Il m'a laissée lui prendre son *Forbes* des mains et le ranger sur la table de chevet. Avec sa mèche de cheveux qui lui tombait sur le front, il semblait si juvénile... J'ai pensé aux premiers temps, à Durham, quand nous avons emménagé ensemble. Ce fut la période la plus heureuse et la plus rassurante de ma vie. Il m'aimait vraiment, à l'époque.

— Morris est un crétin, ai-je dit. Je n'ai jamais pu le sentir.

Curtis a émis un grommellement.

— Et il perd ses cheveux à une vitesse incroyable !

Il a étouffé une sorte de rire et a tendu la main vers la mienne. Son sourire annonçait un début de pardon.

— Je vais foutre le camp de là, annonça-t-il en saisissant le ruban noir de mon déshabillé. Je pars chez Teeter et Jack.

— Quoi ? C'est vrai ?

Il tira sur les extrémités du nœud. J'ai dû poser les mains sur les siennes pour l'en empêcher.

— Tu veux dire que tu démissionnes ?

— J'ai pris ma décision ce soir.

— Mais...

— Je n'en peux plus de ces imbéciles, Rudy ! Rien ne m'oblige à les supporter.

— Non, non... Il faut partir. Cela fait si longtemps que tu es malheureux.

J'étais tellement étonnée que j'avais du mal à réfléchir. Certes, Curtis n'était pas épanoui dans son travail. Selon lui, il y avait trop de coups de poignard dans le dos, dans l'entourage de Wingert. Trop d'hypocrisie. Teeter Reese et Jack Birmingham étaient d'anciens camarades de la faculté de droit. Ils avaient monté un lobby et gagnaient beaucoup d'argent, d'après Curtis. Cela valait peut-être mieux... Il ne supporte pas l'autorité. Mais s'il pouvait être associé, son propre patron, au lieu de travailler sous les ordres de quelqu'un, il s'épanouirait peut-être. Ce serait également un tremplin vers une carrière politique, sa véritable ambition. Il emprunterait une autre voie, voilà tout.

Curtis commençait à faire glisser ma chemise de nuit sur mes épaules et à me caresser.

— Wingert peut aller se faire foutre, dit-il, le regard pétillant, avec un sourire étincelant. Morris aussi ! Qu'ils aillent tous se faire foutre !

Cette grossièreté m'a choquée, car il jure rarement. Quand il m'a attirée vers lui, je me suis laissé faire, même s'il se montrait brutal, car il en avait besoin, vu son humeur bizarre. Il s'est interrompu en se rendant compte que je n'étais pas avec lui, que je n'étais pas prête. Ses mains se sont alors faites plus douces, plus tendres.

La tendresse me fait craquer, et il me connaît bien. Il sait qu'il obtient tout de moi par la douceur. D'une caresse, il a essuyé les larmes qui coulaient sur mes joues en murmurant :

— C'est bien, Rudy...

Il m'a écarté les cuisses de ses genoux. Je voulais qu'il m'emplisse, qu'il occupe ce vide qui était en moi, qu'il me complète. Jamais il ne lâche prise, jamais il ne perd le contrôle de lui-même, mais il est capable de m'exciter au plus haut point. Je me suis mise à haleter, à l'appeler, à crier, tant j'avais envie de lui. Il a enfoui le visage dans mes cheveux... Puis, soudain, il s'est arrêté net.

— Oh, non !

Je me suis figée, moi aussi, affligée par le dégoût qu'exprimait son ton.

— Qu'est-ce qui ne va pas ?

De ses lèvres encore humides de mes baisers, il a esquissé une moue.

— Qu'est-ce qui ne va pas ? Je vais te le dire : tu pues la cigarette !

J'ai tendu la main vers lui. Il l'a repoussée et s'est détourné.

— Pardon...

J'avais des picotements partout, soudain frigorifiée.

— Pardon... J'avais arrêté, mais Emma et moi, on a... Elle avait des cigarettes, alors j'ai replongé. J'ai fumé dans la voiture. Excuse-moi...

Je me suis forcée à me taire. Ce n'était pas un problème de cigarette, de toute façon...

— Je déteste quand tu me fais ça, ai-je murmuré à son dos.

J'ai posé un doigt sur sa hanche, mais il a tiré furieusement sur les couvertures en repoussant ma main.

— Curtis, s'il te plaît !

J'aurais pu le supplier à genoux, il ne m'aurait pas répondu. S'il m'est facile de me détester, j'ai plus de mal à détester Curtis. Parfois, il parvient tout de même à m'inspirer de la haine.

Je me suis levée pour prendre deux antalgiques contre ma migraine et deux calmants pour oublier. Le seul remède à ce genre de douleur est un profond sommeil. Dommage qu'il me soit impossible de le trouver naturellement...

Le lendemain matin, ma mère m'a appelée.

Cela faisait environ trois mois que je ne lui avais pas parlé. Cela peut sembler long mais, selon nos critères, c'est normal. Elle avait une voix atroce. « Merde, merde, elle s'est remise à boire », ai-je songé en fermant les yeux.

— Rudelle ? Ça me fait plaisir de t'entendre. Comment vas-tu, chérie ?

— Ça va, maman. Il y a un problème ?

— August est à l'hôpital.

— Oh, non... Qu'est-ce qu'il a ? Maman ?

J'ai entendu un bruit assourdissant, au point que j'ai dû éloigner l'appareil.

— Maman, tu es là ?

— J'ai fait tomber le téléphone.

Elle a fondu en larmes.

Je suis sortie dans le couloir et je me suis recroquevillée en chien de fusil sur la moquette mauve.

— Maman, ne pleure pas. Qu'est-ce qu'il a, August ?

Mon beau-père a seize ans de plus que ma mère. Il a fêté ses quatre-vingts ans en septembre.

— C'est le cœur. Il a eu un malaise, hier soir. J'ai appelé Allen, mais il ne veut pas se déplacer. Rudelle, si seulement tu venais...

— Maman...

—Je ne bois pas ! Je n'ai pas bu.

Peut-être... Ou peut-être pas.

— Il a eu une crise cardiaque ?

— Ils ont parlé d'une alerte. Je ne sais pas ce qu'ils ont dit d'autre. Je ne peux pas les écouter...

— Il va s'en sortir, alors ?

— Ils le laissent sortir aujourd'hui.

— Ils... (J'ai rouvert les yeux.) Donc il va bien. Ce n'était qu'une alerte. Ce n'est sûrement pas grave, maman, sinon ils le garderaient.

Toujours allongée, je me suis dit : « Elle a d'abord appelé Allen. Mon frère est alcoolique, il a deux ex-femmes, se drogue et n'a pas de travail. Et c'est lui que ma mère appelle d'abord à l'aide ! » J'ai senti mes muscles se détendre, ma mâchoire s'affaisser. Je commençais ma propre alerte.

— Rudelle, tu peux venir ? Cela fait tellement longtemps...

— Pas en ce moment, non.

— Vous pourriez venir pour Noël, Curtis et toi. C'est superbe, ici ! Tu te souviens comme les fêtes sont magnifiques ? Cela fait si longtemps...

— On ne peut pas. Curtis travaille.

Ce n'était sans doute pas un mensonge.

— Maman, écoute, je te rappelle.

— Rudelle...

— J'ai un double appel, il faut que je te laisse. Je te rappelle !
J'ai coupé la communication.

Elle a été très belle. L'est-elle toujours ? Cela fait presque cinq ans que je ne l'ai pas vue. Depuis mon mariage. Devant mes amies, je l'appelle Felicia. C'est donc ainsi qu'elles me parlent d'elle. « Comment vont Felicia et son play-boy ? » s'enquiert Emma. Son play-boy de quatre-vingts ans. August est Suisse. Ma mère l'a rencontré à Genève un an avant le suicide de mon père. Ils étaient amants, bien sûr. Enfin, certainement.

De temps à autre, il lui prend l'envie de me voir. Elle m'appelle et se plaint de mon absence. Elle dit que ce serait merveilleux de se voir, que je lui manque... Je n'arrive pas à donner suite. Éric pense que je devrais y aller, car j'ai des problèmes à régler avec ma mère. Mais je ne fais rien. Je n'y arrive pas.

J'imagine ce à quoi je devais ressembler, recroquevillée par terre, dans le couloir. C'est Éric qui m'a appris à visualiser mon image quand je crois que je vais être malade. Cela fonctionne parfois et me pousse à agir.

Je me suis levée pour me diriger vers la salle de bain, dont j'ai franchi le seuil. Dès que j'ai allumé la lumière, je n'ai pas pu aller plus loin. Je me suis figée, un pied en l'air au-dessus du sol carrelé blanc. Arrête, ai-je songé, au bord de la panique, mais je n'ai pas pu entrer. J'ai réussi à bouger la main pour éteindre la lumière. Ensuite, j'ai reculé dans le couloir pour regagner la chambre et je me suis assise au bord du lit.

J'ai appuyé sur la touche 2 du téléphone. Au bureau de Wingert, la réceptionniste m'a informée que Curtis était en réunion. Souhaitais-je laisser un message ? Non, merci, ai-je répondu d'une voix qui m'était inconnue. J'ai vite coupé la communication pour passer un autre appel.

La voix d'Emma, sur son répondeur, m'a rassurée. Je la voyais si clairement, au bord du fou rire, les yeux pétillants, tandis qu'elle enregistrait son annonce pleine d'esprit et pince-sans-rire. En laissant mon message, je m'exprimais presque normalement.

— Salut, c'est moi. J'espérais que tu serais là. Tu es sans doute au boulot. Ce n'est rien... rien d'important. Salut.

J'ai fini dans un murmure parce que j'ai aussitôt fondu en larmes.

Rudy, Rudy. Rudelle. Comme je déteste ce nom ! Il est d'origine allemande et signifie « illustre ». Je suis née en Allemagne. Mes parents préféraient l'Europe à l'Amérique. Quand j'étais enfant, je me suis appelée Rudi O'Neill jusqu'à ce que ma mère épouse August. Ensuite, j'ai dû prendre son nom : Lacretelle. Rudelle Lacretelle. À la fac, j'ai adopté le patronyme de ma mère, Surratt, et j'ai changé Rudi en Rudy. Rudy Surratt. Cela me plaisait. Je me sentais à l'aise. Quand j'ai épousé Curtis, il a voulu que je porte son nom : je suis désormais Rudy Lloyd. Emma adore chantonner mon nom sans raison, quand nous sommes en voiture, par exemple.

Je me suis levée du lit pour passer un autre appel. Le répondeur s'est déclenché, mais Éric a décroché au milieu de l'annonce.

— Vous pouvez me recevoir aujourd'hui ?

— Rudy ? Il vous est arrivé quelque chose ?

— Non, pas vraiment. Éric, je peux vous voir ? Il s'est... passé quelque chose, je ne sais pas quoi.

— Seize heures, ça vous va ?

— Merci. Merci.

— Les deux premières années qui ont suivi la mort de mon père furent les pires. Nous habitions en Autriche, dans une station de sports d'hiver. Je vous l'ai raconté, non ? Mon frère vivait avec nous parce qu'il s'était fait renvoyer de son école privée du Rhode Island. Claire et moi fréquentions une école religieuse du village. August passait le plus clair de son temps avec nous, mais il n'avait pas encore épousé ma mère. Nous vivions à l'hôtel. Je vous l'ai dit, n'est-ce pas ?

— Peu importe.

— Vous connaissez cette partie-là. Ma mère. Le jour où je l'ai trouvée.

— Racontez-moi encore.

— Oui, j'ai envie de vous le raconter. C'était l'été de mes douze ans. Claire en avait quatorze. Allen, mon frère, disparaissait chaque jour. Nous ignorions où il allait. Se promener, disait-il. Ma mère n'arrivait pas à le retenir à la maison. Elle ne pouvait rien faire, d'ailleurs. Enfin, si : elle buvait et dormait. Et quand elle prenait les bons cachets, elle se montrait aimante et très, très gentille. Je l'aimais tellement ! Je n'ai jamais autant souffert pour personne. Pas depuis cet été-là. Je crois... que je suis devenue un peu indifférente, par la suite.

Je me suis tue et j'ai fermé les yeux. Éric a patienté sans un mot. J'ai revu la scène comme un vieux film en noir et blanc, à part le rouge du sang.

— Ma sœur et moi l'avons trouvée ensemble. Nous l'avons crue morte, nue sur le carrelage blanc. La baignoire pleine d'eau sanglante. Va chercher de l'aide ! ai-je crié encore et encore. Mais j'aurais dû comprendre, en voyant son visage mi-souriant, mi-vague, comme si elle était en train de s'endormir. Elle est simplement sortie de la pièce. Des gens l'ont trouvée le lendemain et l'ont ramenée. Elle faisait du vélo, nous ont-ils expliqué.

— Rudy...

— Ça va. Je ne vous avais pas raconté que je suis restée avec ma mère pendant des heures, n'est-ce pas ? Elle était presque aussi blanche que le carrelage. Et froide... J'avais l'impression d'être en caoutchouc. Je me disais que, si je la laissais tomber, elle mourrait. Elle avait une ecchymose au visage, à cause de sa chute, mais le sang qui dessinait comme des pièces de monnaie sur le carrelage, c'était le sang de ses règles. Elle avait eu recours à des cachets, pas à une lame de rasoir. Des cachets et de la vodka. Elle ne savait donc pas ? Comment pouvait-elle ignorer qui la retrouverait ? Ses petites filles, ses bébés... Oh, maman ! Je l'ai gardée dans mes bras. Les rôles étaient inversés, j'étais la mère, mon enfant était en train de mourir, et je n'y pouvais rien, j'étais incapable de la garder avec moi.

J'avais le souffle court, le sang pulsait à mes tempes. Éric a pris mes mains dans les siennes et les a serrées fort. J'ai cessé de pleurer.

— Ça va mieux. Je vais bien.

Une fois calmée, je lui ai parlé de l'appel de ma mère.

— Voilà pourquoi toute cette histoire remonte à la surface. C'est drôle. Les années passent et on pense que la page est tournée, mais c'est faux. Est-ce que cela s'arrange un jour ?

— Je ne crois pas.

— Non. Je le savais, ai-je répondu.

— Ce n'est pas forcément douloureux, toutefois.

— Qu'est-ce qui fait que l'on n'en souffre plus ? Pas le temps, en tout cas. Cette histoire remonte à trente ans. Trente ans ! Éric ?

— Oui ?

Je lui ai souri pour qu'il pense que je plaisantais.

— Est-ce que je guérirai un jour ?

Je ne m'attendais pas à une réponse. C'est le genre de question qu'il ignore, en général. Je lui avais fait peur. Son visage, alors qu'il me tenait les mains, n'était pas serein.

— Je crois que oui, a-t-il répondu d'un air solennel. Je ne vous verrais pas si je n'y croyais pas.

— Vous ne me verriez pas ? ai-je répété en me frottant les bras, car j'avais froid.

— Je ne continuerais pas à vous voir si je ne croyais pas en votre guérison.

Pourtant, je me sens encore plus mal qu'au début. Il veut essayer la thérapie de couple. Je lui ai déjà dit que c'était impossible, mais il ne m'écoute pas. Il ne comprend pas que Curtis ne viendra jamais ici. Même si ma vie en dépendait, Curtis ne viendrait pas.

— Je ferais mieux de partir, ai-je conclu alors qu'il me restait dix minutes de séance. Curtis rentre de bonne heure, ce soir, et il aime que je sois là pour l'accueillir.

Les lèvres pincées, Éric m'a laissée partir sans un mot.

11

Emma

— *P*ourquoi se donner tant de peine pour des femmes ?

Oui, oui, j'ai vraiment dit ça, bien fort, avec conviction ! Et il y avait de quoi : décortiquer des crevettes ferait ressurgir les plus bas instincts de n'importe qui. Vingt-cinq minutes penchée au-dessus de l'évier, avec la radio pour toute compagnie, aliénerait la plus fervente féministe. Pourtant, « féministe » fait partie de mon identité au même titre que « irlandaise », « agnostique », « démocrate non pratiquante » ou « vieille fille ». Nos grands-mères considéraient qu'il ne convenait de décortiquer les crevettes, peler les pommes ou ôter les fils des mange-tout que si des hommes étaient conviés. Je suis au-dessus de ça, non ?

Mais j'adooore mes copines ! me suis-je dit avec l'accent écossais, car je venais d'entendre un certain Lonnie Mac quelque chose, à la radio. Il a écrit un roman en dialecte de Glasgow. La belle affaire ! Et on l'interviewait comme si c'était le Messie ! Non, je n'étais pas jalouse. Pas le moins du monde ! J'ai éteint rageusement la radio avant d'attaquer une nouvelle crevette.

Quoi qu'il en soit, je me donne autant de mal pour les Grâces que pour les couples que je reçois à souper. Et je m'en donne infiniment plus quand il s'agit d'un seul homme. Il a même droit à une tasse de café, le matin, avant que je ne le mette à la porte poliment, car je suis toujours polie. Oui, j'aime cuisiner pour mes amies. Rudy, Lee et moi nous livrons à une compétition tacite pour la place de chef en second (Isabel est hors concours). Mon curry de crevettes aux mange-tout et aux pommes de ce soir est redoutable. En plus, j'ai préparé un gâteau. Pas de A à Z, je ne suis quand même pas la fée du logis... Mais j'ai ajouté du colorant alimentaire rouge au glaçage blanc et j'ai tracé en grosses lettres, sous un sablier très stylisé : « Deux ans ! Continue comme ça ! » Cela fait en effet deux ans ce mois-ci qu'Isabel s'est découvert une boule au sein. Il paraît qu'on ne peut se détendre qu'au bout de cinq ans... Deux ans, c'est quand même un cap, et cela s'arrose !

Dix-neuf heures quinze. Rudy était en retard. Je lui avais demandé de venir à sept heures pour discuter. J'aurais dû prévoir le coup et lui dire dix-huit heures trente.

Après avoir décortiqué les crevettes, je me suis lavé les mains avec du liquide vaisselle. Cette odeur de poisson m'a fait penser à Susan Sarandon, c'est normal ? Tiens, ce serait une bonne idée d'article, ça ! La place des références cinématographiques dans notre vie quotidienne. Un journal un peu intello pourrait me le prendre si j'y instillais une bonne dose de sarcasme, ma spécialité. Je le rédigerais plutôt sur un ton normal. Il doit y avoir des centaines d'exemples d'associations d'idées : le sifflement et Lauren Bacall, le tricycle et E.T. Question : pourquoi trouve-t-on un Amish dans un champ si sexy ? Réponse : à cause de Harrison Ford, dans *Witness*. D'accord, l'exemple est moyen, mais il doit en exister beaucoup d'autres.

— Nul.

C'est vrai, mon idée était creuse. C'est le problème de quatre-vingt-dix pour cent de mes projets d'articles. J'ai néanmoins griffonné : « Sarandon/citrons/association culte » sur le calepin que je garde près du réfrigérateur, au cas où.

Le carillon de la porte d'entrée a retenti. En allumant la lumière du porche, j'ai aperçu Rudy à travers la vitre. Elle était superbe dans sa longue cape noire, celle qui avait enveloppé Grace, il y a huit ans, sur MacArthur Boulevard, et que je convoite toujours. Rudy semblait morose, distraite. Dès qu'elle m'a vue, elle a affiché un large sourire. Elle est entrée dans un souffle d'air froid, de cachemire, de parfum et... d'essence ?

— Je suis tombée en panne sèche ! Tu imagines ? En plein milieu de la 16ᵉ rue ! Personne ne s'est arrêté pour m'aider. J'ai dû me traîner jusqu'à Euclid et en revenir pour quelques litres de carburant.

— C'est dur...

Quelle bonne excuse ! Et si inattendue. Rudy est toujours en retard et s'en moque éperdument. D'ailleurs, elle ne s'excuse jamais. Je n'en revenais pas.

— Comment diable peut-on se retrouver en panne d'essence ? Il ne te vient pas à l'idée de vérifier ta jauge avant de démarrer ?

Elle s'est contentée d'un rire :

— Tu es magnifique ! Tu t'es fait couper les cheveux ?

Je ne suis pas très douée pour les effusions, du moins c'est ce que me répètent sans cesse mes amies. J'ai néanmoins accepté l'étreinte de Rudy, en me demandant ce qu'elle était en train d'écraser dans le sac en papier qu'elle portait sous un bras.

— Oui. Il fallait vraiment faire quelque chose. Ils ne sont pas trop courts, j'espère ? Je lui ai demandé de ne pas trop les couper. Tu as vu mon nouveau portemanteau ? Un cadeau de Noël que je me suis offert. Allez, viens prendre un verre dans la cuisine...

J'ai sorti des verres, débouché une bouteille de vin et versé des noix dans un bol, tandis que Rudy rôdait dans la pièce, en quête de ce qu'il y avait de nouveau depuis sa dernière visite.

— Tiens, tu l'as accroché ! s'est-elle exclamée en désignant le collage qu'elle m'avait créé pour Noël. Il est bien, là, au-dessus de la porte.

— Je l'adore.

Son assemblage d'ustensiles de cuisine des années cinquante formait un visage. C'était un vrai chef-d'œuvre : deux cuillères en guise d'yeux, une râpe à fromage pour le nez et les sourcils et un joint de bocal pour la bouche. Il est difficile à décrire, car il faut le voir pour l'apprécier, mais on ne peut le regarder sans éclater de rire. Rudy était très douée.

— C'est génial, d'être propriétaire, dis-je en lui tendant un verre de merlot, son préféré. Cela me procure un sentiment de satisfaction très bourgeois...

J'ai vécu dans des quartiers plus chics – Georgetown, Foggy Bottom, Woodley Park – mais en tant que locataire, alors cela ne comptait pas. Du haut de ses quatre-vingts ans, ma maison de ville de Mt Pleasant ne paie pas de mine, d'autant qu'elle se trouve dans un quartier « intermédiaire », comme on dit. Cela signifie qu'il y est déconseillé de sortir le soir sans son pitbull. Au moins, elle m'appartient.

— Aux Sloan ! ai-je lancé.

— Aux Sloan !

Nous avons bu à la santé des anciens propriétaires, qui ont réhabilité les lieux à la perfection avant de fuir le quartier. La femme s'est retrouvée enceinte et ils ont préféré élever leur enfant dans une banlieue aisée.

— J'ai bien profité de leur paranoïa. Je commence même à apprécier les barreaux aux fenêtres.

— Et pourquoi pas ? fit Rudy. Le fer forgé blanc, c'est magnifique. Il suffit de distinguer la forme de la fonction.

— Et de ne pas être hystérique.

— Hé, quand on choisit de vivre dans la capitale historique de notre pays...

— ... on connaît les risques.

Nous avons levé nos verres encore une fois, puis je me suis assise sur le banc en faisant de la place pour Rudy.

— Alors, comment ça s'est passé, avec Greenburg ?

Parfois, je devine qu'elle a vu son psy parce qu'elle a les yeux rouges et gonflés. Mais pas ce soir.

— Tu n'es pas allée chez Greenburg ?

— Si...

Elle a sorti deux cigarettes de son paquet de Winston et m'en a offert une.

— C'était bien. On a parlé de mon père, ce qui est toujours très fort. D'après Éric, ce n'est pas un problème de penser qu'il ne s'est peut-être pas suicidé.

— Comment ça ? Attends, il s'est bien suicidé, non ? C'est ce que tu nous as toujours affirmé. C'était faux ?

— Je dis simplement que c'est une possibilité. Personne n'en sait rien, en fait. La légende familiale veut qu'il se soit donné la mort, or peut-être qu'il était ivre et qu'il est tombé du bateau...

Ce n'était pas seulement une légende familiale, c'était aussi une légende parmi les Grâces. J'ai entendu cette histoire il y a longtemps, mais j'en ai une image très claire. C'est arrivé sur le lac de Côme, il y a une trentaine d'années, quand Rudy avait onze ans. Je vois le ciel bleu, le voilier blanc, la douce lumière dorée de l'Italie au crépuscule... Allen Aubrey O'Neill, le père de Rudy, porte un pantalon ample et un pull blancs. Pieds nus, il fume des Camel. On dirait Joseph Cotten. Il boit de la vodka dans son flacon gainé de cuir, puis se hisse sur le bord. Autour de lui plongent les mouettes. Il écoute un instant leurs cris affamés, puis il aspire une dernière fois la douce brise et, enfin, se jette dans le vide, vers le bleu lisse et froid du lac.

Fin du film. Pas de plouf, ni de son étouffé. Je ne le suis pas dans sa chute, je ne cherche pas à imaginer sa panique ou ses remords de dernière seconde. Le père élégant et noble de Rudy a simplement disparu.

— Il buvait beaucoup, non ? ai-je demandé.

— Ah ça !

— Bon. (J'ai hoché la tête.) Et pourquoi pas ? Tu as raison, il a pu tomber par-dessus bord, ce qui change tout ! Oh, Rudy...

Je commençais à comprendre ce que cela représentait pour elle.

— Donc il ne s'est pas suicidé. Peut-être pas. C'est formidable, parce que si c'était juste un ivrogne...

— Il était quand même maniaco-dépressif. Cela ne signifie pas qu'il n'était pas fou, Emma.

— Non, je sais, mais...

— Il faut prendre en compte cette possibilité, rien de plus.

— Voilà.

— Ce n'est pas grand-chose.

— C'est vrai, ai-je admis, avant d'opter pour la plaisanterie. Je parie que Greenburg pond davantage d'articles grâce à ta famille qu'avec tous ses autres patients.

Elle a levé la tête en souriant pour souffler sa fumée vers le plafond.

— Bref, reprit-elle avec un rire un peu gêné, je croyais être prête à encaisser le coup... je me trompais. Enfin, pas devant tout le monde.

— Je ne suis pas tout le monde.

Rudy a de beaux yeux gris, comme on dit dans les romans victoriens. Je les ai vus s'adoucir, s'attendrir.

— Non, c'est vrai, concéda-t-elle en posant son verre. D'accord, j'espère qu'il s'est bourré la gueule et qu'il est tombé dans ce maudit lac. Comme ça, je n'ai plus qu'à me soucier de mes prédispositions génétiques à l'alcoolisme, la dépression, la drogue, la paranoïa et la schizophrénie. Mais pas au suicide.

Aucune de nous deux n'a mentionné sa mère. Nous avons éclaté de ce grand rire bienfaisant qui fait partie de notre répertoire thérapeutique. Il est aussi vital pour notre relation que les mots gentils ou la compassion, voire davantage. Il n'y avait plus rien à dire, du moins dans l'immédiat, sur la mort du père de Rudy. Le sujet était clos.

Nous nous sommes servi du vin. Ça allait mieux. Il était temps que je me mette à cuisiner, à émincer mes oignons, par exemple. Lee, Isabel, et la nouvelle, Sharon, n'allaient pas tarder. Nous étions tellement bien... Être assise dans la cuisine, avec Rudy, à fumer, à boire, à parler de la vie... Il n'y avait rien de meilleur.

— J'ai passé une mauvaise journée ! annonçai-je avec entrain.

Je lui ai parlé de cet article pour le *Washingtonian* que je n'arrivais pas à terminer alors qu'il était pour lundi. Rudy a compati, puis m'a raconté qu'elle avait très envie de prendre des cours de paysagisme. La session commençait au printemps. C'était un programme de deux ans sanctionné par un diplôme. Ensuite, on pouvait faire un stage dans une entreprise ou chez un jardinier et se lancer à son compte. Elle débordait d'enthousiasme, mais a ensuite changé d'avis, prétendant que c'était une idée en l'air, qu'elle ne le ferait sans doute pas, que c'était coûteux et long...

— Pourtant, ça a l'air génial ! Tu adorerais ça, et tu serais parfaite. Tu adores jardiner, créer ! Rudy, c'est pour toi, ça !

— Je ne sais pas... Je ne sais pas... De toute façon, je ne pense pas avoir le temps. Ce seraient des cours intensifs, alors je ne sais pas, je ne crois pas...

Elle a croisé les jambes et s'est affalée sur son siège avec souplesse. Rudy aurait pu être mannequin, aussi.

— Je ne le ferai sûrement pas. On n'en a pas encore parlé.

Par « on », elle veut dire Curtis. J'ai pris l'habitude de ravaler mes commentaires acerbes. Je m'en sors assez bien, depuis le temps.

— Comment va Curtis ? ai-je demandé de mon meilleur ton neutre, disant adieu à notre moment de complicité.

— Il va bien, répondit-elle en fixant l'extrémité de sa cigarette. Il t'embrasse.

C'est ça... Curtis m'adore.

— Embrasse-le pour moi aussi, ai-je menti, avant de me lever pour émincer enfin mes oignons.

Quand il s'agit de Curtis, je dois m'en tenir aux sourires, aux mensonges et au silence si je veux sauvegarder notre amitié. Je déteste ces compromis. Toute cette hypocrisie et ces injustices me rendent malade, mais je ronge mon frein. Je n'ai pas le choix : c'est Rudy. Je ne ferais cela pour personne d'autre au monde.

Je l'ai entendue se lever.

— Alors, Emma, quoi de neuf sur le front Mick Draco ?

Je n'en croyais pas mes oreilles. Mon cœur s'est même arrêté de battre. Heureusement que mon couteau est mal aiguisé, car j'aurais pu me trancher un doigt. J'ai baissé la tête pour que Rudy ne me voie pas rougir. *Seigneur, c'est encore pire que ce que je croyais.* Je ne m'étais pas rendu compte à quel point j'avais envie de parler de lui.

Heureusement, j'ai réussi à donner le change.

— Oh, pas grand-chose... On a pris un café ensemble, vendredi. Jeudi ou vendredi ? En face de son atelier. On a discuté, rien de plus.

— Discuté...

— Oui. On a parlé de son gamin, mon boulot, sa peinture.

— Sa femme.

— Euh... non.

Cela fait trois mois que je l'ai rencontré. Trois mois de torture. J'ai l'habitude que les hommes me torturent, mais pas à ce point. On s'appelle pour se dire : « Devine quoi, je suis dans ton quartier, on prend un café ? » si c'est moi ou « Je viens d'apprendre à faire des lithographies, tu veux les voir ? » si c'est lui. Comme aucun de nous n'apprécie vraiment le café et que je ne suis pas si certaine de savoir ce qu'est une lithographie, au juste, on peut affirmer sans crainte que ce ne sont que des prétextes pour se revoir. Des prétextes bien innocents, toutefois. C'est insupportable. Je meurs...

Rudy s'est appuyée sur le comptoir. Son parfum *Aqua di Gio* apportait un peu de classe à l'odeur de mes oignons.

— Alors ? Qu'est-ce qui se passe ? Allez, raconte !

— Rien. Rien n'a changé. On se voit juste de temps en temps pour discuter. On est amis, voilà.

J'ai posé mon couteau pour la regarder dans les yeux.

— Rudy, je deviens folle...

Elle m'a souri, puis ses yeux ont pétillé de compassion.

— Pauvre Emma...

— Je n'en peux plus ! On ne s'est jamais touchés, ne serait-ce que les mains. Mais je suis en train de craquer. Et c'est pareil pour lui, je crois, même s'il refuse de se l'avouer. Hélas, rien ne peut changer, rien ne peut se passer.

— Regarde-toi, répondit Rudy d'un air pensif.

Quand elle a passé un bras autour de ma taille, j'ai eu l'envie stupide de fondre en larmes, mais je me suis écartée en bredouillant :

— Ça va...

Puis j'ai ri, tiraillée entre l'envie de tout déballer, même s'il n'y avait franchement rien à raconter, et celle de garder mon secret. Ce que je voulais le plus, c'était me remettre de lui pour pouvoir en parler à Rudy avec du recul. « Tu ne croiras jamais combien j'avais craqué pour ce Mick. Tu te souviens ? »

— Si cela te rend tellement malheureuse, tu devrais peut-être arrêter de le voir.

— Je ne suis pas malheureuse. Enfin, pas tout le temps...

J'oscille entre tristesse et euphorie.

— Je sais qu'il faut arrêter de le voir, ai-je repris. Et Lee qui organise ce souper avec Mick et la délicieuse Sally... Elle l'a déjà fait deux fois...

— Tu dois le dire à Lee.

— Je ne peux pas. C'est trop tard. J'ai trop attendu. Alors même si j'essaie de ne pas le voir, je le vois, et ça me rend dingue ! Et il...

Le carillon de la porte retentit.

— Merde ! avons-nous lancé en chœur.

— Ne t'en fais pas, je vais bien. Je te raconterai le reste plus tard. Écoute... ai-je bredouillé en me dirigeant vers la porte d'entrée, pas un mot aux autres, ne prononce pas son nom, ni rien, d'accord ?

L'expression offensée de Rudy m'a fait rire nerveusement, et j'ai rougi de plus belle.

— Je sais, je suis dingue.

Pendant les vingt premières minutes de chaque réunion, c'est le chaos. On s'embrasse, on se sert du vin, l'une cherche une planche à découper, l'autre un couteau, une place devant l'évier, chacune prend des nouvelles des autres, le tout – sauf chez Lee – dans une cuisine à peine plus grande qu'une salle de bain.

— Tu as terminé avec la passoire ?

— Emma, tu es vraiment bien coiffée, ma belle.

— Il est bon ce fromage... C'est quoi ?

— Je peux prendre une douche ? Je sors de mon cours de danse.

— Isabel, tu mettras ton riz au micro-ondes, d'accord ? J'ai besoin du four. Et que personne ne m'adresse la parole pendant que je prépare mes crevettes. Je veux cinq minutes de paix et de silence.

— Tant pis, je laisse tomber la douche.

— Elle est tellement autoritaire quand elle fait la cuisine !

J'adore ça. Préparer un bon repas avec mes meilleures amies, les écouter plaisanter, rire, raconter leur vie, en ajoutant mon grain de sel de temps en temps... C'est le bonheur. Du vin, du fromage, des potins, des copines... Si on pouvait ajouter une dose de sexe d'une façon ou d'une autre, ce serait parfait.

La sonnerie du téléphone retentit.

— Quelqu'un peut décrocher ?

J'étais en train de préparer une sauce à la crème de moutarde. Lee a pris l'appel pour moi :

— Allô ? Ah, salut Sharon... Non, c'est Lee... Vraiment ? Oh, quel dommage...

— Je m'en doutais, murmura Rudy.

— Je ne l'aimais pas tant que ça, de toute façon, dis-je.

Lee m'a fait une grimace et a porté le téléphone dans la salle à manger.

— Elle s'épile les sourcils ! repris-je, et elle les redessine au crayon. C'est pas possible, ça !

— Elle bat un record, quand même. En général, elles tiennent plus longtemps que deux réunions.

Lee réapparut, la mine grave.

— Encore une de perdue... annonça-t-elle en s'écroulant sur un tabouret. Qu'est-ce qu'on fait de mal ?

Elle semblait si abattue que Rudy et moi avons éclaté de rire.

— Je ne rigole pas ! insista Lee en se tournant vers Isabel. C'est la troisième en... Combien... ?

— À peu près deux ans.

— Je me doutais qu'elle ne tiendrait pas longtemps, avouai-je.

— Moi aussi, admit Rudy.

— Elle a précisé pourquoi elle laissait tomber ? s'enquit Isabel.

— Par manque de temps.

— D'accord.

— Qu'est-ce qu'elle a raconté de plus ? s'enquit Rudy.

— Rien. Enfin si, elle pensait qu'il y aurait des débats sur des thèmes divers.

— Des débats ? Arrête ! ai-je raillé. Du genre la place des femmes dans le monde du travail, le postféminisme à l'ère de la prélibération, donner un sens à sa vie, jongler entre vie de famille et travail dans...

— Tu ne lui avais pas dit qu'on a arrêté il y a plusieurs années ? intervint Isabel.

— Si, mais...

— Les débats ! reprit Rudy. C'est ce que font les gens quand ils ne se connaissent pas.

— C'est ce que font les hommes, ai-je renchéri.

Déçue, Lee a secoué la tête.

— Il doit être difficile pour une nouvelle de s'intégrer, commenta Isabel.

Sharon étant encore une découverte de Lee, Isabel ne voulait pas qu'elle se sente coupable.

— Nous formons un groupe uni, reprit-elle. Unies. Toute nouvelle venue ne peut que se sentir exclue, malgré nos efforts pour l'accueillir.

— Je ne vois pas pourquoi.

Naturellement, Isabel avait raison, mais j'avais envie de poursuivre.

— On est pourtant des filles géniales, non ? ai-je lancé en me tournant vers Rudy. Vous vous souvenez du crâne rasé ? La punk entre deux âges. Elle s'appelait comment, déjà ?

— Moira, et elle était très gentille ! s'insurgea Rudy, sur la défensive, car elle l'avait proposée.

— Je n'ai pas dit le contraire, j'ai dit qu'elle avait un crâne d'œuf.

— Cela fait combien de temps qu'on est ensemble ? demanda Isabel pour faire diversion.

Toutes les quatre ou cinq réunions, quelqu'un pose cette question. Lee connaît toujours la réponse, et les autres jouent les étonnées, les incrédules.

— Dix ans en juin, déclara Lee.

— Dix ans ?

— Mon Dieu !

— Pas possible !

— À nous ! lança Rudy en levant son verre.

— À nous !

Nous avons trinqué et bu. Je me disais : « On a vraiment de la chance » et « Pourvu que ça dure éternellement ».

— Demain, raconta Lee, Henry passe son troisième et dernier spermogramme. Jusqu'à présent, on n'a rien de fiable. Espérons que celui-ci nous dira quelque chose.

— Son sperme n'est pas fiable ? Quelle horreur !

— Je parle des résultats ! Pour le premier, le taux était faible. Pour le deuxième, il était normal. La morphologie était normale pour le deuxième, mais anormale pour le premier. Et la mobilité était à chaque fois de niveau deux, ce qui signifie que les spermatozoïdes sont lents et qu'ils zigzaguent.

— C'est quoi, la morphologie ? s'enquit Rudy.

— La forme. Si le spermatozoïde est trop fuselé, il risque de manquer d'acrosome, l'amas d'enzymes situé à son extrémité et qui lui permet de percer la paroi de l'ovule.

— Hé, on mange, là...

Je cherchais simplement à détendre l'atmosphère. Lee se battait depuis deux ans, soit la moitié de la durée de son couple, et ce problème commençait vraiment à la travailler. Elle est toujours tellement enjouée, normale, efficace... C'est difficile de la voir livrer une bataille qu'elle ne cesse de perdre. Certains réussissent tout ce qu'ils entreprennent, c'est écœurant, au point que je ressens une certaine satisfaction le jour où ils échouent enfin. Mais pas avec Lee. Elle a un métier passionnant, beaucoup d'argent, un mari séduisant qui l'adore et, à mes yeux, elle mérite ce qu'elle possède. Je ne veux pas qu'elle soit déçue ou résignée. Cela me fait de la peine. Il y a quelques semaines, lors de son quart d'heure de parole, elle a eu les larmes aux yeux en évoquant son désir d'enfant. Je n'ai pas pu le supporter. Il a fallu que je m'enfuie vers la cuisine, car je n'arrivais pas à la regarder.

— Eh bien, tu en sauras davantage après-demain, déclara Isabel. Le pire, c'est l'incertitude.

— C'est vrai, admit Lee.

Elle a passé les doigts dans ses cheveux pour les ébouriffer, signe qu'il était temps de changer de sujet. En dépit de son mètre cinquante-huit et de son apparence frêle, elle n'a rien de fragile. Golf, tennis, natation, danse... elle excelle dans tous ces domaines, des loisirs de bourgeoise. Un soir où nous avions bu trop de gin tonic, je l'ai défiée au bras de fer : elle m'a fait rouler sous la table.

— Bon, j'ai terminé, conclut-elle vivement. À toi, Rudy.

— C'est tout ? Le travail, ça va, et Henry passe un spermogramme demain ?

— C'est tout, confirma Lee avec un sourire. Tu as donc vingt minutes. Je suis sûre que tu en feras bon usage.

Rudy s'est mise à rire.

— Bon, j'y vais. D'abord... (elle s'est penchée vers Lee et lui a touché la main) Curtis et moi, ces derniers temps, on pense souvent à...

— Quoi ?

— Eh bien, on se dit qu'il est peut-être temps d'essayer d'avoir un bébé.

Après cette annonce, elle a gardé les yeux rivés sur Lee. Je me suis jointe aux exclamations de surprise et aux vœux des autres mais, intérieurement, j'étais pétrifiée. Tant qu'ils n'avaient pas d'enfants, la rupture de Rudy et Curtis ne pouvait faire de mal qu'à deux personnes. Et une seule comptait pour moi. Un bébé... C'était de pire en pire. Isabel m'a lancé un regard voilé. Elle pensait comme moi. Si son opinion sur Curtis Lloyd est plus modérée que la mienne, nous sommes d'accord sur le principe : c'est un salaud.

— J'ai hésité à en parler maintenant, dit Rudy à Lee. Mais il me semblait encore pire de te le cacher, comme si je ne te croyais pas capable de le gérer...

— Oh non, tu as bien fait, Rudy. Je suis vraiment heureuse pour toi.

— Et j'ai pensé : et si je me retrouvais enceinte ? Devrais-je le lui cacher aussi ?

Elles se sont mises à rire, affirmant par plaisanterie qu'il faudrait confier l'enfant à des gitans qui l'élèveraient dans le plus grand secret. Lee faisait-elle semblant ? Je l'ignore. En tout cas, si une femme dans sa situation pouvait se réjouir pour Rudy, c'était bien Lee. Quel concours de circonstances ! Lee n'était qu'un être humain. Une grossesse de Rudy ne serait-ce pas un coup de poignard dans le cœur pour elle ?

Je me suis levée pour aller chercher du pain. À mon retour, Rudy parlait de ses cours de paysagisme. Je me suis tue pour laisser Lee et Isabel l'encourager à s'inscrire. Je parie qu'elle n'en fera rien. L'an dernier, elle s'est emballée pour un emploi de conseil en achat d'œuvres d'art pour une association de la ville, ou des promoteurs, je ne sais plus. Il aurait été miraculeux qu'elle l'obtienne, car elle a laissé tomber sa maîtrise d'histoire de l'art juste avant la fin. Mais c'était bien qu'elle s'intéresse à quelque chose, alors nous l'avons soutenue. Finalement, elle n'a pas postulé. Elle n'a même pas envoyé un CV. Quand nous lui avons demandé pourquoi, elle a répondu qu'elle aurait fait de nombreux déplacements. Et alors ? Curtis n'appréciait pas l'idée...

Je ne peux pas le voir, ce salaud, ce tordu, ce psychopathe !

Quand vint mon tour, j'ai raconté une anecdote assez cocasse sur un rendez-vous à l'aveugle, la veille du Nouvel An. Croyez-moi, je n'ai pas trouvé ça drôle du tout, sur le moment. Lee a ri tellement fort qu'elle en pleurait.

— Emma, c'est unique ! Où les trouves-tu donc, tous ces types ?

— J'ai le don d'attirer les hommes bizarres. Ils restent collés à moi comme des aimants. Vous ne vous rendez pas compte de la chance que vous avez, les filles. Bon, j'ai terminé. Isabel, à ton tour ! Je n'ai rien de nouveau à raconter, à part un article à rendre au *Washingtonian* pour lundi. Vas-y, Isabel.

— Attends une seconde, intervint Lee. Pas si vite ! Et ton homme marié ? Il s'est passé quelque chose ?

Quelques semaines plus tôt, dans un moment d'égarement, j'avais commis l'erreur de parler de Mick à Lee et Isabel, sans indiquer son nom ni fournir le moindre détail permettant de l'identifier, bien sûr. Je leur ai confié que je voyais de temps en temps un homme marié avec qui il ne se passait rien, mais que j'étais attirée par lui à en devenir folle. C'était un peu trop terre à terre, comme description. Heureusement, mes amies me connaissent assez bien pour deviner que je me protégeais. Bref, j'ai craché le morceau, sans en tirer la moindre satisfaction, car je ne pouvais pas entrer dans les détails. Lee prend des cours de danse avec Sally et Henry a sympathisé avec Mick. C'est moche. J'ai prétendu que c'était un « collègue », ce qui n'est pas entièrement faux.

— Non, ai-je répondu. Rien de nouveau sur le front de l'homme marié.

— Tu as cessé de le voir ?

— Oh, je le croise de temps en temps. On discute.

— Donc tu t'intéresses toujours à lui !

— Vous savez... C'est sans espoir, alors...

J'ai souri, haussé les épaules, puis je me suis concentrée sur l'alignement de mes couverts.

Lee a saisi le sous-entendu.

— Je me posais la question parce que tu ne parles plus de lui, ces derniers temps. Tu vas bien, dis-moi ?

— Oui, très bien. Si je ne parle plus de lui, c'est qu'il n'y a rien à dire.

— D'accord.

— Voilà, ai-je conclu en riant.

Rudy m'a foudroyée du regard, mais je l'ai ignorée.

— Bon, Isabel, parle-nous de tes cours, ai-je repris.

— C'est formidable. J'ai eu un A moins en « familles dysfonctionnelles ».

Nous avons crié de joie et applaudi. Isabel fait une maîtrise en travail social à American U.

— À part ça...

Nous avons patienté. Elle s'est contentée de secouer la tête en souriant. Elle se montrait anormalement silencieuse, ce soir-là. Je l'ai observée de plus près. Isabel est de plus en plus jeune et belle. Elle a perdu la plupart de ses cheveux blancs avec la chimiothérapie et arbore désormais des boucles soyeuses de jeune fille qui lui vont à merveille. Ce n'est ni incongru ni juvénile, car elle n'a pratiquement pas de rides. Elle a l'air serein d'une Madone médiévale. Isabel est unique.

— Il ne se passe vraiment rien ? a insisté Lee.

— Pas vraiment... Enfin, pas grand-chose...

— Et ton voisin ? Au fait, tu n'avais pas rendez-vous chez le médecin...

— Eh bien, j'ai pensé à Gary, aujourd'hui, s'empressa-t-elle de dire, provoquant des grommellements agacés. Plus précisément, à l'infidélité et au pardon. L'infidélité sexuelle est si différente chez les hommes et les femmes... Pour nous, elle est impardonnable. Pour eux, ce n'est rien.

— Pas pour tous les hommes, corrigea Lee.

— Non.

La douceur de sa voix, en prononçant ce simple mot, sa façon d'effleurer le bras de Lee... Il y avait tant d'affection entre ces deux-là que j'ai ressenti une pointe de jalousie.

— Pas tous les hommes, c'est vrai, a repris Isabel en posant le menton sur ses mains croisées. Pendant mon quart d'heure de parole, je vais vous raconter une histoire sur la dernière conquête de Gary.

— Tu veux dire Betty Cunnilefski ?

Nous avons ricané, comme à chaque fois que quelqu'un prononce son nom.

— Non. Betty était sa première maîtresse. Du moins à ma connaissance. Mais il y en a eu d'autres.

— Plusieurs ?

Je me suis tournée vers Rudy, qui semblait aussi étonnée que moi. Lee n'a rien dit. Sans doute était-elle déjà au courant.

— Pourquoi ne nous l'as-tu jamais raconté ? a demandé Rudy, traduisant mes pensées.

— Parce que... (Isabel haussa les épaules.) Parce que je ne voulais pas... Jusqu'à présent.

— Tu avais honte ? demanda doucement Rudy.

— Non, enfin oui, un peu... C'est difficile d'admettre qu'on a aimé un homme qui s'est montré infidèle pendant vingt-deux ans de vie commune.

— Oh, mais...

— C'était surtout parce que je devais réussir à lui pardonner avant de vous en parler.

— Lui pardonner ? Pardonner à ce salaud ? Isabel, ce serait déjà assez grave s'il n'y avait eu que cette garce de cunnilingus ! Il y en a eu combien d'autres ?

J'insultais Gary mais, en vérité, j'étais furieuse contre Isabel de nous avoir caché ce détail. Et elle le savait, car elle a tendu la main vers moi, sur la nappe.

— Emma, c'était trop moche. En vous le disant, j'aurais attisé votre colère, votre amertume.

— Et comment !

— Et tu crois que cela m'aurait aidée ? La situation aurait été encore plus sordide.

— Bon, d'accord, je comprends. Tu recherchais l'équilibre, l'équilibre cosmique. Eh bien, n'en dis pas plus.

Elle afficha un air patient.

— Ne sois pas furieuse. Il y a un temps pour tout. Et le moment n'était pas encore venu pour moi de vous raconter cette histoire sur Gary et moi.

— Ça va, assurai-je avec un sourire, sans rancune.

Je me suis gardée d'ajouter que le moment de le dire à Lee était venu depuis longtemps, apparemment. J'aurais ainsi admis une jalousie puérile, un défaut que je prends soin de cacher aux autres.

Rudy brisa le silence gêné.

— Alors, qui est cette dernière poule, Isabel ?

— Elle s'appelait Norma et elle n'avait rien d'une poule. Elle était comptable. Encore une collègue... Après Betty, j'ai toujours senti quand il voyait quelqu'un, mais ça...

Je n'ai pas pu me taire.

— Bon sang, Isabel, il y en a eu combien ?

J'avais peine à l'imaginer : Gary Kurtz, ce type trapu entre deux âges, un genre de Père Noël sans le côté jovial, fonctionnaire au ministère du Commerce. Son poste est si ennuyeux que je ne me souviens même pas de quoi il s'agit. Quand je lui parlais, il me tombait sur les nerfs avec sa pelouse.

— Je ne sais pas, répondit Isabel, un sourcil arqué d'un air irrité, ce qui était rare. En tout cas, la dernière a refusé de partir, alors je suis allée la voir.

Nous avons retenu notre souffle.

— Vraiment ?

— Tu es allée la voir ?

— J'ai cherché son adresse dans l'annuaire : Norma Stottlemyer, elle vivait dans un appartement sur Colesville Road.

— Comment connaissais-tu son nom ?

— C'est Gary qui me l'a dit. Il n'a rien nié, il faut quand même le reconnaître. Il ne m'a jamais menti.

— C'est encore pire ! intervint Lee avec fougue.

— J'ai choisi un samedi matin où il était à la maison et j'ai prétendu que j'allais au supermarché. Je suis allée à Silver Spring, dans une résidence en briques avec des petits jardins, sur Colesville. Des enfants s'amusaient dehors, des jouets traînaient un peu partout... J'avais peur qu'elle soit mariée. Je ne voulais pas briser son ménage. Mais j'avais trouvé un prétexte au cas où ce serait un homme qui ouvrirait la porte. Ou un enfant. Je faisais la quête pour la recherche contre la leucémie.

— Bonne idée.

— Sauf que tu n'avais pas de justificatif, a souligné Lee, avec son sens pratique.

— Bref, elle a ouvert, vêtue d'un peignoir en velours rose. Avant même d'entrer, j'ai su qu'elle vivait seule. Cela se sentait.

— Quel âge avait-elle ? ai-je demandé.

— Vingt-sept, vingt-huit ans, peut-être.

— Le salaud ! Et physiquement ?

— Il était tôt, je la prenais au saut du lit, elle n'était pas encore pomponnée.

Rudy et moi avons échangé un regard en secouant la tête. *Tu entends ça ?* On pouvait compter sur Isabel pour trouver des excuses à la garce qui se tapait son mari !

— Donc elle est moche, dis-je.

— Non, pas moche. Simplement pas séduisante, pas sexy, sans intérêt. Plutôt ordinaire. Quand j'ai annoncé : « Je suis Isabel Kurtz », elle a eu l'air perplexe. J'ai dû préciser : « La femme de Gary. » Là, j'ai cru qu'elle allait s'évanouir.

— Elle n'était pas au courant ?

— Si, elle savait qu'il était marié, mais elle était sous le choc. Elle a reculé pour me laisser entrer. Alors j'ai compris qu'il n'y aurait pas de scène. Elle n'était pas du genre à se battre.

— Quelle lavette !

— Son appartement était entièrement décoré chez Pier Import et Door Store. Tu aurais pu écrire un article caustique, Emma. (J'ai décidé de le prendre comme un compliment.) Elle m'a menée dans sa cuisine, pas au salon. De la musique provenait du logement voisin, enfin seulement les basses. Sur le comptoir, il y avait un bol de soupe à moitié vide, je me souviens. Elle avait mangé de la soupe de petits pois au lard au petit déjeuner !

Isabel esquissa un sourire à la fois nostalgique et amer.

— Au-dessus de la cuisinière, il y avait un présentoir à épices bon marché, avec des pots en verre étiquetés. Elle avait acheté des épices et versé le contenu des bocaux dans ces petits pots, puis elle avait inscrit cannelle, poivre noir et ail moulu... Il n'y en avait que six.

Elle nous observa avec pitié et stupeur, mais j'ignore ce qu'elle trouvait le plus pathétique : le fait que Norma ait étiqueté ses épices ou bien qu'elle n'en ait que six.

— Et elle avait des magnets de chatons sur son réfrigérateur. L'un d'eux jouait de la musique. Elle a reculé brusquement et l'a fait tomber par terre. Il s'est mis à jouer *You Are My Sunshine*.

— Isabel, tu me tues, dis-je.

— Alors, qu'est-ce qui s'est passé ? s'enquit Rudy.

— J'ai bien vu qu'elle n'allait pas lancer la conversation, alors j'ai dit : « Je voulais juste voir quel genre de personne vous êtes. » J'étais sincère. C'était exactement pour cela que j'étais venue, pour la voir, pour essayer de comprendre ce que Gary lui trouvait. Elle a pris ça pour un reproche et s'est mise à pleurer.

— Oh, non !

— Qu'est-ce que tu as fait ?

— J'ai pleuré avec elle. Nous nous sommes tourné le dos pour nous cacher le visage, moi dans mon mouchoir et elle dans un essuie-tout...

Rudy se retenait pour ne pas rire.

— J'imagine la scène.

— Elle ne m'intéressait plus. C'était une ennemie tellement pitoyable que je n'arrivais même pas à la détester. Pour la première fois, j'ai ressenti du mépris pour Gary. Un mépris total.

— C'est un porc, ai-je dit.

— Norma a essuyé ses larmes et m'a dit qu'elle était désolée, vraiment désolée, et qu'elle ne verrait plus Gary. Quand je lui ai demandé si elle était amoureuse de lui, elle m'a répondu que oui. (Elle esquissa un sourire.) En fait, je n'en crois rien. Elle a dû s'en rendre compte à cet instant précis. J'ai ajouté que je me moquais qu'elle continue à voir Gary parce que je le quittais. Et j'ai précisé que, selon moi, elle avait mieux à faire.

— Bien envoyé ! ai-je commenté en frappant des mains.

— Ensuite, je suis rentrée chez moi et j'ai annoncé à Gary que c'était fini. Ma seule erreur...

— ... a été de le quitter au lieu de le jeter dehors, a complété Lee.

Nous avons toutes hoché la tête. Ce départ lui avait fait du bien, mais il lui avait coûté sa maison lors du jugement de divorce. Cette ordure de Gary vivait encore dans cette merveille de la banlieue chic et tondait sa foutue pelouse, tandis qu'Isabel se contentait d'un modeste deux pièces dans une rue difficile d'Adams-Morgan. Moins de deux ans après l'avoir quitté, elle avait eu son cancer du sein. Gary a prouvé combien il avait de la classe en tentant de la faire radier de son assurance santé de fonctionnaire. Elle a fini par obtenir gain de cause, au terme d'une lutte dont elle n'avait pas besoin en cette période difficile. Je crois que je lui en veux davantage pour cela que pour ses infidélités.

— Je me demande pourquoi je vous raconte ça, avoua Isabel. Cela faisait bien longtemps que je n'avais pas pensé à Norma.

— C'est une histoire triste, commenta Rudy.

— Tu as dit que tu avais pensé à l'infidélité, lui rappela Lee.

Était-ce mon imagination coupable ou bien Isabel m'a-t-elle lancé un regard de biais, comme pour voir si j'avais reçu un message ? Moi aussi, je pensais à l'infidélité, ces derniers temps. Pourrais-je commettre l'adultère ? Si elle essayait de me dire quelque chose, elle s'y était bien prise. Si je me lançais dans une liaison avec Mick Draco, seuls ses meubles bon marché me distingueraient de Norma Stottlemyer et ses semblables.

Isabel croisa les bras sur la table.

— Non, je sais pourquoi je vous ai dit ça, dit-elle d'un ton grave qui attira notre attention. Je voulais vous annoncer que je lui ai pardonné. Non, attendez !

J'avais dû émettre un grognement de dédain.

— Écoutez-moi, c'est important ! Personne ne sait pourquoi un homme agit de la sorte...

— Isabel, il existe des valeurs, des...

Son geste de la main me fit taire.

— Nul ne sait ce qui pousse les gens à agir. Comment connaître toutes les raisons ou les compulsions qui engendrent de telles situations ? On ne sait pas de quelles armes dispose un être pour résister à la tentation. On ne peut pas le savoir. Écoutez, ce que je voudrais vous dire, c'est que la vie est courte, et je ne peux plus gâcher la mienne à entretenir mon ressentiment. Le pardon n'est pas une faiblesse. Il ne signifie pas que l'on n'a aucune valeur morale. Bouddha dit que le désir de vengeance équivaut à cracher dans le vent. On ne fait de mal qu'à soi-même.

Elle avait vraiment l'air d'un ange, à la lueur des bougies parfumées à la vanille.

— À mon avis, il est exact d'affirmer que nous ne sommes qu'un.

Elle afficha un sourire ironique et gêné. Elle se rendait parfaitement compte de l'effet que produisaient de telles paroles sur... moi, par exemple.

— La séparation est une illusion. En pardonnant à Gary, je me pardonne à moi-même.

L'art de conclure une conversation.

— Sauf que tu n'as rien fait de mal, dis-je pour briser le silence.

Le sourire triste d'Isabel m'indiqua que je n'avais pas compris, mais qu'elle m'aimait quand même. Je me suis levée pour préparer du café.

J'ai tamisé la lumière pour servir le dessert : un gâteau préparé par Isabel et orné de bougies. Il a fait sensation. Nous avons chanté à sa gloire et elle a soufflé ses bougies.

— J'aurais dû apporter ma caméra, gémit Lee. Je suis tellement fière de toi, dit-elle à Isabel en l'embrassant.

— Moi aussi, dit Rudy en se penchant pour l'étreindre. J'aime que tu fasses des choses pour toi, pour une fois. Dorénavant, tout va aller mieux.

— C'est vrai, ai-je renchéri. La seconde moitié de ta vie sera formidable.

— À la seconde moitié de la vie d'Isabel ! a lancé Lee.

Nous avons trinqué avec nos tasses à café, nos verres à eau et nos verres à vin.

Je ne pensais pas qu'elle pourrait dire quelque chose. Je ne l'avais jamais vue si touchée, au point que j'ai failli en pleurer. Ses yeux bleus scintillaient.

— À nous toutes ! a-t-elle enfin répondu.

— À nous toutes ! ai-je repris en ajoutant, comme toujours : que nous vivions éternellement !

Après le départ de Lee et Isabel, Rudy s'est attardée un peu. Nous sommes sorties sous le porche pour fumer une cigarette en contemplant la lune. Dans mon quartier vivent environ un tiers de Noirs, un tiers de Blancs et un tiers de Latinos, et c'est très bien comme ça. J'aime son caractère authentique, même si l'on est parfois réveillé par des sirènes de police à quatre heures du matin, ou s'il m'arrive de lire dans le journal qu'une agression a eu lieu près de chez moi. On tombe parfois sur un *deal* de drogue devant l'épicerie latino, mais j'aime ce mélange de cultures. La plupart des gens sont respectueux des lois et s'efforcent de vivre en bonne intelligence. Ce soir-là, tout était calme, dans la lumière dorée des fenêtres des voisins. Dans la rue, il n'y avait guère que les promeneurs de chiens.

— Isabel n'était pas très bavarde, ce soir, tu ne trouves pas ? À part l'histoire de Norma.

Je lui ai répondu que je l'avais remarqué, moi aussi.

— Emma, tu crois que cela ne contrarie vraiment pas Lee que Curtis et moi voulions un bébé ?

J'ai répondu avec prudence.

— Ce sera forcément dur pour elle. Je crois que Henry et elle vont vivre des moments difficiles.

Rudy soupira. Dans l'air froid, son souffle formait de la buée.

— Donc tu veux un bébé... Je croyais que Curtis ne s'intéressait pas aux enfants.

Elle avait cet air déterminé mais agréable que nous affichons toutes les deux quand nous parlons de lui.

— Au début, non. Ensuite, il a changé d'avis. Ce nouveau poste dont je te parlais, c'est pour bientôt. Nos revenus vont doubler, et ce ne sera qu'un début.

— Le poste pour le lobby ? Il va devenir lobbyiste ? Parfait.

— Oui. L'argent ne sera plus un problème.

— C'était l'argent qui le retenait, avant ?

Je croyais qu'il était trop centré sur lui-même.

— En grande partie, oui. Emma, je suis tellement heureuse ! Je n'ai pas voulu le montrer à cause de Lee, mais tu me vois en mère ?

J'ai éludé la question en demandant :

— Qu'en pense Greenburg ?

Elle a tiré nerveusement sur sa cigarette et a jeté ses cendres par-dessus la balustrade.

— Il ne dit rien mais, étant donné qu'il me demande sans cesse ce que j'en pense... (elle rit) il est sans doute contre.

— Tu ne peux pas mener ta vie en fonction de ce que pense ton psy.

Enfin, ce ne serait pas une si mauvaise idée, parfois... Je cherche toujours, par des moyens détournés et subtils, à savoir ce que Greenburg pense de Curtis. Rudy ne me le dit jamais. Soit elle est trop futée pour moi, soit Greenburg est trop intelligent pour elle. Je n'ai pas forcément envie que Greenburg brise ses illusions sur Curtis. Parfois, je me dis qu'il fait comme moi : il ne critique pas Curtis pour éviter de blesser Rudy.

— C'est vrai, et je ne vais pas attendre d'être en parfaite santé mentale pour avoir un enfant. Je serai morte avant !

— Eh bien, j'espère que ce sera une fille et qu'elle ressemblera à sa mère, dis-je en feignant la plaisanterie.

Elle a ri en enroulant les bras autour d'elle, le regard pétillant d'espoir et de nostalgie. J'ai alors compris à quel point elle désirait un enfant.

— Imagine, Emma, je risque d'être mère dans neuf mois...

Elle a levé la tête vers la lune, puis elle a frémi, mais pas de froid.

— Je te le souhaite, ai-je dit en toute sincérité. Je trouve ça génial. J'espère que cet enfant viendra vite.

— Merci. C'est important pour moi. Bon, il est tard. Je ferais mieux de rentrer.

Elle m'a serrée dans ses bras, et je me suis laissé faire. Elle avait oublié de m'interroger sur Mick, et j'étais tellement perdue que je n'ai pas pu évoquer le sujet.

— Tu dois vraiment partir ? Il n'est que onze heures.

C'était un appel du pied. *Reste et demande-moi des nouvelles de l'homme qui m'obsède.*

— Non, je rentre. Curtis n'aime pas que je roule la nuit, répondit-elle en descendant les marches.

— Tu veux que je l'appelle (beurk !) pour lui dire que tu es en route ?

— C'est bon, j'ai mon portable, fit-elle en tapotant son sac. Merci pour le repas, tout était super. Tu veux aller au cinéma, lundi ?

— D'accord ! Je t'appelle dimanche soir.

— Parfait, conclut-elle en m'envoyant un baiser. Bonne nuit !

Elle était garée quelques maisons plus loin. Mince alors ! ai-je pensé en la regardant manier le volant avec la grâce d'un vétéran du Vietnam. L'indifférence, l'égoïsme, la préoccupation, la négligence : c'est normal de la part d'une vague connaissance, mais pas de la part de sa meilleure amie, qui se doit d'être parfaite et de deviner nos pensées.

Il est très difficile de se garer dans ma rue. La voiture stationnée derrière la Wrangler kaki de Rudy la serrait de près. Il lui avait fallu une dizaine de manœuvres pour s'extirper de sa place. Au moment où elle démarrait, une autre voiture est passée à vive allure. Elle a frôlé la jeep avant de s'arrêter dans un crissement de pneus à quelques mètres de chez moi. Mon cœur s'est emballé : c'était la fourgonnette Volvo de Lee, qui est descendue en trombe de son véhicule.

Rudy et moi avons foncé vers elle.

— Qu'est-ce qui se passe ? Où est Isabel ?

Elle nous a agrippées, en larmes, incapable de prononcer un mot. J'ai dû la secouer.

— Je l'ai raccompagnée... Et elle m'a dit... Je ne suis pas censée...

— Quoi ?

— Son cancer...

— Oh, non !

Elle tremblait de tous ses membres entre deux hoquets.

— Une récidive... Le médecin en est presque sûr... Elle va passer un scanner des os.

Puis elle s'est écroulée. Rudy l'a enlacée. Je les ai serrées contre moi, en pleine rue, comme si nous nous accrochions à la vie.

Un automobiliste est passé en klaxonnant. Je lui ai fait un doigt d'honneur.

— Allons-y, ai-je dit en me dirigeant vers la Volvo, dont le moteur tournait encore. Rudy, tu conduis.

— Où allons-nous ? Chez Isabel ?

— Où d'autre, d'après toi ?

— Mais je ne devais pas vous le dire ! s'écria Lee. Vous ne deviez pas savoir !

Je me suis contentée d'un regard.

— Bon, dit-elle en surgissant de sa torpeur. On y va !

12

Isabel

*U*ne grande partie de ma jeunesse est dans le flou. Il m'en manque des pans entiers, comme si j'avais contracté une amnésie périodique en plus de la rougeole et de la varicelle. Pourtant, l'instant où j'ai perdu tout espoir en mes parents est clair comme de l'eau de roche. J'avais huit ans. Ce souvenir est repéré à l'aide d'un marque-page dans ma mémoire : *J'ai huit ans et ce que je viens de découvrir sur papa et maman est une certitude.*

C'était à Marshalltown, dans l'Iowa, un soir d'hiver. Je me rappelle les lampes allumées au salon, l'odeur de poussière chaude du vieux radiateur sifflant, le bruissement d'une page qui se tourne, un toussotement de ma mère... Je descendais l'escalier à pas de loup quand je me suis arrêtée pour observer mes parents entre les barreaux de la balustrade. Dans notre petite maison, il n'y avait pas de bureau. Mon père rédigeait ses sermons dans son fauteuil Morris, au salon. Appuyé sur un accoudoir, sa Bible posée sur l'autre, il griffonnait minutieusement dans un calepin, se tenant le front. Il composait le triste sermon qu'il prononcerait le dimanche suivant à l'église évangélique luthérienne de Concordia.

De l'autre côté du tapis ovale bleu, à la lueur vieil or d'une lampe en métal, ma mère était penchée sur son ouvrage, un rideau, peut-être, ou quelque vêtement sombre appartenant à mon père. Elle plissait légèrement le front en piquant son aiguille dans l'épais tissu, puis se détendait en la ressortant d'un geste fluide. Pas de musique, ni la télévision, ni la radio, et encore moins de conversation... Mes parents se faisaient face dans un silence absolu.

À cet instant, j'ai compris ce qu'était l'immobilité, la stagnation, sans en connaître le nom, bien sûr, et la futilité d'espérer le moindre changement. Pas ici, pas dans cette pièce où régnait un silence omniprésent. Toute communication entre eux, entre nous, était impossible. Mon père parlait davantage le dimanche, à l'église, qu'à la maison durant le reste de la semaine. Telle est la notion qui m'a sauvée : *quelque chose ne va pas. Les autres ne sont pas comme ça.*

Intriguée, j'ai descendu les marches pour me glisser à côté de ma mère. Elle a esquissé un geste, un hochement de tête ou d'épaule, mais sans un regard, sans un mot. Elle portait une robe-chasuble marron sur un corsage moutarde, des mi-bas blancs et des mocassins. Elle avait cinquante-trois ans. Je me suis appuyée contre son épaule noueuse en observant son visage marqué. Ses cheveux gris étaient secs et ondulés. Elle m'a enfin regardée, abasourdie :

— Qu'est-ce qui ne va pas ?

Elle a posé sa main froide sur mon front, telle une araignée, pour voir si j'étais malade.

J'ai réfléchi à ma réponse. J'aurais pu prétendre : « Je ne me sens pas bien », comme d'habitude. J'étais une enfant intelligente, capable de rechercher de l'attention par des moyens détournés, voire l'hypocondrie.

Or, ce soir-là, c'était différent. J'avais soudain grandi.

— Rien, ai-je dit en m'éloignant.

Mon père n'a même pas levé les yeux ou cessé d'écrire. Alors j'ai perdu tout espoir en eux. Pauvre de moi ! J'ai perdu tout espoir...

Cela semble tellement triste. Pauvre de moi ! En fait, ce n'était pas si grave. Il valait mieux renoncer en douceur que d'entretenir de faux espoirs, attendre une proximité impossible à obtenir. Mes parents n'étaient pas des monstres. Je ne les ai jamais détestés. Des années plus tard, j'ai veillé mon père mourant, avec ma mère et ma sœur. Sur son lit d'hôpital, il avait le visage de marbre et ne parlait toujours pas. « Je t'aime, papa », lui ai-je dit. Une seule fois. Encore conscient, il a posé sur moi ses yeux bleu pâle, puis il a cligné les paupières. Quand il s'est humecté les lèvres, j'ai cru qu'il allait parler. Mais non. Il a quand même hoché vaguement la tête, et j'ai pensé... Il considérait peut-être que son amour allait de soi. Pendant toutes ces années, il était normal, pour lui, de ne pas le dire à voix haute...

Ma sœur est comme eux. En fait, je la connais à peine. Elle a dix-huit ans de plus que moi, c'est donc plus une tante qu'une sœur, une parente que je vois rarement. Quand elle m'envoie une carte d'anniversaire, je lui adresse un petit mot de remerciement concis et enjoué. Ces derniers temps, j'ai plus souvent de ses nouvelles. Elle se demande s'il ne faudrait pas placer notre mère dans une maison médicalisée. Je le pense aussi. À quatre-vingt-quatorze ans, maman perd la tête. C'est bizarre, elle ne m'a jamais donné grand-chose d'elle, outre l'essentiel. Pas de petits extras, de câlins, de plaisanteries, de rires, de conversations... Et maintenant qu'elle n'est pratiquement plus là, elle me manque beaucoup. Mon père aussi. C'est étrange...

Pourquoi ne suis-je pas devenue une femme réservée et froide, ou encore apeurée et collante, à collectionner les partenaires toxiques, en quête d'une reconnaissance illusoire ? Les enfants solitaires ne finissent peut-être comme ça que dans les ouvrages de développement personnel ou dans les talk-shows, à la télévision. Dans la vraie vie, c'est bien plus compliqué. Ou plus simple, c'est selon. Une chose est sûre : l'amour ou la quête de l'amour sont plus forts que la négligence, l'indifférence ou le rejet. Je l'ai cherché ailleurs que chez mes parents et je l'ai trouvé. Parfois.

Finalement, les Grâces n'ont pas débarqué, ce soir-là. Lee avait foncé chez Emma pour répéter aux autres ce que je venais de lui demander de garder pour elle. Elles sont restées garées devant chez moi pendant dix minutes à débattre de ce qu'elles devaient faire, puis elles ont décidé de contourner l'immeuble pour voir si mon appartement était éclairé, auquel cas elles auraient frappé à ma porte.

Mais j'avais éteint.

Elles ont discuté encore un moment, puis sont retournées devant chez Emma, où elles ont passé une heure et quart dans la Volvo à parler de moi. C'était la meilleure solution : ce soir-là, parler *de* moi valait beaucoup mieux pour tout le monde que de parler *avec* moi. Lee m'a raconté plus tard que personne ne voulait descendre.

— Nous refusions d'atterrir, de nous asseoir, de boire un café, de nous voir dans la lumière. Nous sommes donc restées à discuter dans le noir, à regarder par le pare-brise, comme au *drive-in*.

Emma était blessée parce que j'en avais parlé à Lee et pas à elle. (Elle ne m'en a rien dit, bien sûr. C'est Rudy qui me l'a révélé. Emma s'imagine encore que, en cachant ses faiblesses, elle évite aux autres de s'en rendre compte.) Comment faire autrement ? La nouvelle était trop récente, c'était trop frais. Je n'aurais pas dû aller souper chez Emma, mais je n'ai pas pu leur faire faux bond à la dernière minute. Je savais qu'il y ferait chaud, et je mourais de froid.

— C'est presque certainement une métastase, avait déclaré le Dr Glass. Je suis désolé.

J'ai eu du mal à écouter la suite. J'ai néanmoins saisi « phase 4 », et « os ». J'ai songé à ma douleur à la hanche, que j'avais prise pour une contracture musculaire. Ensuite, mon esprit s'est embrumé. C'est vraiment bizarre... J'étais frigorifiée, pétrifiée d'effroi. Je me souviens d'avoir quitté le cabinet médical, mais pas d'avoir pris l'ascenseur ni d'être sortie du bâtiment. Sur le trottoir de P Street, des ouvriers maniaient leur marteau-piqueur. Le bruit était si assourdissant qu'il m'a réveillée. Je me suis alors rendu compte qu'il pleuvait. L'arrêt du bus était à quelques rues de là. Et si je prenais un taxi ? Il ne ferait que me conduire chez moi, alors à quoi bon ? À quoi bon ? J'ai observé le va-et-vient des passants, au carrefour, au rythme du signal lumineux indiquant s'ils pouvaient traverser ou non. Une femme m'a bousculée et s'est excusée aussitôt avec un sourire. J'ai posé sur elle un regard vaguement surpris. « Vous trouvez que c'est important ? », lui ai-je demandé en reculant. Que vous m'ayez bousculée, que vous vous soyez excusée, que vous portiez un manteau de laine, que vous achetiez une mallette de luxe ou que vous lisiez le journal, que vous preniez rendez-vous chez l'ophtalmo pour changer de lunettes, que vous vous rendiez à un souper, que vous dormiez suffisamment, que vous rêviez de vos vacances ou que vous rencontriez un homme, que vous preniez vos vitamines ou que vous achetiez des fleurs, au coin de la rue ? Vous croyez que cela compte ? Rien n'a d'importance ! Je le sais, moi, alors pourquoi pas vous ?

J'étais revenue au même point que lors de mon premier cancer. Cela devient une habitude. Comme les marteaux-piqueurs, la pluie glaciale qui trempait mon imperméable m'a réveillée. La réalité concrète m'a forcée à bouger. Je pouvais rentrer à la maison, me réchauffer, continuer... Tant qu'il y a de la vie, il y a de l'espoir. Dès que j'ai levé la main, un taxi a freiné devant moi. J'ai indiqué mon adresse au chauffeur, qui m'a ramenée chez moi.

Depuis, je vis dans l'instant présent. Je donne à manger au chien, je vais chercher mon courrier, j'essuie les miettes sur le comptoir... Contrairement à ce que je croyais, ma vie ne s'est pas arrêtée dans le cabinet du Dr Glass. Elle se dirige vers un avenir de plus en plus mystérieux. Enfin non, ce n'est pas tout à fait exact. Je vois au moins un point positif à cette situation :

il n'y a plus de suspense. On dirait bien qu'Isabel Thorlefsen Kurtz va mourir d'un cancer du sein, et non lors d'un accident de voiture, ni paisiblement dans son sommeil, ni du sida ou d'une crise cardiaque, ni lors d'une fusillade. Il n'y a plus de questions à se poser. Savoir, c'est déjà ça.

Je tiens à rester consciente de la vérité, à ne pas faire semblant, ne pas me cacher derrière l'ironie ou la passivité. Des cinq étapes psychologiques du deuil, l'acceptation est la dernière. La première est le déni, mais j'ai fait l'impasse. Grâce à mon expérience récente, je suppose. Mon premier cancer m'a aguerrie. Quelle est la différence entre espoir et faux espoir ? Qui peut dire quelle est la meilleure façon de mourir ? Comment suis-je censée le savoir ? Comment quelqu'un peut-il le savoir ? L'épreuve ne fait que commencer. Je serais confrontée bien assez vite à ces questions sans réponse.

J'ai des choses à faire, des décisions à prendre. Je dois garder les idées claires, ne pas penser au deuil, à la peur. J'ai le temps, pour cela aussi. Je ne suis pas prête à recevoir la compassion des gens qui m'aiment. (C'est ce qu'Emma ne pouvait pas comprendre, et je compte le lui expliquer, mais pas encore, je ne peux pas.) J'ai besoin de m'accrocher encore un peu à mon anonymat. C'est pourquoi je n'ai appelé personne, le temps de mettre de l'ordre dans ma maison. Il est essentiel de continuer à travailler, faire des projets, mener ma vie comme si elle avait encore un sens. Et je dois admettre que, tout au fond de mon esprit, une petite voix me souffle que je m'en sortirai peut-être, une petite voix inflexible qui me dit : *Tu n'as que cinquante ans, tu ne mourras pas. Ça ne peut pas être terminé.*

Ces deux dernières années furent mes plus belles, or je ne les aurais jamais vécues sans la maladie. Il convient à présent de se poser la question : le jeu en valait-il la chandelle ? En apparence, mon avenir s'annonçait sous les meilleurs auspices : un travail intéressant, enfin une certaine stabilité, la sécurité, et peut-être même un homme à aimer... Or, à l'intérieur, j'avais déjà tout. La vie est faite pour être vécue, non pour se réjouir après coup. J'ai vécu deux superbes années d'incertitudes douloureuses et de bonnes surprises. Était-ce suffisant ?

Cette question me fait peur. Tout semble s'allier contre moi, tout ce que j'aime. Je me suis préparé du thé avec du miel au safran. Jamais je ne l'ai trouvé aussi bon. Si j'avais du whisky, je m'en servirais un verre pour le laisser me picoter la langue, sentir le feu de l'alcool descendre dans ma gorge. Cette nuit, il est tombé quelques centimètres de neige. J'ai ouvert la fenêtre pour en attraper des flocons dans ma main et la regarder fondre sur ma paume. Je l'ai goûtée d'un coup de langue. C'était sale, métallique et délicieux. Je n'aurais jamais assez de rien. La musique, par exemple. Pas de chance, j'ai mis la sonate de Beethoven qui me fait toujours pleurer. Au moment de l'adagio, j'ai craqué.

Grace a des soupçons. Son regard brun, fixe et inquiet, est rivé sur moi. La brave bête... Elle a bien dix ans et risque de me survivre. Qui l'eût cru ?

Ces petits détails... La perspective de les perdre les rend si précieux que c'en est presque insupportable. Dans ces circonstances, il est facile d'oublier que la vie compte aussi son lot de cruauté, d'indifférence, de brutalité, de perversion, de bigoterie, de faim, d'avidité, de vénalité, de folie et de corruption. Je ne pense qu'aux choses douces et simples : la nouvelle lune, le goût d'une orange, l'odeur d'un livre neuf. Si je dresse l'oreille, j'entends Kirby se déplacer dans sa chambre, juste au-dessus de la mienne. Aurait-il été mon amant ? J'écoute la voix de mes amies qui me laissent des messages. « Isabel, mon Dieu, je ne sais pas quoi dire », « Isabel, je t'en prie, rappelle-moi, je t'aime ». Je ne pourrai pas garder mes distances très longtemps. Je dois aussi le dire à mon fils, à ma mère, à ma sœur. Oh, tout le monde se précipite vers moi, toutes les parties de mon cœur affluent vers moi d'un seul coup. Je serai submergée par l'amour si je ne fais pas attention.

Je passe un scanner des os mardi, pour la forme, car Glass sait déjà. Mercredi, j'ai rendez-vous avec lui. Il m'a promis de tout me dire. Je prendrai des notes. Il faudra que je sois vive, concentrée. Je prévoirai une liste de questions. Enfin, peut-être pas...

Je sais : je demanderai à Lee de m'accompagner.

13

Lee

*J*e croyais être la seule à ne pas pouvoir sentir le Dr Glass, mais finalement, nous le détestions toutes. Nous avons néanmoins réussi à rester polies... à part Emma.

— Je ne comprends rien à ce que vous racontez ! lui lança-t-elle tel un pitbull. Vous êtes le seul médecin, dans cette pièce. Cela vous ennuierait de parler normalement ?

Je ne lui connaissais pas cette voix stridente. Son attitude aurait pu me déranger car, en général, l'agressivité ne mène à rien. Or j'étais en colère, moi aussi, et Emma ne faisait qu'exprimer l'impression générale.

De nombreux diplômes étaient accrochés au mur, derrière lui. Le Dr Glass avait un bureau élégant, du personnel, il dirigeait plusieurs associations médicales prestigieuses... Ce qu'il lui manquait, c'était un peu d'humanité, un signe de compassion envers les patients à qui il annonçait des nouvelles terribles. Peut-être compatissait-il, mais rien ne l'indiquait dans son regard vide, son esquisse de sourire ou sa voix à peine audible. Comme un ventriloque, il marmonnait en remuant à peine les lèvres, de sorte qu'il fallait se pencher pour l'entendre. Greffière désignée, je serrais mon bloc-notes sur ma poitrine.

— Je disais que, quand un cancer s'est étendu, il n'y a pas de chirurgie. Toutefois, plusieurs traitements sont envisageables pour un cancer du sein en phase 4 avec métastases. Chaque cas est particulier. Ici, nous avons une patiente...

— Cette patiente, elle a un nom : Isabel.

— Emma... souffla Isabel, livide et posée.

Elle était plus calme que nous, même quand Glass a énuméré ses métastases dans le dos, la zone pelvienne, les deux fémurs et la cage thoracique. Elle est restée les mains croisées sur ses genoux, à le regarder droit dans les yeux, sans broncher. Je tremblais tellement que j'avais du mal à prendre des notes, et pas seulement à cause du discours du médecin. Mon esprit ne cessait de vagabonder. C'était une sensation des plus étranges, comme si ma peur court-circuitait mon cerveau.

Au moins je ne pleurais pas. Rudy, elle, sanglotait. Pour ne pas le montrer à Isabel, elle s'est approchée de la fenêtre et a fait semblant de regarder les voitures défiler sur Reservoir Road. Lorsque je l'ai vue sortir discrètement son mouchoir de sa poche, j'ai eu envie de lui crier de ne pas craquer, de tenir bon. La grossièreté d'Emma a eu l'avantage de faire diversion. Nous pouvions nous concentrer sur autre chose que les horreurs que débitait le Dr Glass.

— Dans le cas d'Isabel, donc, reprit-il en fronçant les sourcils derrière ses lunettes Ralph Lauren, nous avons un carcinome, une patiente ménopausée, un taux d'œstrogènes positif et un taux de progestérone négatif, sans oublier des antécédents de cytotoxine, c'est-à-dire de chimiothérapie. Les traitements disponibles sont un peu limités...

— Et une greffe de moelle osseuse ? suggéra Emma en crispant les mains sur ses accoudoirs, comme si elle avait peur de s'envoler. Cela pourrait la guérir, non ?

Glass se mit à tapoter le bureau de ses doigts et esquissa un rictus agaçant. Emma décroisa les jambes pour marteler la moquette de son talon.

— Plusieurs facteurs sont à prendre en compte avant de tenter une greffe de moelle osseuse ou de cellules sanguines, répondit-il. Un certain nombre de facteurs. (Il posa un regard froid sur Isabel.) Je n'écarterais pas une thérapie anti-œstrogène, même si le fait que vous ayez déjà essayé le Tamoxifen sans résultat me laisse peu d'espoir de ce côté-là. Il y a aussi la chimio. Pour l'heure, il est impossible de dire si vous auriez une meilleure réaction à une HD ou à une DS...

— Chimiothérapie haute dose ou dose standard, ai-je précisé. J'ai lu un article là-dessus sur Internet.

— C'est très bien ! railla le médecin.

Son étonnement avait quelque chose d'insultant. Emma n'a pu réprimer un claquement de langue plein de mépris auquel j'ai adhéré.

— Plus tard – il est encore trop tôt pour le dire – vous déciderez peut-être de subir ce que nous appelons une chimiothérapie d'induction. C'est un point de départ pour les patientes envisageant une CHD avec autogreffe de moelle osseuse ou de cellules sanguines. Ce n'est pas une thérapie en soi, mais elle aide parfois à déterminer si un cancer réagira aux produits utilisés pour la chimio à haute dose. En revanche, la réaction à la thérapie d'induction ne signifie pas que la chimio à haute dose avec autogreffe sera plus efficace qu'une chimio à dosage standard. Cela signifie simplement que le cancer est sensible à la chimiothérapie. De plus, rien ne dit que vous vivrez plus longtemps ni que vous aurez une existence meilleure avec une haute dose qu'avec un dosage standard...

— En fait, cela ne signifie rien du tout.

— Cela signifie exactement ce que je viens de dire.

Nous avons observé tour à tour Glass et Emma, qui se regardaient en chiens de faïence. Si le médecin semblait irrité, elle avait l'air d'une sorcière. Une véritable furie. J'aurais juré qu'elle avait les cheveux dressés sur la tête. Même Rudy s'est tournée vers nous dans l'hostilité palpable.

Au cœur d'un silence pesant, Isabel s'est levée.

— Je vous appellerai à propos de la thérapie hormonale et pour les analyses. Ce dont vous avez parlé, là... l'induction...

Elle esquissa un geste vague, car le nom exact n'avait guère d'importance. Tout le monde, y compris Glass, et surtout Emma, était mal à l'aise. Pendant un moment, il avait été plus facile de se comporter comme s'il était question d'un conflit de personnalités et non de la vie de quelqu'un. La vie d'Isabel.

Nous avons pris l'ascenseur dans un silence bizarre, puis Rudy a demandé où nous allions déjeuner. Nous avons opté pour Sergei's Inn, à Georgetown, parce que nous pouvions nous y rendre à pied. Nous n'arrivions pas à nous regarder, mais nous sommes restées bien groupées, nos bras et nos épaules se touchaient. C'est à moi qu'Isabel avait demandé de l'accompagner chez le Dr Glass, et non à Rudy ou Emma. En l'apprenant, elles avaient insisté pour venir. J'étais folle de rage. Elles se sont incrustées ! Quel toupet ! Et maintenant... Je n'osais imaginer ce que j'aurais fait sans elles.

Nous avons demandé une table dans un coin, puis je suis allée appeler le bureau pour prévenir mon assistante que je serais en retard. À mon retour, Rudy commandait à boire.

— Un double whisky avec de la glace ! annonça-t-elle comme un homme, comme mon père.

Isabel et moi avons choisi un thé glacé.

— Hé, les filles ! a protesté Rudy, vite interrompue par Emma.

— Je boirai avec toi, Rudy. Une bière pression, s'il vous plaît !

Personne n'a porté de toast, contrairement à nos habitudes. Cette fois, nous nous sommes contentées de siroter sans nous regarder. Ce que je trouvais à raconter était soit trop léger, soit trop sombre, alors je me suis tue.

— C'est moi ou ce type est un salaud ? a enfin demandé Emma.

Aussitôt, les langues se sont déliées.

Glass s'était montré odieux, mais je ne voulais pas faire de commentaires, de peur de froisser Isabel. C'est sa patiente depuis deux ans, après tout.

— Je suis allée le consulter parce qu'il avait bonne réputation, déclara-t-elle. Ensuite, je ne voyais pas de raison d'en changer. Je croyais être guérie. En fait, je l'ai toujours trouvé arrogant.

— Arrogant ! s'exclama Emma. Je l'ai immédiatement détesté. Vous avez vu son air sarcastique, quand il nous a tenu la porte ? Quelle ordure !

Il ne s'attendait pas à nous voir débarquer en force dans son cabinet.

— Une seule personne, avait-il décrété avec un sourire faux. Réfléchissez un peu...

À ses yeux, notre souhait était stupide, une lubie de filles. Nous n'avons pas réfléchi, justement. Certes, une partie de moi comprenait son point de vue. Pourtant, j'ai déclaré avec force et conviction :

— Nous tenons à être ensemble pour entendre votre diagnostic, docteur. Nous sommes la famille de cœur d'Isabel.

Il a ricané et levé les yeux au ciel, tant cette idée lui semblait absurde. Nous l'avons fixé sans sourciller, de sorte qu'il n'a pas eu le choix. Emma avait raison : il nous avait fait entrer d'un air plein de sarcasme.

Nous avons commandé nos plats. Un déjeuner normal, ai-je pensé, comme s'il ne s'était rien passé de grave. Isabel a pris une salade aux fruits de mer. Nous pouvions évoquer certains sujets, mais pas d'autres. Par exemple, il ne fallait pas demander : « Comment tu te sens ? Qu'est-ce que tu as ressenti quand il a parlé des métastases ? Tu as peur ? » Au moins, nous pouvions être ensemble, nous-mêmes, comme toujours.

Emma a fini par poser une question personnelle :

— Tu en as parlé à ta mère et à Terry ?

— Pas encore. J'attendais d'être certaine.

Isabel a posé sa fourchette et s'est reculée. Elle n'avait presque rien avalé.

— Ma mère ne comprendra pas. Je ne vais sans doute pas tout lui raconter. C'est inutile. (Elle souffre de la maladie d'Alzheimer et vient d'entrer dans une résidence.) Je vais devoir en parler à ma sœur. Et à Terry. Oh, mon Dieu... a-t-elle murmuré en fermant les yeux.

Rudy a rougi et a porté la main à sa bouche. Emma s'est détournée.

— Je téléphonerai à Terry... Si tu veux.

Isabel m'a caressé le bras un peu brusquement, la mâchoire crispée.

— Merci, mais je l'appellerai ce soir. C'est mieux. Merci quand même...

De toute la journée, elle n'avait jamais été aussi proche des larmes.

— Je peux faire des recherches sur Internet, dis-je avec un entrain forcé. Je l'ai déjà fait pour mon travail. C'est fou ce qu'on peut trouver comme informations faciles d'accès.

— Kirby s'en charge déjà.

— Kirby ? Ton voisin ?

Isabel opina.

— Attends une seconde... Kirby est au courant ?

Je n'arrivais pas à y croire. Elle l'avait dit à Kirby alors qu'elle n'avait pas encore parlé à son fils ? Elle rougit légèrement, puis se mit à tripoter nerveusement sa cuillère.

— Je ne vous ai pas encore raconté... Je n'en ai pas eu l'occasion.

— Quoi ?

— Kirby... (Elle a levé la tête et s'est mise à rire.) Kirby est amoureux de moi. Enfin c'est ce qu'il prétend...

— Comment ?

— Mais il est gai !

— Tu nous as dit qu'il était gai !

— Eh bien, il semble que je me sois méprise.

— Nooon ! s'exclama Emma en s'esclaffant à son tour.

— Et toi, fit Rudy, tout sourire, tu l'aimes bien ?

Isabel haussa les épaules.

— Oh...

Elle n'en dit pas davantage.

— Mais... Vous êtes... Enfin, tu vois...

— Amants ? Non.

— Vous allez le devenir ? s'enquit Emma.

Le visage d'Isabel, qui s'était un peu illuminé, se referma.

— Nous aurions pu. Je n'avais encore rien décidé. Ensuite... C'est un ami, ajouta-t-elle en secouant la tête. Un bon ami.

Un bon ami. Dernière nouvelle ! Et elle lui avait parlé de sa maladie avant même de l'apprendre à son propre fils. En tout cas, elle me l'avait dit d'abord...

Ou pas. Peut-être s'était-elle tournée vers Kirby auparavant...

Je déteste être jalouse. Comme pour me punir, je me sens toujours très mal.

Au bout d'un moment, nous avons changé de sujet, évoqué des sujets normaux. Les autres Grâces étaient-elles aussi étonnées que moi ? En tout cas, il en serait ainsi, désormais. Quoi qu'il arrive, Isabel allait nous faciliter les choses au maximum.

Au moment du café, elle a demandé des nouvelles de Henry.

— Comment s'est passé le spermogramme, Lee ? Vous avez les résultats ?

— Oui, ai-je répondu. L'infirmière nous a appelés hier. Ils ont la réponse.

— Alors ?

— Quel est le problème ?

Je me sentais coupable d'être heureuse, d'avoir des bouffées de bonheur alors que ma meilleure amie était en plein désarroi. Mais les visages impatients des Grâces et l'enthousiasme d'Isabel chassèrent mes scrupules.

— Vous n'allez pas le croire : Henry a trop de spermatozoïdes.

Elles en restèrent bouche bée, puis elles ont poussé un cri de joie en riant. Je m'y attendais.

— Il est tellement soulagé ! Le taux normal est de vingt à deux cents millions par millilitre. Chez Henry, il y en a plus d'un milliard.

— Pas possible !

— Un milliard ?

— C'est rare, non ?

— Quelle virilité ! souffla Emma. Je suis impressionnée...

— Et maintenant, qu'est-ce que vous allez faire ?

— Eh bien, je ne pourrai sans doute pas tomber enceinte de façon naturelle à cause d'un problème de mobilité. Les spermatozoïdes sont trop serrés et ne peuvent pas se déplacer. Je vais devoir me tourner vers l'insémination artificielle.

— Avec un donneur de sperme ?

— Non. Ils prendront celui de Henry.

— Lee, c'est merveilleux !

— Je suis heureuse pour toi.

— D'après l'infirmière, je pourrais être enceinte dans les six mois.

Isabel m'a embrassée. Cette bonne nouvelle m'avait permis de tenir le coup. Comment perdre espoir pour Isabel alors qu'il m'arrivait ce bonheur ?

— C'est formidable, commenta Emma, mais, il y a cinquante ans, tu n'aurais pas eu cette chance. Vive la médecine moderne !

Elle a tendu la main vers son verre, puis s'est arrêtée dans son élan.

Un silence contrit s'est installé. Emma avait failli porter un toast à la médecine moderne, puis elle s'est souvenue que c'était Isabel qui avait désormais besoin d'un miracle.

— Bon, dis-je en repoussant mon assiette, qu'est-ce qu'on fait ? Comment allons-nous procéder ? Je peux me remettre sur le Net, avec Kirby. Deux cerveaux valent mieux qu'un. Apparemment, tu vas devoir prendre une décision à propos de la thérapie hormonale. Je commencerai donc par là. On a encore pas mal de temps pour faire le tri entre CHD, CDS et autres. Mon père connaît l'un des meilleurs oncologues de Sloan-Kettering. Ils jouaient au golf ensemble. Je peux l'appeler pour obtenir quelques références. Il te faudra au moins deux autres avis, tu ne crois pas ? Un avis différent de celui de Glass, et un autre qui puisse trancher. Nous verrons en temps voulu. Que prévoit ton assurance santé ? Tu as vérifié quels sont leurs critères ?

Emma s'est mise à rire.

— Quoi ?

Isabel en a fait autant. Même Rudy semblait amusée.

— Qu'est-ce que j'ai dit de drôle ?

— Rien, a répondu Isabel en m'étreignant.

— Je suis trop autoritaire, c'est ça ?

— Non !

— Non, tu es super, assura Emma.

— Vraiment, renchérit Rudy.

— Il faut bien que quelqu'un organise tout ça. Et le temps est précieux, non ? Je me trompe ?

Elles retrouvèrent leur sérieux.

— Tu as raison, conclut Isabel, voyant que personne d'autre ne répondait.

14

Rudy

— **E**lle va forcément s'en sortir, Emma. Elle a l'air bien, elle est même magnifique !

— C'est vrai. Elle n'a jamais eu meilleure mine.

— Comment cela peut-il lui arriver ? Comment peut-elle être aussi malade ?

— Je ne sais pas, avoua Emma en secouant tristement la tête.

Il n'y avait plus que nous deux. Isabel et Lee avaient quitté le restaurant vers trois heures, et nous n'avions pas bougé. Il était naturel de s'attarder, comme avant...

— Un peu de café ? nous a proposé la serveuse.

— Non merci. En revanche, je prendrais bien un autre whisky, ai-je répondu. Un simple.

— Eh bien... une autre bière, alors... fit Emma, histoire de suivre le mouvement.

Nous nous sommes donc mises à boire. Parfois, l'alcool me fait vraiment du bien. Pas toujours, mais parfois. Ça descend tout seul, si facilement, si limpide... C'est difficile à expliquer. De temps en temps, je sais d'avance que c'est le remède idéal.

Cette fois, il m'a donné le courage de dire :

— J'ai très peur. Je ne ressens plus que ça. Emma, et si elle mourait ? Et si Isabel mourait ? ai-je murmuré.

Elle m'a fait signe de me pousser un peu, puis est venue s'asseoir à côté de moi.

— Moi aussi, j'ai peur et je ne pense plus qu'à ça.

— Je n'arrive pas à y croire. La semaine dernière, elle allait bien, et voilà qu'elle va peut-être mourir. Comment est-ce possible ?

— Elle n'est pas mourante. Elle peut s'en sortir, tu sais. Certaines rémissions durent des années, voire dix ou vingt ans. Il y en a qui guérissent. J'ai lu un tas d'articles là-dessus.

— C'est vrai, admis-je.

Emma traçait des lignes verticales sur la condensation de son verre.

— Mon père est mort d'un cancer, dit-elle.

— Mais tu étais petite, non ? Tu n'as rien vu.

— J'avais huit ans. Mes parents étaient déjà divorcés. Je ne sais pas grand-chose, à part qu'il est mort d'un cancer du foie.

— Je hais le cancer !

— C'est long, alors on s'en rend compte. Bon sang, je préfère être renversée par un bus. Tout sauf ça...

J'ai arrêté de déchiqueter ma serviette en papier pour examiner mes mains. Et si j'étais mourante, moi aussi ? Ma peau... La forme de mes doigts, les veines bleutées de mes poignets. Comment pourrais-je me perdre ? Exister, puis n'être plus rien ?

— Isabel ne mourra pas, assurai-je. Elle est trop jeune.

Je voulais dire : je suis trop jeune.

— Tu me donnes une cigarette ? m'a demandé Emma.

— J'ai arrêté.

— Ah, tant mieux. On va...

— Allons en acheter.

— D'accord.

Elle est allée chercher un paquet de Winston.

— Tu ne vas pas me croire : j'ai un rendez-vous, ce soir, dit-elle en soufflant sa fumée vers le plafond.

Elle avait repris sa place et parlait d'autre chose, histoire d'alléger l'atmosphère. Pour moi. Elle prend soin de moi.

— Avec qui ?

— Brad, toujours le même...

— Je croyais que vous aviez rompu.

— Oui, mais on s'est réconciliés, comme ça... Ce soir, je vais lui dire que c'est vraiment terminé.

— Qu'est-ce que tu lui reproches ?

— Rien.

Nous avons souri. Nous avions déjà eu cette conversation des milliers de fois à propos d'un tas de types.

Très concentrée, elle essayait d'arracher l'étiquette de sa bouteille de Sam Adams à l'aide de l'ongle de son pouce. Ses cheveux relevés laissaient voir les boucles d'oreilles en émaux que j'avais créées pour son anniversaire. Emma trouve qu'elle a la peau trop pâle, les hanches trop larges, les cheveux trop roux, trop cuivrés, enfin, je n'ai jamais très bien compris. C'est faux. Je me suis longtemps inquiétée de la voir à ce point déconnectée de la réalité de son physique, mais j'ai fini par l'accepter. Elle est comme ça. En tout cas, j'ai une théorie : le sentiment de ne pas être à la hauteur rend les gens plus gentils et tolérants. Plus prévenants.

— Tu es amoureuse ?

— Amoureuse ? railla-t-elle en faisant semblant de croire que je parlais de Brad.

Elle a formé une boulette avec les débris de l'étiquette, puis l'a jetée dans le cendrier. Enfin, elle a cessé de jouer la comédie pour m'avouer :

— Comment veux-tu que je le sois ? Je ne le vois presque jamais.

— Pourquoi tu le vois ?

— Eh bien, déjà, il me donne un coup de main pour un article que je compte rédiger sur le milieu artistique de Washington.

— Un autre article ?

— À la pige, cette fois. Ce n'est même pas mon idée ! répondit-elle, sur la défensive. Le rédacteur en chef de *Capital* a apprécié mon papier pour le journal et m'a chargée d'en rédiger un pour lui, dans le même style, sur le monde de l'art à Washington.

— Et tu y connais quelque chose ?

— Non ! rit-elle. Alors Mick m'a proposé de m'aider.

— Et ça ne te fait pas mal, Emma ? Il vaudrait sans doute mieux...

— Nous sommes amis, Rudy.

— Oui, je sais... amis en secret.

J'ai aussitôt regretté mes paroles, car elle a blêmi. Fuyant mon regard, elle a allumé une cigarette et s'est terrée dans le mutisme.

J'ai pensé au soir où nous avions enfin réussi à régler notre dispute à propos de Curtis. Elle m'a appelée à deux heures du matin et je suis venue. Je l'ai trouvée sur le canapé du salon, dans son vieil appartement de Foggy Bottom. Elle pleurait toutes les larmes de son corps en maudissant Peter Dickenson, qu'elle venait de mettre à la porte. Avec lui, elle avait tenu longtemps. C'était plus sérieux qu'avec tous les autres. Ils parlaient même de mariage.

Elle m'avait vraiment fait peur, cette nuit-là. D'une certaine façon, c'était encore pire, cette fois. Je ne voyais pas ce chagrin violent, cette colère, ce cœur brisé que je n'oublierai jamais. La souffrance la rongeait doucement, invisible.

Nous avons commandé une nouvelle tournée. Emma était de meilleure humeur, ce qui m'a remonté le moral. J'aime la douce torpeur qui envahit mon corps quand je bois. Elle démarre dans des endroits bizarres, les joues, les triceps, les cuisses, avant de se propager partout. Pas étonnant que les gens couchent avec n'importe qui quand ils sont ivres. Je ressens alors un tel calme, une telle tendresse, une telle bienveillance... comme si j'étais en tout le monde et inversement. Désormais, je sais me maîtriser mais, quand j'étais jeune, je me tapais n'importe qui. Vraiment n'importe qui... après quelques verres.

À ce moment-là, deux types qui étaient au bar se sont approchés de nous. L'un d'eux était mignon. Chez Sergei, c'est bien pour déjeuner. Plus tard, en revanche, on se croirait plutôt dans un bar de rencontres. Ces deux-là étaient plus jeunes que nous et ils avaient l'air d'être avocats. Les sourcils froncés, Emma m'a pris la main.

— Ne vous gênez pas, les gars. On ne peut même plus rompre tranquillement... Ce qu'ils peuvent être insensibles, parfois, ces pénalistes américains !

— Hum, hum, ont-ils grommelé avant de retourner au bar.

Du coup, nous avons commandé une nouvelle tournée.

— C'est déjà le « happy hour » ? a déclaré Emma.

— Oh, non... Oh, non !

— Quoi ?

— Curtis rentre à la maison. Je suis censée aller le chercher ! Oh, mon Dieu !

— À quelle heure ? Pas de panique, il est capable de rentrer tout seul. Il le fait tous les...

— Je devais aller le chercher à l'aéroport !

— Ah, là c'est différent, a-t-elle admis en riant. À quelle heure ?

— Dix-sept heures trente.

— Oh, tu vas avoir des problèmes, Rudy... Il est six heures.

Je me suis caché les yeux pour ne plus rien voir. Le rire d'Emma était communicatif, sauf que le mien était hystérique.

— Quelle compagnie ? s'enquit-elle.

— Delta.

— Bon, ne t'en fais pas, je vais appeler l'aéroport pour laisser un message. Ils l'appelleront au micro. Il va adorer : Monsieur Curtis Lloyd ! Monsieur Curtis Lloyd est prié de se présenter au bureau d'information !

— Qu'est-ce que tu vas lui dire ?

— Que tu es saoule donc incapable de conduire, qu'est-ce que tu veux que je lui raconte ?

Je dus avoir l'air horrifiée car elle m'a serré le poignet.

— Je rigole ! Qu'est-ce que je lui dis ?

— Que... Je suis avec Isabel.

— Bonne idée. Ce n'est pas grave, il prendra le métro jusqu'à Eastern Market et finira le trajet à pied, non ?

— Non. Il prendra un taxi.

— Naturellement, fit-elle avec une ironie digne de Curtis. Ne t'en fais pas, Rudy. Je vais arranger ça.

À son retour, hélas, elle affichait une mine à la fois soucieuse, amusée et contrite.

— Tu es fichue.

— Pourquoi ?

Elle reprit place à côté de moi.

— J'ai dû laisser un message.

— Alors ?

— Ils ont une nouvelle boîte vocale. Curtis saura que c'est moi, puisqu'il va m'entendre. Ce ne sera pas un appel au haut-parleur. Il saura que ce n'était pas toi. J'aurais dû raccrocher.

— Qu'est-ce que tu as dit ?

— Que nous étions toutes chez Sergei, à réconforter Isabel. Que tu voulais venir le chercher, mais qu'Isabel était si mal que nous ne t'avons pas laissée partir.

— Oh, Emma...

Un mensonge, c'était déjà pas mal, alors trois...

— Je sais. Hélas, il était trop tard pour reculer.

Je me suis mise à rire, un peu inquiète, car je savais que j'aurais des ennuis même si Curtis gobait les mensonges d'Emma.

Lorsque la serveuse est venue nous demander si nous voulions encore une tournée, nous avons échangé un regard. Soudain, je me suis sentie merveilleusement bien.

— Pourquoi pas, après tout ? avons-nous répondu en chœur.

C'était comme au bon vieux temps, après notre arrivée à Washington, quand nous traînions dans les bars ou les restaurants pendant des heures, parfois six ou huit, du déjeuner jusqu'au souper. Avant mon mariage.

— Rudy, tu n'as pas peur de lui, quand même ?

Elle devait être saoule. Jamais elle ne m'aurait posé cette question si elle était sobre. J'étais sans doute dans le même état, car cela ne m'a pas dérangée. Et j'ai dit la vérité :

— Parfois, oui, mais ce n'est pas de sa faute.

— Pourquoi pas ?

— Parce que j'ai peur de tout.

— Comment ça ?

Je me suis contentée de hausser les épaules.

— Il t'a déjà frappée ?

— Non ! Enfin, Emma !

— C'est bon, je me posais seulement la question ! Ne le prends pas mal.

— Eh bien, tu sais, désormais.

— D'accord.

— D'accord.

Sauf que c'était arrivé une fois. Juste une fois, il y a longtemps. Ensuite, je n'y ai plus pensé.

— Alors de quoi as-tu peur ? a insisté Emma.

— De tout.

— Quoi ? Donne-moi des exemples.

— Voyons... J'ai peur qu'il ne m'aime plus. Que nous n'ayons pas d'enfant. Que si j'avais un enfant, je lui pourrirais la vie...

Je me suis pris le visage dans les mains en fixant mon verre.

— Qu'un de ces jours, je devienne folle et que je me foute en l'air, par exemple, qu'Isabel meure, que je ne fasse jamais rien de ma vie. J'ai peur de finir comme ma mère et que mon frère se tue avec sa drogue.

— Oh là là, Rudy, fit Emma en m'enlaçant. Ça suffit, maintenant.

J'ai essayé de ne plus penser à ce qui me fait peur.

— C'étaient des idées comme ça, ai-je dit, puis nous avons ri.

J'ai ri jusqu'à ce que mon whisky prenne le goût salé des larmes qui coulaient sur mes joues.

— Les gens nous regardent, dis-je en me mouchant dans une serviette.

— Maintenant, ils nous prennent vraiment pour des lesbiennes.

Nous avons souri bêtement, dévisagé les gens, en grignotant des noix.

— On devrait peut-être y aller, proposa Emma.

— Oui. N'oublie pas que tu as un rendez-vous.

— J'avais oublié. Merde ! Je vais l'appeler pour annuler.

Elle s'est levée, un peu chancelante.

— Tu vas annuler ?

— Oh oui, dans mon état... Je risque de déclencher une bagarre ou de le demander en mariage. Et dans les deux cas, j'aurai couché avec lui avant.

Elle s'est éloignée vers le téléphone.

J'ai attendu sans penser à rien. Je me sentais plutôt bien. Bientôt, l'un des avocats est revenu à la charge.

— Votre copine vous a abandonnée ?

— Non. Elle est partie téléphoner.

— Ah bon ? Comment vous vous appelez ?

— Rudy.

— Enchanté, Rudy, moi c'est Simon.

Simon avait un beau sourire et une barbe naissante. Et une cravate jaune. C'était sûrement un avocat.

— Vous n'êtes pas vraiment lesbiennes, n'est-ce pas ?

Il avait l'air sympathique et bien intentionné.

— Non, ai-je avoué. Mais je suis mariée.

— Ah... Quel dommage.

Il s'est assis à la place d'Emma et a croisé les mains sur ses genoux. J'aimais bien son attitude posée. Puis il s'est tourné vers le bar et a hoché la tête : un signal pour son ami qui s'est levé, a pris leurs verres, leurs cigarettes et la monnaie pour nous rejoindre. *Emma va me tuer*, ai-je pensé.

— Vous travaillez dans le quartier, toutes les deux ? s'enquit Simon.

Trois événements se sont alors produits en même temps : l'ami de Simon s'est assis à côté de moi, Emma est revenue avec deux boissons, l'air contrarié, et j'ai croisé le regard de Curtis.

Sans doute venait-il directement de l'aéroport. Son bagage cabine sur l'épaule, il s'est approché lentement, le regard sombre, blessé et calculateur. J'ai voulu me lever, mais l'ami de Simon était plutôt corpulent et, ignorant ce qui se passait, il ne voulait pas bouger.

— Curtis ! lança Emma d'un ton enjoué en posant les verres. Elle s'est placée tel un bouclier entre nous deux.

— Quelle bonne surprise ! lança-t-elle. Tu as eu mon message ? Super ! Tu veux t'asseoir ? Dommage, tu viens de rater Isabel. Ces messieurs...

Elle se mordit les lèvres, puis reprit enfin une voix normale :

— Qui êtes-vous, d'ailleurs ?

— Curtis, s'il te plaît, ne... dis-je.

Son sourire crispé et dur me paralysa.

— Tu es prête ? On rentre à la maison ?

Il se montrait poli, raisonnable. Derrière la douleur qu'exprimait son visage, je devinais une sorte d'énervement résigné. *Je te tiens, maintenant*, pensait-il.

L'ami de Simon a fini par se lever. J'en ai fait autant, tranquillement, en prenant mon manteau, mes gants et mon sac.

— Ne la laisse pas conduire, hein ! prévint Emma.

— Ne me dis pas ce que je dois faire avec ma femme, rétorqua Curtis en se retournant.

Entre eux, la haine était palpable, mais cela ne m'étonnait pas. *Vous croyez vraiment que Curtis apprécie Emma ?* m'avait un jour demandé Éric.

Emma a tendu la main pour me prendre le bras.

— Tout va bien ?

— Oui, ça va.

J'aurais voulu rire pour atténuer cette horreur. Emma semblait énervée, indécise, électrique.

— Et si on s'asseyait tous, histoire de se détendre, a-t-elle soudain proposé.

J'ai compris qu'elle avait peur pour moi. Curtis était immobile, silencieux. J'aurais voulu rassurer Emma, lui dire qu'il n'y avait rien à craindre, que j'avais seulement peur pour lui.

— On file ! Au revoir, ai-je dit en l'embrassant. Appelle-moi. Et ne conduis pas, toi non plus, d'accord ?

Elle a hoché la tête. Curtis ne l'a même pas regardée. Une main dans mon dos, il m'a fait pivoter et m'a fait sortir devant lui.

Dans la rue, j'ai eu un moment d'absence, l'esprit embrumé. Où avais-je garé la voiture ? Je me suis dirigée vers Wisconsin, puis je me suis souvenue : K Street.

— Ah non, c'est par ici ! ai-je dit d'un ton désinvolte.

Curtis m'a suivie sans un mot, mais il savait. J'étais saoule, et il le savait.

Il a pris le volant.

— Je suis vraiment désolée, pour l'aéroport.

Recroquevillée sur mon siège, je tremblais car le chauffage était lent à démarrer.

Au lieu de me répondre, il a allumé la radio.

Son beau visage semblait dur à la lueur des phares. Jamais il n'aura l'air vieux. Il mourra avec cette moue juvénile et ses cheveux d'enfant. J'ai essayé de ne pas l'aimer, rien qu'une seconde, pour voir. À mon grand effroi, cela a fonctionné. J'ai détourné vivement la tête pour observer le centre commercial désert et glacial, jalonné de lampadaires. La chaleur est enfin venue mais, malgré le chauffage à fond, je n'ai cessé de trembler.

À la maison, je me suis assise sur le lit pour le regarder défaire sa valise. Les chaussettes et les caleçons au linge sale, les chemises sur la pile destinée au nettoyeur, les embauchoirs dans les chaussures, le costume sur son cintre rembourré. Il a un range-cravates électrique. Je le lui avais offert par plaisanterie, or il l'adore.

J'ai fait une nouvelle tentative.

— Écoute, je regrette... Ces types, au bar, ce n'était rien, tu le sais.

Pas de réponse.

— Et j'étais vraiment avec Isabel, mais elle est partie avant que tu n'arrives.

Quatre heures avant. Je me suis vue dans le miroir, au-dessus du secrétaire. J'avais les yeux rouges et mon mascara avait coulé. Quelle horreur ! J'avais l'air ivre et je l'étais. Hélas, ma gueule de bois commençait à peine.

— Comment ça s'est passé, à Atlanta ? ai-je demandé.

— Mal, répondit-il avant de se rendre dans la salle de bain, sans fermer la porte.

— Oh non... Qu'est-ce qui s'est passé ?

— J'allais t'en parler ce soir. Je pensais que nous sortirions pour discuter un peu.

Quand on se sent coupable, on a l'impression d'être enterré vivant sous des gravats et des bris de verre.

— On peut encore sortir. Je vais me préparer. Il n'est que huit heures.

— Je n'ai plus faim.

Il est sorti de la salle de bain vêtu d'un pyjama bleu marine ourlé de blanc et de son peignoir écossais aux tons vifs. On aurait dit un mannequin blond aux joues roses, sain et distingué. Lorsqu'il s'est assis à côté de moi sur le lit, j'ai été à la fois surprise et reconnaissante.

— Je regrette...

Parfois, si je le répète assez souvent, il cède.

— C'est de ma faute. J'avais trop bu et j'ai oublié l'heure. Emma a inventé cette histoire avec Isabel. Elle était partie depuis longtemps. Oh Curtis... Pauvre Isabel, c'était horrible, chez le médecin, à l'écouter...

— Donc Emma a menti, coupa-t-il.

— Comment ? Oh, mais ce n'était pas... elle...

— Rudy, je sais combien tu l'apprécies, mais je ne crois pas qu'elle soit la bonne amie que tu crois.

— Mais si...

— Écoute, dit-il gentiment.

Il a posé la main sur moi et je me suis laissée aller dans ses bras, ivre de soulagement. Il m'avait pardonné ! Le monde s'était arrêté lorsqu'il était apparu chez Sergei, et voilà que tout s'arrangeait.

J'ai embrassé sa joue parfumée en glissant les bras autour de sa taille. Le sentant crispé, je me suis écartée de lui.

— Je ne veux pas que tu la voies aussi souvent.

— Tu parles d'Emma ? ai-je demandé, un peu bêtement.

— Regarde dans quel état elle te met...

Il a effleuré ma joue pleine de mascara avec dégoût. Même moi, je sentais l'odeur de cigarette qui persistait dans mes cheveux et sur mes vêtements.

— Je sais que tu la connais depuis longtemps. Je ne te demande pas de la laisser tomber.

— La laisser tomber ?

— Mais je crois qu'il vaudrait mieux que tu ne la voies pas en dehors du groupe.

Il m'a regardée droit dans les yeux, puis a pris mon visage entre ses mains.

— C'est dans ton intérêt, Rudy. Je m'étonne d'ailleurs que Greenburg ne te l'ait pas suggéré.

Mon esprit tournait à plein régime. J'ai pris ses mains dans les miennes.

— Éric aime bien Emma. Il ne me dirait jamais une chose pareille.

Curtis s'est écarté avec un soupir. J'ai essayé de ne pas lâcher ses mains.

— Ne sois pas fâché. Ne...

Il s'est levé et, sur le pas de la porte, s'est retourné.

— Donc tu ne feras pas ce que je te demande dans ton propre intérêt.

— Arrêter de voir Emma ? C'est ma meilleure amie !

— Tu refuses ?

— Curtis, ne me fais pas ça ! Je t'en prie !

Je sentais déjà la porte se fermer. Il allait partir avec son amour, tout me prendre...

— Je t'en prie ! ai-je imploré. Curtis !

— Oui ou non ?

Dans mon intérêt, avait-il dit, mais c'était cruel.

— Non, je ne peux pas. Ne m'en veux pas, je t'en prie. Emma est ma meilleure amie. Curtis !

Il tourna les talons et sortit.

J'ai entendu ses pantoufles en cuir dans l'escalier. Il allait descendre à la cuisine se préparer un croque-monsieur avec de la margarine allégée. Il le mangerait à la table de la cuisine, avec un verre de lait écrémé, en feuilletant *Time*, *U.S. News* et *Money*.

Je suis allée prendre trois somnifères dans la salle de bain. Après tout ce whisky, j'avais peur d'en avaler davantage. Trois feraient l'affaire. Au lit, j'ai remonté les couvertures sur ma tête. Je voulais le noir. J'avais besoin de méditer pour me protéger, et j'ai choisi « ça commence ». Le temps du repentir était venu, et seul Curtis savait combien de temps il durerait. Lui seul possédait la clé.

Je me suis mise à rêver de Dieu. Il était assis dans un fauteuil doré, entouré d'anges adorateurs au visage flou. Il a regardé sa montre, une Rolex, la même que Curtis.

— Elle est en retard, dit-il avec une grande tristesse. Je regrette vraiment, mais elle est en retard.

Il a versé des larmes justifiées, puis a levé la main au-dessus de sa tête et a tiré le cordon d'une grosse lampe Tiffany, et le noir est venu sur le monde.

15

Emma

En mars, j'ai rayé trois éléments majeurs de ma liste de bonnes résolutions. Dans l'ordre croissant de difficulté : j'ai rompu pour de bon avec Brad, je suis allée voir ma mère en Virginie et j'ai démissionné du journal, ces deux derniers éléments étant au coude à coude.

Non, je plaisante. Ce n'est pas si pénible d'aller voir ma mère. Dès que nous avons cessé de nous quereller à propos de ma démission, qu'elle juge stupide, elle s'est presque montrée gentille. Je crois que j'ai trouvé le secret pour entretenir des relations cordiales avec elle : deux visites par an maximum.

Le plus effrayant fut de constater à quel point je commence à lui ressembler. Enfin, c'est elle qui commence à me ressembler. Imaginez un peu : Kathleen, ma mère, est l'illustration de ce que je serais si je passais une semaine sans dormir, à boire, fumer, me droguer, à coucher à droite à gauche... Et à angoisser. Ce doit être comme ça, quand on a soixante-cinq ans car, à ma connaissance, le seul passe-temps de cette liste auquel s'adonne ma mère est le dernier. Mais dans ce domaine, elle est championne du monde.

Je sais, je suis trop dure avec elle. La force de l'habitude, sans doute. J'ai passé l'âge de réagir à ses manœuvres maladroites comme l'adolescente boudeuse et insupportable que j'étais. En tout cas, j'ai gagné, et depuis longtemps : je suis partie de Danville, en Virginie, je ne me suis pas mariée, je ne suis pas allée à l'université pour devenir prof, avoir un bagage, au cas où mon mari me quitterait, comme l'avait fait le sien... Et je me suis forgé ce personnage charmant uniquement pour l'agacer.

Démissionner du journal se révéla plus difficile que je ne l'imaginais, à cause de l'argent. Je m'étais habituée à en avoir. Je m'offrais des articles que je voyais dans les vitrines. Je passais devant, je m'arrêtais, je regardais l'objet, j'entrais dans la boutique et je l'achetais. « Je le prends. » En dégainant ma Visa Or ou ma Mastercard Platine, j'avais l'impression que c'était cela, être adulte. Pour Noël, j'ai envoyé à ma mère un magnétoscope. J'envisageais de changer de voiture au printemps, un modèle un peu sportif, une Miata, peut-être. Enfin, je laissais aux serveurs des pourboires mirobolants.

Mais il y avait une chose dont je souffrais plus que de la pauvreté, et qui me servait d'excuse pour ne pas écrire un roman, mon prétendu désir profond : « Je n'ai pas le temps. » Peu importe que ce soit vrai : mon travail pour le journal, mes articles comme pigiste, la rédaction de nouvelles dont personne ne voulait... mes journées étaient bien remplies. Il fallait renoncer à quelque chose, alors j'ai laissé tomber les horaires réguliers et j'ai continué les piges pour rembourser mon emprunt, puis j'ai raccroché les nouvelles. Désormais, on allait voir ce dont j'étais capable.

Quel enthousiasme, quelle assurance ! Comme si je ne repoussais pas cette échéance depuis toujours... Serais-je en train de grandir ?

Non, hélas. La véritable raison est plus lâche, moins reluisante : c'est Isabel. Au fil des années, elle m'a appris beaucoup de choses mais, cette leçon-là, je m'en serais bien dispensée. Surtout de sa part, et dans ces conditions. J'ai appris que la vie était courte et qu'il ne fallait pas la gaspiller.

Pourquoi cela lui arrive à elle, et non à Rudy, à Lee ou à moi ? Pourquoi Isabel ? C'est la meilleure d'entre nous. Elle a un grand cœur, elle croit en tout, alors que je ne crois en rien. Sa maladie est le fruit du hasard, non ? Elle affirme que non, que le hasard n'existe pas, qu'il y a toujours une raison. Laquelle ? « Peut-être que je suis à même de le supporter, et pas toi », me dit-elle.

Mais ça, ce sont des foutaises, non ?

Elle a largué cet imbécile de Glass et a trouvé un autre onco-logue. Il s'appelle Searle. Il lui a prescrit une thérapie anti-œstrogène. Le produit l'a fait grossir et lui a donné des bouffées de chaleur, sans résultat concret. À présent, elle en essaie deux nouveaux, l'Arimidex et un autre dont j'ai oublié le nom. On croise les doigts. Au départ, Isabel voulait faire l'impasse sur le protocole médical au profit de la médecine douce. La médecine douce ! Lavements à l'orge et au café, sauna indien, acupunc-ture, hypnose, imagerie mentale et autre biofeedback...

Mais je me suis gardée de tout commentaire. J'ai réussi à tenir ma langue. Rudy et Lee ont fini par la raisonner. Ainsi que Kirby, apparemment, l'homo devenu amoureux hétéro... Désolée, c'est malhonnête. Je n'ai pas encore rencontré Kirby. Isabel prétend qu'il n'y a entre eux que de l'amitié. Peut-être... Bref, pour une raison que j'ignore, il ne me plaît pas. Et si j'étais jalouse et possessive ?

Je ne supporte pas ce qui arrive à Isabel. Quand je l'appelle, je ne sais jamais quoi dire. Je me sens bête, parce que ce qu'il y a entre nous et dont aucune ne veut vraiment parler, de toute façon, est devenu si énorme qu'on ne voit plus que ça. Alors j'évite de l'appeler. Il se passe des jours entiers sans que je pense à elle, et c'est bien le pire. Je risque d'oublier mon amie la plus gentille, la plus sincère, et dont la vie est devenue un cauchemar absolu.

Non, c'est faux. C'est ma vie qui serait un cauchemar si j'étais à la place d'Isabel. Elle donne l'impression de vivre sa maladie avec le même courage que face aux épreuves qui ont jalonné son existence. Quant à Gary, il ne l'a pas appelée. Il ne lui a même pas envoyé une carte. Terry voulait venir de Montréal, mais elle lui a dit de rester là-bas. C'est un gentil garçon que j'ai toujours apprécié. Dommage qu'il n'ait pas quinze ans de plus...

Moi, moi, moi... Rien ne vaut l'épreuve d'un proche pour faire ressurgir l'égocentrisme de quelqu'un. La maladie d'Isabel est relative. En quoi ma vie sera-t-elle touchée si son état empire au lieu de s'améliorer ? Comment vivrai-je sans elle si elle meurt ? Oh, ce sentiment de culpabilité... Je croyais que c'était le lot du peuple juif, pas celui des agnostiques anciennement catholiques. Lee est juive et elle ne culpabilise jamais, ne s'énerve jamais. Elle est agaçante, mais pas névrosée. Devant l'épreuve d'Isabel, elle est plus efficace et organisée que jamais, et plus autoritaire, aussi.

Elle n'est pas encore enceinte, d'ailleurs. Toutefois, elle a bon espoir. Depuis quelque temps, au lieu de me téléphoner, elle m'envoie des mails. Dans un souci d'efficacité, sans doute...

De : L.P. Patterson (leepatt@dotcom.com)
À : Emma (dewitt@dotcom.com)
Objet : Cercle de guérison

Emma,
N'oublie pas, mercredi soir, de 21 h à 21 h 30. Je l'ai dit deux fois à Rudy, alors si tu pouvais le lui rappeler... Tu la connais...
Bises,
Lee

Ce sera notre deuxième « cercle de guérison » pour Isabel. À une heure donnée, tout le monde – les quatre Grâces, mais aussi les amis, la famille, et tous ceux qui le souhaitent – pense à Isabel et à sa guérison. Certains prient, envoient de mauvaises ondes aux cellules cancéreuses, d'autres lui adressent de la « lumière blanche », même si j'ignore ce que cela signifie.

Rudy chantonne dans une pièce sombre en regardant une bougie. Elle me l'a raconté.

— Qu'est-ce que tu chantonnes ? lui ai-je demandé, fascinée.

— Oh, des trucs... C'est un peu perso.

Je cherchais seulement des idées, car je ne suis pas très douée pour ces choses-là. Mon absence d'intérêt pour l'ésotérisme n'a jamais vraiment eu d'importance. Hélas, quand j'essaie de prier, de chantonner, d'envoyer de la lumière blanche, je finis toujours par penser à Mick, à un gâteau au coulis de caramel ou au contrôle technique de ma voiture, au point que je me demande si je ne suis pas en train de laisser tomber Isabel.

De : L.P. Patterson (leepatt@dotcom.com)
À : Emma (dewitt@dotcom.com)
Objet : anniversaire

Emma,

Tout est réglé. On peut avoir le cottage de Cape Hatteras pour le deuxième week-end de juin. J'aurais préféré le troisième parce que, comme tu le sais, c'est le véritable anniversaire des 4 G, mais il était déjà réservé. Henry envisage de me rejoindre dimanche soir, après le départ des autres, pour trois jours supplémentaires. On invitera peut-être un autre couple. Tu veux en être ? Avec ou sans homme, à ta guise.

Vivement vendredi soir,

Lee

De : L.P. Patterson (leepatt@dotcom.com)
À : Emma (dewitt@dotcom.com)
Objet : vendredi soir

Emma,

Tu viens au cocktail, n'est-ce pas ? Je te demande ça parce que tu n'as pas confirmé. Si tu viens, j'ai un service à te demander. Henry et moi avons rendez-vous pour une insémination artificielle demain à 15 h 30 (c'est la quatrième fois, mais c'est la bonne, j'en suis sûre !). Bref, on ne sera peut-être pas sortis à temps pour aller chercher la mousse de saumon chez Fresh Fields. C'est sur ton chemin, tu veux bien y aller ? Merci ! La commande est réglée, tu n'as qu'à prendre le paquet. En attendant, devine qui vient à la fête avec « quelqu'un » ?

À très vite,

Lee

Ce doit être Jenny, la belle-mère de Lee. Et avec « quelqu'un », ça promet ! J'adore voir Lee tiraillée entre son ouverture d'esprit et ses réflexes conservateurs.

Et moi qui pensais que je serais la seule à vivre des moments d'angoisse, chez Lee, en m'efforçant de rester naturelle en présence de Mick et Sally, les Draco venus en couple. Quelle soirée j'allais passer !

Autant l'avouer : j'avais les yeux rivés sur la porte d'entrée. Et pourtant, j'ai raté l'arrivée de Mick. Je l'ai trouvé sur le seuil de la véranda, un verre à la main. Le soleil couchant filtrait à travers les stores pour baigner d'une douce lumière le buffet garni de mets, et souligner la silhouette élancée de Mick. Nos regards se sont croisés, comme on dit dans les romans. J'ai esquissé un sourire, mais des intrus se sont glissés entre nous, un groupe de bavards s'écartant pour faire place à Lee et son plateau de bouchées au crabe. Dès qu'ils se sont éloignés, j'ai vu Mick se pencher vers sa femme pour lui parler à l'oreille.

Sally est timide, dans les soirées. Elle a besoin d'un verre ou deux pour s'aventurer loin de son mari et parler aux autres.

Comment je le sais ? C'est Mick qui me l'a dit. J'ai oublié à quelle occasion. Une occasion innocente, en tout cas : nos conversations le sont toujours. Et notre lieu de rendez-vous demeure Chez Murray, ce café un peu miteux et crasseux. Il ne m'aide pas à enfiler mon manteau, ne me prend pas le bras pour traverser la rue et, à moins que nos genoux ne se cognent par accident sous la table, nous ne nous touchons jamais. Pourtant, je vis l'histoire d'amour la plus torride, la plus dangereuse et la plus intense de ma vie. Je crois que c'est pareil pour lui.

Lee s'est approchée.

— Merci d'avoir apporté la mousse, Emma. Cela ne t'a pas trop dérangée ?

Elle incarnait l'hôtesse idéale, avec sa jupe longue et son haut sans manches en soie. Emanuel Ungaro, m'avait-elle précisé dans un mail.

— Oh, non, c'était sur mon chemin. Tu es superbe ! Ta maison aussi...

— Et toi, donc ! J'adore ton tailleur.

Ce compliment devait être sincère. Le sarcasme, c'est mon style, pas celui de Lee. Maintenant que j'étais là, j'avais des doutes sur mon choix de tenue. Je ne portais pas de chemisier sous ma veste décolletée, et ma jupe m'arrivait à mi-cuisses. Bref, j'en révélais bien plus que de coutume.

— C'est un cocktail, non ? fis-je, sur la défensive. Quelle meilleure occasion de montrer ses atouts ?

— La plage ? hasarda Lee en riant, ravie de sa plaisanterie. Au fait, je voulais te parler de quelque chose. Pas maintenant, mais j'aimerais bien que tu réfléchisses.

— À quoi ?

Elle regarda par-dessus son épaule, puis baissa le ton.

— Que dirais-tu de proposer à Sally de se joindre au groupe ? Les Grâces, précisa-t-elle face à mon air ébahi. Ce serait une bonne idée, non ?

Je suis restée sans voix.

— Nous l'avons vue plusieurs fois. Qu'est-ce que tu penses d'elle ? Je la trouve vraiment sympa. Intelligente, intéressante, aussi. Et elle est assez différente pour apporter quelque chose au groupe.

La diversité compte beaucoup à ses yeux. Elle a refusé une fille que je connaissais au journal parce que nous faisions le même travail. « Nous aurions eu deux journalistes, a-t-elle déclaré. C'est une de trop. On veut de la variété, non ? »

Sally apporterait un peu de diversité, c'est sûr. Une jeune mère du Sud qui fait bouillir la marmite. Une nouveauté sur toute la ligne ! Le problème, avec Sally, me suis-je dit plus d'une fois, c'est qu'elle n'a rien qui cloche.

J'ai trouvé une excuse poche mais évidente :

— Le moment est mal choisi pour songer à un nouveau membre, non ? Pense à Isabel ! Où est-elle, d'ailleurs ?

— Elle a prévenu qu'elle serait peut-être en retard. Non, je ne crois pas que...

— Hé, beauté, tu es à croquer ! roucoula Henry en m'étreignant.

Contrariée par cette interruption, Lee l'a pris par le bras et s'est appuyée contre lui. Laurel et Hardy. Il aurait pu la ranger dans sa poche. Ils sont tellement mignons, tous les deux. Tellement... convenables. S'il la rangeait vraiment dans sa poche, aucun des deux ne s'en soucierait.

— Je ne vois pas pourquoi, reprit Lee. Dès qu'ils auront trouvé le bon traitement, Isabel aura surmonté le pire. Il serait bon pour elle et pour le groupe de découvrir quelqu'un de nouveau. Et elle connaît déjà Sally, ajouta-t-elle en baissant encore d'un ton. Je lui ai posé la question, et elle l'aime bien.

— Tu lui as demandé ? Tu as parlé à Isabel de...

— Pas de l'intégrer ! Je voulais juste savoir si elle l'appréciait, et elle m'a dit oui.

— Oh...

Isabel est comme Dieu : elle aime tout le monde.

— Écoute, Lee, je ne sais pas... Je n'ai rien contre Sally... Je trouve que le moment est mal choisi pour intégrer une nouvelle.

— Je ne suis pas d'accord. Enfin, si c'est ton opinion... Naturellement, je vais demander à Rudy ce qu'elle en pense.

C'est ça, demande à Rudy... Elle ne me laissera pas tomber.

— D'accord, et à Isabel, bien sûr, fis-je en hochant vigoureusement la tête.

— Naturellement.

Tandis qu'elle s'éloignait pour vaquer à ses obligations d'hôtesse, Henry s'est attardé un moment pour bavarder et me raconter quelques histoires salaces qu'il affectionne.

— Tu sais, Emma, confia-t-il enfin, je me trompe peut-être, mais...

Il baissa les yeux, visiblement embarrassé.

— Quoi ?

— Lee n'est pas très lucide, à propos d'Isabel et de son état. Je ne dis rien parce que je ne veux pas la décourager. Et puis, il y a parfois des miracles. (Il se frotta la nuque.) Qu'est-ce que tu en penses, toi ?

— Chacune gère la situation à sa façon. Lee est optimiste, alors elle gère avec optimisme.

C'était une façon détournée de dire qu'elle était dans le déni.

— Rudy est terrorisée et elle le cache.

— Et toi ?

— Je suis pessimiste, ai-je avoué en le regardant dans les yeux.

— Oui... (Son visage s'est adouci, plein de compassion.) Je crains juste que Lee ne tombe de haut... s'il arrivait quelque chose à Isabel. Qu'elle ne soit pas préparée.

— Je sais.

Je ne suis pas prête non plus.

— Eh bien, heureusement, tu es là pour t'occuper d'elle. (Je me suis approchée de lui.) Alors, monsieur corne d'abondance... Monsieur l'amoureux fou... Quoi de neuf, sur le front de la fertilité ?

Henry adore cette petite comédie que je lui fais depuis que Lee nous a parlé de son spermogramme. Il est soulagé de pouvoir évoquer ce problème alors que, naguère, c'était impossible. Lorsqu'il risquait d'avoir trop peu de spermatozoïdes, le sujet était tabou mais, maintenant, ça va mieux.

Après quelques réflexions un peu grivoises sur le sperme, il a repris son sérieux.

— Le moment est idéal, pour nous, quand on pense à tout ce qui se passe, admit-il. Lee compte bien réussir, cette fois. Et même dans le cas contraire, il nous reste deux chances. Une grossesse l'aiderait à traverser... Si...

— Ça va marcher, dis-je pour ne pas entendre la suite. Parce que tu es génial, Patterson. Tu es tellement fertile que vous aurez sûrement des triplés. Trois garçons !

Il a ri à gorge déployée, puis il a rougi. J'adore ce gros nounours calme, solide et fiable. Il est gentil avec Lee et tempère son côté rigide comme... Je ne sais pas, un bon calmant. Henry est un traitement à domicile.

L'ambiance était un peu plus bruyante, plus décontractée. Enfin, à peine, car les soirées de Lee ne dégénèrent jamais. Elle avait invité toutes ses vieilles copines d'école et ses collègues spécialistes de la petite enfance, des femmes intelligentes, intéressantes, bienveillantes, mariées à des hommes qui gagnent plus d'argent qu'elles. J'ai papoté avec celles que j'avais déjà rencontrées et je me suis présentée à quelques nouvelles. On ne croise pas beaucoup d'hommes célibataires, chez Lee. Je ne sais pas vraiment pourquoi. Seule explication possible : ses copines sont tellement saines qu'elles ne divorcent pas.

Ce soir-là, bien sûr, je n'étais pas en chasse. Sans le chercher des yeux, je savais toujours où se trouvait Mick. Un vrai radar.

Nous circulions en laissant toujours quelques invités entre nous. Délibérément, pour ma part, quant à lui... c'était difficile à dire. C'est un jeu douloureux et addictif. Si l'impossibilité de notre histoire me fait mal partout, je ne me suis jamais sentie aussi vivante.

Comme d'habitude, Rudy et Curtis sont arrivés en retard. Curtis Lloyd est peut-être un con – non, *c'est* un con – mais on ne peut nier qu'il est bel homme, un peu dans le genre jeunesse hitlérienne, certes... Quant à Rudy, outre sa beauté, elle possède cette classe naturelle des mannequins qui donne l'impression aux femmes normales d'être maladroites, balourdes, trop maquillées. Comme moi par exemple. Je lui ai fait signe, espérant qu'elle se libérerait de Curtis pour s'approcher seule. Mais non. J'aurais dû m'en douter. Dans les soirées, il ne la quitte pas des yeux. Soit il ne lui fait pas confiance, soit il a peur d'être seul. Sans doute les deux.

Rudy et moi nous sommes embrassées, puis Curtis et moi avons réussi à faire semblant de nous embrasser.

— Où est Isabel ? a demandé Rudy après quelques banalités.

— Elle n'est pas encore arrivée. Lee m'a dit qu'elle serait peut-être en retard.

— J'ai hâte de rencontrer ce Kirby.

— Moi aussi.

En présence de Curtis, pas moyen de discuter avec Rudy. J'ai l'impression d'être au parloir, à travers une vitre, sous la surveillance des gardiens. Je ne connais qu'une seule situation encore plus pénible : une conversation avec Curtis en l'absence de Rudy.

J'ai donc eu des envies de meurtre quand elle a déclaré :

— Tiens, voilà Allison Wilkes ! Je ne l'ai pas vue depuis une éternité. Je reviens tout de suite...

Sur ces mots, elle s'est éloignée. Avec n'importe quel autre homme dont je n'aurais pas été proche, j'aurais dit : « enfin seuls », histoire de dissiper une tension éventuelle, même avec sarcasme. Or, avec Curtis, je me garde d'exprimer mes véritables sentiments. Chez Sergei, c'était une exception. Si Rudy prétend ne pas avoir peur de lui, moi, il m'effraie un peu. En réalité, il est terrifiant. Alors je reste polie, neutre, terne, un vrai zombie, à force de ronger mon frein. C'est assez admirable, quand on pense que je rêve de lui casser la figure. Je ferais n'importe quoi pour Rudy.

Curtis se dandinait d'avant en arrière, en scrutant la foule, les mains vides. Il ne boit jamais en public, de peur de perdre son contrôle. D'après moi, il vérifiait si quelque invité pouvait lui être utile. C'est un politicien-né, à ce détail près qu'il n'aime pas les gens.

— Alors, Emma, parvint-il à énoncer, Rudy m'a dit que tu avais démissionné.

J'ai répondu que c'était exact.

— Et que tu comptes écrire un livre, un roman.

Il a éclaté de son rire dur et froid. Ha, ha, ha ! Une vraie mitrailleuse.

— Tu trouves ça drôle ?

J'ai gardé le sourire. Mon hostilité ne se lisait que dans mon regard. Curtis n'a pas même pris la peine de me répondre. Ma colère était disproportionnée, mais ce type est un tireur d'élite redoutable qui tape dans le mille à tous les coups.

— Et toi, ton nouvel emploi ? ai-je répliqué. Un lobby... Un secteur plein de... (je fis mine de chercher mes mots) de noblesse. C'est tout toi, ça.

Il s'est contenté d'un rictus de mépris. Ma flèche n'avait même pas frôlé sa cible. Je croyais la partie terminée, quand il a repris :

— De quoi parle ton livre ?

La question que détestent tous les écrivains. Comment pouvait-il le savoir ?

— J'en suis à la phase de réflexion, répondis-je, aimable. Je préfère ne pas en parler.

À l'autre extrémité de la pièce, je voyais Mick discuter avec Henry, rigoler à grand renfort de gestes et de hochements de tête. Cette nouvelle amitié me surprenait un peu : ils sont tellement différents.

— Il paraît qu'il faut écrire sur ce que l'on connaît le mieux, déclara Curtis.

— Ouais, enfin... Jusqu'à un certain point.

— Donc ton récit traitera sans doute... (il fronça les sourcils et pinça les lèvres d'un air pensif)... des fantasmes d'adultère d'une vieille fille lubrique... Quelque chose dans ce goût-là ?

Abasourdie, je me suis tournée vers lui. Il a arqué ses sourcils blonds d'un air innocent, un sourire au coin des lèvres, puis il m'a toisée d'un d'œil méprisant, s'attardant sur ma peau nue.

Le sentiment de culpabilité et la fureur constituent un mélange mortel. J'ai rougi violemment. Je détestais ce type ! Son regard entendu, son air satisfait... C'était insupportable. Si j'ouvrais la bouche, j'allais l'insulter.

— Bon, je vais retrouver ma femme. Salut, Emma...

Sur ces mots, il s'éloigna tranquillement, les mains dans les poches.

En me rendant dans la salle de bain, j'ai souri, échangé des signes de tête et bavardé avec certains invités. Une fois enfermée, j'ai agrippé le bord du lavabo pour me regarder dans le miroir. Curtis avait vu ce visage mortifié ? Pas étonnant qu'il ait eu l'air si content de lui !

— Ne cède pas, me suis-je dit en cherchant mon mascara et mon rouge à lèvres dans mon sac.

C'était le but recherché de Curtis : que je me sente blessée, trahie par Rudy.

Comment avait-elle pu lui confier mon secret ? Je ne lui avais rien demandé, certes, mais je ne le jugeais pas nécessaire ! Je pensais qu'elle gardait mes confidences pour elle comme je garde les siennes, par respect. Vieille fille lubrique... Et puis quoi, encore ! Cela ne fait que prouver qu'il est aussi malade que je l'ai toujours dit. Rudy, comment as-tu pu lui parler de Mick ?

Quelqu'un frappa à la porte.

Merde...

— Une seconde !

Une minute, pour l'amour du ciel. J'ai l'air d'avoir pleuré !

— Pas de problème, prenez votre temps !

J'ai reconnu le ton enjoué et convivial de Sally Draco.

Génial...

J'ai affiché un large sourire, puis j'ai rejeté la tête en arrière pour faire mine d'éclater de rire. Mon visage de soirée, quoi. J'ai lissé ma jupe. Il faudrait que je parle à Rudy, pas ici, parce que nous avions bu toutes les deux. C'était déjà arrivé : plus jamais ça.

Dans le couloir, Sally observait le salon surpeuplé. En entendant la porte s'ouvrir, elle s'est retournée.

— Ah, c'est toi ! Salut...

Son deuxième verre avait agi, car elle semblait ravie de me voir. En fait, si je n'avais pas eu les bras croisés, je crois bien qu'elle m'aurait embrassée. Une réaction excessive, vu que je ne l'avais côtoyée que deux fois dans ma vie, et toujours chez Lee.

— Comment tu vas, Emma ? J'ai failli t'appeler, mais tu sais ce que c'est...

— Oui, fis-je sans conviction. Travailler et élever un enfant, ça occupe. Et ton travail, ça se passe bien ? ai-je demandé en constatant qu'elle était décidée à avoir une vraie conversation.

— Disons que ce n'est pas ma vocation, répondit-elle en levant les yeux au ciel.

— Ah non ?

Qu'est-ce qu'elle faisait, déjà ? Assistante juridique ? Je n'arrive jamais à me souvenir du métier des gens. Ah non, elle était assistante juridique à l'époque où elle avait rencontré Mick. À présent, elle travaillait au ministère du Travail.

— Enfin... je suppose que, dans chaque famille, une seule personne parvient à exercer le métier de ses rêves, dit-elle.

Elle rit avec une bonne humeur désabusée, mais je sais reconnaître un comportement passif-agressif.

— Oh, ton tailleur est magnifique ! Tu l'as acheté où ?

Pendant que nous papotions entre filles, je l'observais. Je lui ai retourné son compliment à propos de sa petite robe blanche. Sally est une femme attirante, c'est indéniable, avec ses cheveux raides et blonds coupés courts, une coiffure qui plaît davantage aux femmes qu'aux hommes. Elle a un visage un peu exotique, les yeux très écartés, les pommettes saillantes, une bouche énorme, mais pas joyeuse. Inquiète, plutôt, et voluptueuse. Ce visage sensuel éclipsait son corps, qui semblait étrangement asexué en comparaison. On le remarquait à peine.

— Mick me dit que tu as presque terminé ton article. C'est bien qu'il ait pu t'aider à le rédiger.

— Oh oui, il a été formidable. Je n'aurais jamais réussi sans lui.

— Quand paraîtra-t-il ?

— Difficile à dire. En juin, peut-être.

— Je suis impatiente de le lire, dit-elle avec un regard franc.

J'ai vraiment essayé d'être objective. Je me suis demandé : aimerais-je Sally Draco si Mick n'existait pas ? Si je l'avais simplement rencontrée dans une soirée, serait-elle devenue mon amie ? La réponse est non. Ce n'est pas le diable, loin de là. Elle est très chaleureuse, mais pas forcément sincère, et plus on discute avec elle, moins son assurance semble authentique. Elle observe les autres avec espoir, en quête de quelque chose. Derrière ces grands yeux, je décelais un besoin.

Comme nous n'avions plus grand-chose à nous dire, Sally est entrée dans la salle de bain et je me suis éloignée, pensive. Pourquoi avait-elle épousé Mick ? Ils sont totalement opposés. Mick est vrai, elle ne l'est pas (sans parti pris aucun, bien sûr).

Il parle rarement d'elle, et toujours pour énoncer des géné-ralités politiquement correctes. Je n'en attends pas davantage de lui. C'est frustrant, mais j'aime sa discrétion, sa courtoisie. Toutefois, il n'a rien de M. Rochester, le héros romantique de *Jane Eyre*. S'il avait eu une folle enfermée chez lui, il me l'aurait dit le premier jour.

J'ai aperçu Lee au milieu du salon, tenant une assiette de mini-brochettes d'agneau, l'air peiné. J'ai suivi son regard : elle observait de loin la cuisine, dont la porte était ouverte.

Tiens, tiens... Jenny était là, avec une amie. On voyait qu'elles étaient amies parce qu'elles se tenaient par la main.

— Eh bien, quel couple saisissant... ai-je soufflé, incapable de m'en empêcher.

Lee a fermé les yeux l'espace d'une seconde.

— Viens avec moi, m'a-t-elle ordonné.

— D'accord.

Je suis même passée la première. Je l'aime bien, Jenny.

Henry discutait avec elle et son amie tout en sortant des mini-quiches du four pour les disposer sur un plat.

— Lee ! s'est exclamée Jenny en nous voyant. Lee et son amie. Regarde, Phyllis, voici Lee, mon adorable belle-fille...

Elle l'a soulevée de terre dans une étreinte redoutable. J'ai eu droit au même sort, mais je voyais bien que mon nom lui échappait. Jenny a du mal à suivre, avec les Grâces. Néanmoins, elle nous adore dans notre ensemble.

— Emma, lui annonçai-je en tendant la main à Phyllis.

Elle était menue et âgée d'une cinquantaine d'années. Jenny choisissait des jeunettes, à présent. Phyllis m'a saluée, le regard pétillant.

Jenny devait être mordue, car elle portait une robe. C'était la première fois que je la voyais ainsi vêtue. Si sa tenue lui allait à merveille, le spectacle était incongru. J'avais l'impression de voir un travesti. Jenny frôle le mètre quatre-vingts avec ses bottes de travail, aime-t-elle à dire, et elle est plutôt carrée.

Elle se teint les cheveux en brun et les porte en un chignon un peu démodé. Hormis son accent du Sud, elle me fait penser à Julia Child[6].

— Lee, je te présente Phyllis Orr, ma très bonne amie, dit-elle de cette voix traînante dont Henry a hérité.

— Enchantée ! Quel plaisir de vous rencontrer ! répondit Lee. Bienvenue chez nous. Les amies de Jenny sont...

Se rendant compte qu'elle babillait nerveusement, elle s'est ressaisie. Henry et moi avons échangé un regard complice.

— Comment vous êtes-vous rencontrées ? Enfin, si ce n'est pas trop... Vous n'êtes pas obligée... Je me demande...

— Phyllis gère mon immeuble, expliqua Jenny, émerveillée par les hasards heureux de la vie. Quelqu'un a essayé de cambrioler mon appartement. Je te l'ai raconté, Henry, tu te souviens ? Bref, ils n'ont réussi qu'à abîmer ma serrure, et Phyllis l'a réparée.

Elle asséna à l'intéressée une tape sur l'épaule pleine de fierté.

— Eh bien ! C'est incroyable ! Et depuis, vous êtes amies... fit Lee. Merveilleux !

Séduisante et ténébreuse, Phyllis semblait bien du genre à savoir réparer une serrure. Elle posa sur Lee un regard curieux.

— Et ma belle-fille s'y connaît, en amitié ! intervint Jenny. Parle donc à Phyllis de ton groupe, Lee chérie. Lee a créé un groupe de femmes il y a des années, figure-toi. Et il existe encore. Emma en est membre. Cela fait combien de temps que vous êtes ensemble, déjà ?

— Cela fera dix ans en juin, répondit Lee.

— Vraiment ? fit Phyllis.

— Nous allons fêter cela à Cape Hatteras, ai-je précisé.

La famille de Lee possède un cottage qu'elle loue toute l'année, sauf deux semaines en juin et en septembre. Les Grâces y

6. Animatrice d'émissions culinaires à la télévision américaine.

ont célébré quatre de leurs neuf anniversaires, c'est donc une sorte de tradition.

— N'est-ce pas extraordinaire...

Jenny posa une main sur l'épaule de Henry dans un geste d'affection. Patterson & fils avaient fière allure dans leurs vêtements quelque peu incongrus pour la soirée. Lee scruta les alentours et se frotta les mains, affichant un sourire gêné. Plusieurs de ses collègues venues chercher des glaçons assistaient à la scène.

— Quand j'avais votre âge... Henry, c'était quand, ça ? s'enquit Jenny.

— À la fin des années soixante-dix, répondit-il après réflexion.

— C'est ça. Il y a vingt ans, quand j'avais votre âge, j'en avais jusque-là de vivre en groupe avec des femmes. Vous saviez que j'avais vécu en communauté ? me demanda-t-elle. À la campagne, près d'Asheville, un endroit superbe. C'est là-bas que Henry a grandi. Je me faisais du souci parce qu'il n'avait pas de papa. Il est mort au Vietnam, le pauvre. Mais regardez ce que mon fils est devenu !

Elle enroula un bras autour de son cou.

— Heu... fis-je, comme si je ne le savais pas.

— Une quiche ? proposa Lee en glissant le plat sous le nez de sa belle-mère avec espoir.

— Des femmes unies ! Rien ne nous est impossible quand nous œuvrons ensemble, pas vrai, Emma ? Lee chérie ? Oh, nous étions une sacrée bande, à l'époque ! L'amour libre et interdit aux hommes. Il porte un nom, votre groupe ? Nous, on s'appelait les Viragos.

— Vous savez, intervint Lee au milieu des rires, nous... Nous ne sommes pas ce genre de groupe !

Elle désigna Henry, le seul qui soit doté d'un pénis, comme pour dire : « Regardez, voici la preuve que je suis hétérosexuelle ! »

— Et nous étions militantes ! poursuivit Jenny. Mon Dieu ! On manifestait à tout bout de champ, du moment que la cause était juste. Je me souviens qu'un jour, nous sommes allées à une manifestation pacifiste à Raleigh, sous la bannière : « Lesbiennes pour Mao ». Ma petite amie et moi avons enlevé nos chemises et allaité nos bébés sur les marches du Capitole. Henry, tu as vu la photo.

— Oui. J'avais huit ans.

— Non ! s'exclama Lee, abasourdie.

— Oh, ça n'a pas duré. Nous étions toutes tellement jeunes. Nous sommes parties une à une. Il paraît qu'il n'y a même plus de ferme, là-bas. C'est un si bel endroit... Tu te souviens de Sue Ellen Rich, Henry ? Elle m'a envoyé un petit mot, à Noël. Nous sommes restées en contact. D'après elle, il y a un concessionnaire Saturn, à présent... Hum...

Elle a secoué la tête d'un air nostalgique. Phyllis lui a tapoté le bras en disant : « Oh... »

— Nous ne sommes pas politisées, reprit Lee avec entrain. Nous organisons juste des soupers.

— Mais vous êtes toujours ensemble. Je vous envie. Dix ans, et le groupe existe encore ! Vous vous aimez toujours.

— Oh oui ! me suis-je exclamée en prenant Lee par la taille. Nous nous aimons vraiment.

Lee comprit alors que j'étais sur le point de l'embrasser sur la bouche. Elle a vite détourné la tête, au bord de la panique, de sorte que je n'ai embrassé que sa joue.

— Bon, je vais faire circuler les quiches, grommela-t-elle en se libérant de mon étreinte affectueuse. Elles vont refroidir. Si vous voulez bien m'excuser...

Toujours polie. Toutefois, le regard qu'elle me glissa en s'éloignant était meurtrier.

— Désolée pour le retard, dit Isabel. Kirby m'a déposée. Il est parti garer la voiture.

Quand Lee voulut prendre sa veste, elle lui dit :

— Je crois que je vais la garder.

Puis elle m'a aperçue.

— Salut, toi !

Elle m'enlaça d'un seul bras, comme d'habitude. Elle avait l'air bien, comme toujours, ni fragile, ni rien.

Rudy s'est approchée, tout sourire, et l'a serrée dans ses bras longuement.

— Je commençais à m'inquiéter. J'ai bien cru que tu n'arriverais jamais.

— Non, ça va, mais je n'ai pas réussi à m'organiser.

— Comment tu vas ? s'enquit Lee en lui prenant les mains et en la regardant dans les yeux.

— Tu as une mine superbe, renchérit Rudy.

C'était à la fois vrai et faux. Isabel portait une robe magnifique, de celles qui nous rappellent pourquoi la petite robe noire est un classique, et sa nouvelle coiffure était très flatteuse. Cependant, elle avait le teint bizarre, un peu jaune, et les yeux écarquillés. Même si elle affirmait ne pas avoir pris ou perdu de poids avec le nouveau traitement, je la trouvais un peu bouffie dans le cou et le bas du visage. Quelqu'un qui ne la connaîtrait pas ne s'en rendrait pas compte. Moi, je ne voyais plus que ça. Ces derniers temps, je la surveille comme une mère au chevet de son enfant malade. Comme nous toutes. Et elle déteste ça.

— Comment tu te sens ? insista Lee, les yeux toujours rivés dans les siens.

— Très bien, je ne pourrais pas aller mieux ! Ta maison est magnifique, ajouta Isabel en regardant autour d'elle, libérant ses mains de l'étreinte de Lee. C'est un nouveau miroir, non ? J'aimerais bien avoir autant de goût que toi. Comment tu fais ?

D'accord. Même Lee a compris le message : on ne parle pas de ma santé. Nous sommes restées toutes les quatre au milieu du salon, formant un cercle protecteur, à rire et à bavarder

de choses et d'autres : les boucles d'oreilles d'Isabel, mes nouvelles chaussures, les projets de Lee pour Pessah... Rudy portait-elle bien *Obsession* ? Finalement, j'en suis presque venue à
oublier qu'une sombre menace planait sur notre solidarité et
nous avait changées à jamais.

Kirby est arrivé. Isabel l'a présenté à Rudy et moi, car Lee
l'avait déjà rencontré. Elle n'était pas inquiète à l'idée qu'il
nous déplaise, comme je l'aurais été à sa place. Pourtant, il a
un aspect un peu anxiogène. Il nous dominait de sa hauteur,
alors qu'il ne devait pas peser plus de soixante-quinze kilos
tout mouillé. Presque chauve, des traits anguleux, noueux, un
peu voûté, dégingandé, mais sec, ferme, athlétique malgré sa
maigreur. Ses yeux marron et tristes semblaient manger son
visage de moine.

J'ai simplement dit : « Bonsoir, enchantée », puis je me suis
tue. En petit comité, dans la véranda, tous les cinq, nous avons
bavardé, histoire de faire connaissance. C'était un peu labo-
rieux. Kirby n'a pas dit grand-chose, lui non plus, sans être
taciturne. Il devait se douter qu'il était sur le gril. Bizarrement,
Lee affirmait l'apprécier, or c'est la plus possessive des Grâces
envers Isabel. Toutefois, elle est aussi réputée pour son piètre
jugement (la preuve avec Sally, sans préjugés de ma part).
Bref, sa validation ne signifiait rien, à mes yeux. Franchement,
j'étais prête à ne pas aimer Kirby, mais je m'efforçais d'être
objective pour Isabel.

Il n'a rien dit de mal. Et si je ne l'avais pas observé tel un
chat guettant sa proie, je n'aurais jamais compris que le problème était plutôt dans son comportement. Il ne planait pas
au-dessus d'Isabel, il montait la garde. C'était sa posture qui
me gênait. Et il y avait autre chose : Lee avait enlevé les sièges
de la pièce pour faire de la place. Kirby s'est volatilisé pendant
quelques secondes, avant de réapparaître muni d'un tabouret de cuisine, qu'il plaça derrière Isabel, ni vu ni connu. On
aurait dit un tour de passe-passe bien réglé. De même, il lui a

apporté un verre d'eau gazeuse avec une rondelle de citron. Ensuite, il lui a préparé une assiette au buffet et a froncé les sourcils d'un air à la fois triste et joueur jusqu'à ce qu'elle se mette à grignoter. Il avait tout d'un ange gardien très discret.

Il aurait été facile de le trouver bizarre à cause de son apparence, ou morbide à sa façon de s'attacher à une femme gravement malade. Et je comprenais pourquoi Isabel l'avait cru gai. Il n'était pas efféminé : il était différent, il ne rentrait dans aucune case. Sous cette étrangeté, toutefois, j'ai décelé de la bienveillance et décidé de lui faire confiance. Au bout d'une demi-heure, je me réjouissais pour Isabel. Elle n'aurait pas pu trouver un homme plus différent de Gary Kurtz.

Kirby a suggéré de passer au salon. Je savais désormais que c'était parce que, selon lui, Isabel y serait plus à l'aise. Tandis que nous nous dispersions, Isabel est restée sur le seuil et m'a fait signe.

— Alors ?

— Alors quoi ?

Elle a fait une moue agacée et j'ai ri.

— Je l'aime bien, je l'aime bien !

— C'est vrai, Emma ?

C'est fou ce que cela m'a fait plaisir de savoir qu'Isabel attachait de l'importance à ce que je pensais de son petit ami. C'était comme si... le pape me demandait mon avis avant un rendez-vous. J'étais vraiment touchée. Isabel est mon mentor, même si aucune de nous ne l'a jamais exprimé à voix haute. D'ailleurs, nous n'utiliserions pas ce mot. En tout cas, c'est elle qui m'accepte, et non le contraire.

— Bien sûr qu'il me plaît, comment ne pas l'apprécier ? Mais...

Je n'ai pas pu m'empêcher de lui poser la question :

— Vous n'étiez pas « juste amis » ?

— C'est ce que nous sommes.

— Ah bon ? Et tu le lui as dit ?

Elle a esquissé un sourire, puis baissé les yeux.

— Il est amoureux de toi, Isabel.

— S'il l'a été, c'est terminé, maintenant.

— Pourquoi ?

Pas de réponse.

— C'est parce que tu es de nouveau malade, c'est ça ? Eh bien, s'il est aussi...

— Emma, c'est compliqué, désormais. Tu dois admettre que c'est compliqué.

— Tout est compliqué, Isabel. Tu es en train de me dire que tu ne plais à Kirby que quand tu pètes la forme ?

— Non, ce n'est pas ce que je suis en train de te dire ! répliqua-t-elle, choquée. Tu ne comprends vraiment pas.

Une idée m'est venue :

— C'est toi !

— Moi, quoi ?

— C'est toi qui recules. Parce que tu es malade. Ce n'est pas Kirby.

Quel soulagement, d'autant que j'avais décidé de faire confiance à Kirby.

Isabel a posé sur moi un regard pensif, puis elle a secoué la tête.

— Non, c'est plus compliqué que ça.

— Bon, si tu le dis. Garde la tête froide, Isabel.

C'est fou ce que je peux être arrogante en ce qui concerne les affaires des autres, quand on m'y encourage.

— Certes, je ne l'ai vu qu'une fois, mais il ne me semble pas homme à fuir les complications. Autrement dit, il n'a pas l'air d'un lâche.

Isabel allait me répondre quand Lee est intervenue.

— C'est l'heure de la photo ! s'est-elle exclamée en brandissant son appareil tant redouté. Tout le monde au salon ! Henry veut nous prendre ensemble sur le canapé.

Henry avait bien du mérite de supporter ça. L'une des manies les plus agaçantes de Lee était sa passion des photos. C'était déjà assez pénible quand elle les prenait elle-même, mais quand elle enrôlait Henry... Le malheureux était un saint.

Nous nous sommes serrées sur le canapé. J'étais entre Isabel et Rudy. Celle-ci n'était pas ivre... disons qu'elle ne ressentait aucune douleur. Elle a grimacé devant l'objectif, puis fait semblant de me glisser sa langue dans l'oreille. Je ne voulais pas rire, car j'étais furieuse contre elle. Hélas, elle m'a obligée. J'ai vu Curtis se mêler aux invités qui nous observaient. Il ne s'esclaffait pas avec les autres. Il ne souriait même pas. Cela m'a aidée à prendre ma décision.

J'avais été stupide et naïve de croire que Rudy ne répéterait pas mes secrets à son mari. Grandis, Emma ! Les époux se racontent beaucoup de choses. Le mariage l'emporte sur l'amitié, même quand on est la femme d'un salaud. Je n'en voulais plus à Rudy, je n'en ferai pas un problème, je n'évoquerai même pas le sujet, car c'était justement ce qu'il voulait que je fasse. Qu'il aille se faire voir ! Pas question de m'embrouiller avec Rudy.

J'ai croisé son regard. Sous ses yeux, j'ai enlacé Rudy et je l'ai embrassée sur la tempe, comme ça, pour rigoler.

Ce ne fut pas une victoire totale. À cause de Curtis, j'allais devoir faire attention à ce que je dirais de Mick, désormais. Cette pensée a attisé ma colère.

— Salut.
— Bonsoir.

Toute la soirée, j'avais eu l'impression d'être un oiseau survolant un buisson de ronces, incapable de me poser à cause des épines. Le patio de Lee était soudain une vaste prairie et Mick m'y attendait.

Enfin, j'ignore s'il m'attendait. Il était là, en train de fumer une cigarette près de la clôture couverte de lierre qui séparait les Patterson de leurs voisins. Il n'était même pas seul. À l'autre extrémité de la cour, trois ou quatre hommes et une femme riaient, buvaient et fumaient le cigare autour d'une balançoire rouillée aussi vieille que la maison. Il faisait chaud et lourd. Dans le ciel gris sans étoiles, la lune était à peine visible. Le quartier de Lee était calme, le samedi soir.

— Ce n'est pas vraiment comme chez nous, n'est-ce pas ? ai-je dit.

Il a souri en reculant d'un pas, m'invitant à m'installer à côté de lui, sur le béton, au bord de la pelouse. J'ai souri aussi, mais en baissant les yeux pour qu'il ne me voie pas. Cette tension entre nous me faisait peur. Elle signifiait que tout était vrai, tout ce que j'espérais et redoutais.

— Je ne savais pas que tu fumais.

Il a observé le bout de sa cigarette avec intérêt.

— Quelqu'un me l'a donnée, répondit-il. Je fume rarement.

— Moi, c'est seulement avec Rudy.

— Tu en veux une ? Je peux t'en avoir une.

— Non ! ai-je ri, de nouveau euphorique.

Des insectes voletaient dans la lumière du patio. Un peu plus loin, un chien aboyait d'ennui. Un avion invisible bourdonnait au-dessus de nous. Peu à peu, sans échanger un mot, nous nous sommes détendus. Nous avons tissé un cocon autour de nous. C'est aussi ce que nous faisions chez Murray, alors nous avions l'habitude. J'étais quand même subjuguée. C'était tellement facile...

— Mon article est presque terminé. Il ne me reste plus qu'une dernière relecture et quelques vérifications.

Il a hoché la tête, sans dire « tant mieux ». La fin de cet article pour *Capital* signifiait que je n'aurais plus d'excuses pour l'appeler dans son atelier ou le retrouver au café afin de lui poser des questions. Nous n'aurions plus de prétexte légitime pour rester en contact, à part l'amitié. Une amitié secrète, comme l'avait précisé Rudy non sans clairvoyance. Ce qui annulait plus ou moins la légitimité.

— Merci de m'avoir aidée, dis-je un peu formellement. Sans toi, je ne m'en serais pas sortie.

— Je n'ai rien fait.

— C'est faux. Je n'aurais pas su à qui m'adresser et qui éviter, ni par où commencer.

Le rédacteur en chef de *Capital* m'avait demandé de traiter le sujet du point de vue du néophyte, ce qui m'arrangeait bien, car je n'aurais pu m'y prendre autrement.

— Tu es journaliste, reprit Mick. Tu aurais trouvé une solution.

— Pourquoi ne pas simplement dire : je t'en prie ?

— Je t'en prie, répéta-t-il en baissant la tête avec un sourire.

— Bien sûr, ils ne vont peut-être pas aimer l'article. Rien n'est garanti. Ils risquent même de le refuser.

— Dans ce cas, tu pourras affirmer que c'est de ma faute.

— Oh, ne t'en fais pas...

C'était un peu malhonnête de ma part. Je trouvais mon article génial. Je serais très étonnée qu'il soit refusé. Je ne peux pas m'empêcher de me dénigrer. C'est une façon de me rassurer. Quand on n'en espère pas trop, on ne peut être trop déçu, du moins pas en public.

À travers la porte du patio, on voyait les invités se déplacer par petits groupes du bar à la table. Leurs lèvres remuaient, mais leurs voix étaient inaudibles. Seul un rire fusait de temps à autre. La femme de Mick était en grande conversation avec Curtis Lloyd. Mon esprit est aussitôt parti vers un fantasme : ils tombaient follement amoureux l'un de l'autre, quittaient leurs conjoints respectifs, et s'enfuyaient ensemble à Ibiza.

— J'ai parlé à ton amie Isabel, reprit Mick.

— Tu l'avais déjà rencontrée.

Ici même, en fait, lors du dernier souper de Lee.

— Nous n'avions pas vraiment discuté, comme ce soir. Je l'apprécie beaucoup.

— Comment ne pas l'apprécier ?

— En effet, admit-il en m'observant.

Un jour, Chez Murray, j'ai commencé à lui confier ma peur, et j'ai fini en larmes, ce que je déteste. Je ne supporte pas qu'on me voie pleurer. Mick pensait se montrer diplomate en exprimant sa compassion.

— Lee a parlé à Sally du cercle de guérison, et Sally m'en a parlé à son tour.

— Tu l'as fait ?

— Oui, répondit-il. Et toi ?

— Bien sûr. Enfin, en quelque sorte. Où étais-tu ?

J'ai tenté de l'imaginer, avec Sally, au-dessus d'une bougie, à chantonner en chœur.

— Dans le métro. Je sortais d'un cours de dessin. Je ne m'en suis souvenu qu'à dix heures moins le quart.

— Qu'est-ce que tu as fait ?

— Eh bien... J'ai médité. Et toi ?

C'était tellement bon de bavarder comme ça. Avec Rudy et Lee, c'était trop personnel et avec Isabel, c'était naturellement impossible.

— Eh bien, j'ai essayé de méditer, mais je ne suis pas très douée. Comment ferme-t-on son esprit ? Le mien ne cesse de vagabonder.

— J'ignore si j'ai vraiment médité, répondit-il pour me rassurer. J'ai simplement pensé à elle. J'ai fermé les yeux et... je lui ai souhaité de guérir.

— C'est ce que j'ai fait, moi aussi. Je lui ai souhaité de s'en sortir.

Une femme que je ne connaissais pas a ouvert la porte pour scruter la pénombre. Quelqu'un, Lee, sans doute, avait éteint la musique de Henry, les Drifters, pour mettre du Stéphane Grappelli. Les notes de jazz ont rompu le silence, comme une

203

cour d'école pendant la récréation. La femme a souri, a décidé de ne pas sortir et a refermé la porte. Le silence est revenu.

Nous nous sommes tus. Quand j'ai enlevé une chaussure, Mick m'a demandé si je voulais rentrer.

— Non. On est trop bien, ici. À moins que toi, tu n'aies envie de rentrer.

— Non, répondit-il en me regardant.

Il m'a toisée, ce qu'il évite avec grand soin, en général, du moins je crois.

Comment se fait-il que le regard de certains hommes vous donne l'impression d'être la femme la plus sexy du monde, alors que d'autres vous donnent envie de leur donner un coup de pied entre les jambes ? Avec Mick, j'étais soudain consciente de toute ma personne. Un fantasme ne cessait de surgir au milieu de mes tentatives de conversation polie, un fantasme dans lequel j'étais dans ses bras. Sur la pointe des pieds, les bras enroulés autour de son cou, je me blottissais contre lui. J'avais la bouche sèche, j'ai oublié ce que je voulais dire. Mes vêtements étaient trop serrés, trop moulants. Trop révélateurs. Je montrais trop de peau et je voulais qu'il la fasse sienne. Je voulais me donner à lui.

J'ai posé mon verre sur un cache-pot en fer forgé. Ce n'était pas comme si je flirtais avec un type mignon, lors d'une soirée. Ce que je ressentais, c'était un désir charnel capable de détruire plusieurs vies. Ce désastre potentiel m'a fait l'effet d'une douche froide

— Tu travailles sur quoi, en ce moment ? ai-je demandé, satisfaite de mon ton déterminé.

— Quelque chose de nouveau, des portraits, des aquarelles. Viens donc les voir, proposa-t-il. Quand tu veux. Tu peux passer n'importe quand, Emma.

Nous étions revenus au point de départ.

— Ce serait bien, ai-je répondu prudemment. Ça me plairait. Un de ces jours.

Il ne m'a pas demandé comment se passait mon écriture. Il y a longtemps, je l'avais prié de ne pas m'en parler.

— Neuf fois sur dix, c'est la dernière chose dont j'ai envie de discuter, lui avais-je dit. Qu'est-ce qu'il y a à raconter, d'ailleurs ? Ça se passe bien, ça va mal. De toute façon, c'est un sujet sans issue.

Mais cette fois, j'avais envie de lui raconter quelque chose. Et c'était de ma faute si je devais aborder le sujet la première.

— Mon écriture me pose problème, dis-je.

Ce moment de vérité m'a étonnée moi-même. Il était si spontané...

— Mon travail n'avance pas bien. Je me suis demandé si j'avais bien fait de démissionner du journal. Si je n'avais pas commis une erreur.

— Non, je ne le pense pas.

— Eh bien...

J'attendais qu'il poursuive. Jusqu'à présent, il m'avait dit exactement ce que je voulais entendre.

— En tout cas, il est bien trop tôt pour le dire. Cela fait combien de temps ?

— Un mois.

— Il est encore trop tôt.

— Dans combien de temps saurai-je si je me suis trompée ?

— Quel optimisme ! railla-t-il en souriant. Un an au minimum, mais plutôt deux.

— Toi, tu as mis combien de temps à savoir que tu ne t'étais pas trompé ?

— Je ne le sais toujours pas.

— Je n'aurais pas démissionné si tu... enfin, tu m'as inspirée, ai-je avoué. Je ne l'aurais jamais fait si je ne t'avais pas rencontré. Alors ce sera en partie de ta faute si j'échoue.

— Cela n'arrivera pas. Tu vas réussir.

— Comment le sais-tu ?

— Je le sais. D'abord, tu as du caractère.

— Tu veux dire une grande gueule.

— Ainsi qu'un grand cœur. Tu es vivante.

Et je suis avec toi, ai-je pensé.

— Tu as un... Je ne sais pas comment appeler ça. Une personnalité qui va plaire aux gens, aux gens intelligents.

Heureusement qu'il faisait sombre, parce que j'ai rougi.

— Si seulement c'était vrai... ai-je soufflé. Mais je n'ai toujours pas trouvé le sujet de mon bouquin.

— Cela viendra. Tu veux tout, tout de suite.

— C'est vrai, je déteste attendre. Est-ce que je vais y arriver ? Est-ce que ça va marcher ? Aurai-je du succès ? Je veux savoir à l'avance.

— Et si la réponse était non, qu'est-ce que tu changerais ?

J'ai secoué la tête.

— En ce qui me concerne, j'ai su que j'étais fait pour la peinture en comprenant que je ne voulais rien faire d'autre. Le problème n'est pas ce que les gens vont en penser. Il s'agit d'un parcours personnel. Je m'améliore, je comprends des choses qui m'étaient totalement inconnues... Je bouge, je change.

J'ai hoché la tête de plus belle. Ce genre de discours me fait du bien, m'inquiète, me remonte le moral et me déprime à la fois. J'enregistre et j'y réfléchis plus tard.

Cela m'a confirmé quelque chose que je soupçonnais depuis longtemps : Mick est plus mûr que moi.

— En tout cas, je tenais à te le dire. Si je ne t'avais pas rencontré, je n'aurais sans doute pas démissionné du journal. Pour moi, c'était un gros risque à prendre. C'était certainement pareil pour toi, je ne le comprenais pas. Maintenant oui, et je t'admire.

Il a baissé les yeux. Je ne voyais que le sommet de son crâne. Soudain, il a porté la main vers sa poche. L'espace d'un instant d'effroi, j'ai cru qu'il allait sortir un mouchoir parce qu'il pleurait. Mais il a pris son portefeuille. Je me sentais bête, mais soulagée.

— Tu veux voir une photo de Jay ?

Naturellement, son fils était magnifique. Comment pouvait-il en être autrement ? Un blondinet aux joues roses et au sourire d'ange.

— Il te ressemble, mais je ne sais pas pourquoi. Ses traits...

— Je sais. Tout le monde trouve qu'il tient de Sally.

— Il a quelque chose...

Jay faisait un bonhomme de neige avec son père, dans le jardin. J'ai reconnu la maison grise, en arrière-plan, parce que j'étais passée devant en voiture, un jour. Exprès. Je voulais savoir où vivait Mick, satisfaire une curiosité bien inoffensive. Sur la photo, Jay était très couvert : manteau, cache-col, tuque, mitaines, grosses bottes jaunes. Il semblait engoncé dans ses vêtements, cloué sur place à côté de trois grosses boules de neige. Ma mère a une photo de moi dans la même situation, un grand classique. Je tiens le cordon de ma traîne sauvage, et mon petit voisin est derrière moi, plus grand, plus âgé, le regard malicieux. Toutefois, je n'ai aucun souvenir de cet événement, ni de cette journée. Un jour, Jay regardera-t-il cette photo sans en avoir le souvenir ?

— Mick, il est adorable. Il a six ans, c'est ça ?

— Cinq ans et demi. Il aura six ans en décembre.

— Tu as toujours voulu avoir des enfants ?

— Pas vraiment. Jay est... arrivé par surprise.

Il a levé les yeux. Son visage était immobile, fermé. Il cherchait ses mots.

— Je n'aurais jamais cru que la vie de quelqu'un d'autre puisse compter plus que la mienne. Jay est heureux, je crois. Son innocence est ce qui m'effraie le plus. Je veux le protéger, même si je sais que c'est impossible.

Il a baissé le ton.

— Emma, je ne pourrais jamais faire quoi que ce soit qui fasse du mal à Jay, même si je le souhaitais vraiment. Peu importe...

Il s'est interrompu. Je lui ai rendu sa photo sans rien dire. Message reçu.

C'était un soulagement, en réalité. Comme une enfant, je fonctionne mieux avec des limites. Maintenant que je connais les règles, je vais les suivre à la lettre. Qu'est-ce que je croyais ? Je me le demandais déjà.

Lorsque la porte du patio s'est ouverte, nous nous sommes retournés avec une innocence nouvelle. Sally est venue vers nous, Lee sur les talons. Mick a attendu que sa femme soit à côté de lui pour ranger la photo de son fils. Encore une démonstration d'irréprochabilité.

Nous avons discuté entre filles. Mick n'a rien dit. Je me sentais engourdie, légère, à peine présente. Lee a dit que Sally voulait me présenter un de ses collègues, un avocat quadragénaire et divorcé qui travaille pour le conseil général.

— Ne refuse pas sans y avoir réfléchi, Emma, parce qu'il semble vraiment bien et...

— D'accord.

— Hein ? fit Lee en clignant les yeux.

— Merci, Sally. Donne-lui mon numéro et dis-lui de m'appeler.

Elle parut aussi abasourdie que Lee. Ma réputation me précédait...

— Je n'y manquerai pas.

Elle a pris le bras de Mick et s'est blottie contre lui, la tête sur son épaule. Un message signifiant : partons, chéri, je suis fatiguée.

J'ai commis l'erreur de le regarder. Combien de souffrance me serais-je épargnée si je m'étais détournée ou s'il avait masqué ses sentiments ? Ou même si l'éclairage avait été mauvais. Mais on voyait clair et sa douleur était immense, impressionnante.

Depuis tout ce temps, je me retenais de l'aimer. Mon illusion d'avoir le choix s'est envolée.

Deux leçons dont je me serais volontiers dispensée : je ne peux pas avoir Mick et nous sommes amoureux l'un de l'autre.

16

Isabel

Le printemps est ma saison préférée, surtout le mois de mai... J'adore sa franchise, après un avril sournois, jalonné d'espoirs et de fausses joies. Sa douceur... Est-ce une chance ou un sale coup du destin si la pire expérience de ma vie se déroule en ce délicieux mois de mai ?

L'hormonothérapie n'a pas fonctionné sur moi. Au vu de mes antécédents, le Dr Searle n'était pas optimiste dès le départ. Si nous voulions tous les deux repousser au maximum la chimiothérapie, ce n'était pas pour les mêmes raisons. La chimio me faisait peur, car j'étais déjà passée par là. Non seulement elle n'avait pas empêché la récidive, mais elle m'avait rendue malade comme jamais.

Et je n'avais encore rien vu... Depuis la dernière fois, le Dr Searle avait concocté un nouveau cocktail : Cytoxan, Adriamycine et Fluorouracile. S'il ne m'achève pas, j'éprouverai presque de la pitié pour mes pauvres cellules cancéreuses...

Kirby voulait m'accompagner à la première séance. Je l'en ai dissuadé en affirmant que je savais à quoi m'attendre. De toute façon, s'il y avait des problèmes, ils commenceraient plus tard, sept ou dix heures après, ce que je me suis bien gardée de lui dire...

J'avais rendez-vous à 13 h 30. À midi et quart, Lee a frappé à ma porte.

— J'ai pris mon après-midi pour venir avec toi, m'annonça-t-elle.

Je savais d'avance que, au contraire de Kirby, Lee ne se laisserait pas infléchir, et j'avais raison. Je dois avouer que, sous mon exaspération affichée, j'étais soulagée.

Le médecin avait déjà rédigé mon protocole. J'avais encore quelques étapes à franchir avant le début du traitement : inscription, rendez-vous avec l'infirmière, prise de sang, examens, attente des produits. De sorte qu'il était presque quinze heures quand je me suis installée dans le fauteuil confortable et par trop familier de ma cabine. Lee s'est assise sur un tabouret, à côté de moi, et m'a raconté Dieu sait quoi, j'étais trop énervée pour l'écouter. Sans doute l'ignorait-elle elle-même, car elle était encore plus angoissée que moi. J'aurais pu lui expliquer que, toutes proportions gardées, le début d'une chimio n'est rien. C'est après que commence la partie de rigolade.

Depuis deux ans, le personnel avait changé. Je ne connaissais pas Dorothy, une jolie infirmière brune et menue. Elle est entrée en trombe, souriante et efficace, avec son plateau de produits.

— Vous avez amené une amie ? C'est bien, déclara-t-elle avec un charmant accent britannique tandis qu'elle cherchait ma veine.

Elle m'a piquée vite et bien. Dieu merci, elle était habile, ce qui n'est pas toujours le cas, hélas.

— Qu'est-ce qu'il y a, là-dedans ? s'enquit Lee en observant le liquide rouge vif que Dorothy était en train d'installer sur mon cathéter.

— De l'Adriamycine. C'est celui qui fait tomber les cheveux.

Elle m'a regardée droit dans les yeux d'un air un peu maternel. Sa compassion était sincère, presque excessive. J'avais déjà les nerfs à vif. Rien ne m'incite plus à m'apitoyer sur moi-même que la chimiothérapie. Si Lee n'avait pas été là, j'aurais sans doute fondu en larmes. Je me sens toujours obligée de remonter le moral de ceux qui ont la gentillesse d'essayer de remonter le mien. J'ai donc opté pour une plaisanterie stupide :

— Inutile de se faire des cheveux, alors...

J'ai fermé les yeux pendant que Dorothy réglait le débit de produit rouge. Vint ensuite un goutte-à-goutte de Cytoxan. Je le connaissais, celui-là. J'étais préparée à son effet instantané, une impression déconcertante d'avoir mangé de la moutarde japonaise et d'avoir les sinus glacés et explosés. Enfin, j'eus droit au 5-FU. Puis l'infirmière a enlevé mon cathéter et m'a dit de ne pas bouger, car elle allait revenir pour noter mes signes vitaux et m'informer des effets secondaires.

Je suis restée les yeux fermés, les sens en alerte sur ce que je ressentais. Pas grand-chose, en fait. C'était trop tôt. Lee ne disait plus rien. En l'entendant approcher son tabouret, j'ai cru qu'elle allait se remettre à parler, mais elle a juste pris ma main dans la sienne, qui était un peu tremblante.

— Essayons ton truc de visualisation, murmura-t-elle. On va visualiser la chimio en train de tuer ton cancer, d'accord ?

J'ignore quelle image elle a vue. En tout cas la mienne m'a fait sourire.

— Qu'est-ce qu'il y a de drôle ? demanda-t-elle.

Je me suis contentée de secouer la tête, car elle aurait trouvé ça beaucoup moins charmant : Lee en gladiateur, vêtue d'un collant à étoiles et d'un justaucorps, armée d'une épée géante en polystyrène, en train de fouetter les cellules cancéreuses pour les chasser une à une.

— Henry et moi, nous sommes en pleine dispute, me dit-elle alors que nous mangions dans un restaurant espagnol, non loin de chez moi.

La voir triturer ses noix de Saint-Jacques et ses gambas sur son riz au safran me donnait faim. Mais j'avais commandé une soupe aux lentilles et une petite salade, et j'avais peur d'en avoir trop.

— À propos de quoi ?

— De tout. Ses moindres paroles, ses gestes me rendent folle. Je n'y peux rien.

— C'est le stress. Vous êtes tous les deux...

— Je sais. Hier soir, je lui ai crié qu'il devait arrêter de boire. Depuis, nous n'avons pas échangé un mot.

— Arrêter de boire ? Henry boit très peu, non ?

— Une bière de temps en temps, après le travail. L'alcool affecte le sperme, Isabel, c'est connu ! Je ne lui demande pas grand-chose. C'est moi qui fournis les efforts. Lui, il n'a qu'à... se masturber dans une éprouvette toutes les deux ou trois semaines, et je me farcis le reste.

Elle posa sa fourchette et se prit le visage dans les mains.

— Lee... Allons...

J'étais tellement étonnée que je n'ai pu que lui tapoter le bras.

— Pardon, fit-elle en cherchant un mouchoir en papier dans son sac. Quelle journée horrible... (Elle a levé vers moi un visage écarlate.) J'ai eu mes règles, murmura-t-elle avant de fondre en larmes.

— Oh non...

— Je ne sais pas ce qui m'arrive. Je suis désolée de te raconter ça, en ce moment, mais...

— Ce n'est pas grave.

— C'est plus fort que moi. Je ne suis plus moi-même. Je ne maîtrise pas mes émotions et j'ai sans cesse envie de pleurer, de frapper. J'ai tellement peur... Isabel, j'ai tellement peur de ne jamais avoir de bébé ! Et si cela arrivait...

Elle porta une main à sa gorge et scruta les alentours, mortifiée à l'idée que quelqu'un ait pu l'entendre.

— Il existe d'autres solutions, non ? Si l'insémination ne fonctionne pas...

— Il y en a un tas : FIV, GIFT, ZIFT, l'ICSI, sans oublier la gestation pour autrui. Nous n'en sommes qu'au début. Le processus est très long et coûteux. Henry ne cesse de me demander comment font les gens défavorisés. Je sais que cela le rend fou de dépenser tant d'argent. Mais c'est mon argent ! En disant ça, je ne fais que le mettre en colère et l'offenser...

C'était la première fois que je la voyais dans cet état. Emma et Rudy se moquent gentiment de la maîtrise de soi de Lee, de son côté rationnel, de son caractère entier. En vérité, elle est aussi passionnée que nous. Évidemment, sa façon de ne pas exprimer ses sentiments en public peut sembler stricte, un peu vieux jeu, certes, d'où mon étonnement de la voir craquer.

Elle s'est vite ressaisie et s'est confondue en excuses. J'aurais voulu lui demander ce qu'elle voulait dire par « Si cela arrivait... ». Hélas, ce n'était ni le moment, ni l'endroit.

Après le repas, elle a insisté pour me raccompagner.

— Au cas où tu te sentirais mal, expliqua-t-elle. Il vaut mieux que quelqu'un reste avec toi.

J'ai protesté pour la forme. Pourtant, une fois de plus, j'étais secrètement soulagée. J'allais sans doute être malade. En fait, je savais que j'allais vomir, et elle ne pouvait rien y faire.

— Et Henry ? Tu ferais mieux de rentrer, Lee. C'est vendredi soir.

— Et alors ? Il se débrouille très bien tout seul. Je vais l'appeler pour le prévenir que je serai en retard, ne t'inquiète pas pour lui.

Elle punissait son mari parce qu'elle était malheureuse... Si seulement tous les couples mariés défoulaient leur colère de façon aussi anodine, me suis-je dit en pensant à Gary.

De retour chez moi, je me suis déshabillée, alors qu'il n'était que huit heures, et je me suis couchée. Je ne parviendrais sans doute pas à dormir, mais au moins je pourrais me détendre quelques heures avant d'être malade... si je l'étais, restons optimistes.

— Comment tu te sens, là ? s'enquit Lee en me bordant.

— C'est difficile à décrire. J'ai chaud, la peau un peu tendue... C'est bizarre... comme un bourdonnement.

Elle s'est assise au bord du lit.

— Pas de fièvre, commenta-t-elle en posant une main sur mon front. Ne t'inquiète pas, Isabel. Je reste avec toi. On va surmonter ça.

— Bien sûr.

Je n'osais lui dire qu'elle ferait une excellente mère car j'avais peur que nous fondions en larmes.

— Tu veux un verre d'eau ?

— Ah oui, j'avais oublié que j'étais censée boire beaucoup.

— C'est normal. Il ne faudrait pas que le poison stagne dans ta vessie et tes reins plus longtemps que nécessaire, déclara-t-elle, pragmatique. J'éteins la lumière ?

— S'il te plaît.

— Je t'apporte de l'eau et, ensuite, tu essaieras de dormir.

— Et toi, qu'est-ce que tu vas faire ?

— Je vais méditer un moment. Je peux regarder la télé, en baissant le volume ?

— Bien sûr.

— Allez, bonne nuit, Isabel.

— Bonne nuit, et merci pour tout.

Sur le seuil, elle m'a envoyé un baiser.

Quelques minutes plus tard, je l'ai entendue parler au téléphone. À Henry, sans doute. Pourvu qu'ils se réconcilient... J'avais envie d'écouter pour vérifier comment se déroulait leur nouveau départ. J'ai dû m'assoupir, car la sonnerie du téléphone m'a réveillée en sursaut.

Lee a décroché avant que je ne puisse me lever.

— Elle va bien, l'ai-je entendue dire d'un ton sec à la limite de l'impolitesse.

Ce devait être Kirby... Quelques secondes plus tard, prise d'une nausée, je me suis levée péniblement. La salle de bain se trouvait au bout d'un petit couloir étroit. J'ai réussi à faire une dizaine de pas, mais je ne suis pas arrivée à temps.

J'ai vomi dans le couloir, puis sur le carrelage rose et le tapis de bain, devant le lavabo. Une véritable éruption volcanique. Tout ce que j'avais ingéré : souper, lunch, déjeuner... un flot de bile noire a jailli comme un geyser. Prise de hoquets et de spasmes, je me suis penchée sur la cuvette. Lee m'a saisie par la taille :

— Voilà, c'est mieux comme ça.

— Oh là là, ne nettoie rien, je le ferai...

— Chut ! Tu as fini ?

Non. J'ai renvoyé de plus belle, me tenant le ventre, jusqu'à ce qu'il ne reste plus rien. Hélas, quand j'ai voulu me rincer la bouche au lavabo, la nausée a ressurgi et j'y suis retournée.

Lee a fini par me ramener au lit, où je me suis écroulée, en nage, pour l'écouter frotter le tapis et lessiver le sol. L'odeur de détergent m'a fait bondir. Elle a à peine eu le temps de s'écarter, et j'ai de nouveau maculé une cuvette de toilettes impeccable.

C'était sans fin.

— D'où ça vient, tout ça ? Comment peut-il rester quelque chose ?

Enfin, ce fut terminé, même si le malaise persistait.

— J'appelle le médecin, ne cessait de répéter Lee.

Je lui ai dit que c'était inutile, que j'avais déjà pris l'anti-vomitif, que c'était ainsi, qu'on n'y pouvait rien.

Pourtant, c'était pire que la dernière fois. Ce devait être l'Adriamycine, le nouveau produit. Je suis retournée me coucher pour essayer de me reposer. Je ne tenais pas en place. Aucune position n'était confortable plus de quelques secondes. J'étais courbaturée, j'avais les nerfs en feu. Lee voulait que je boive de l'eau, mais je n'y arrivais pas. Cette seule pensée me donnait des haut-le-cœur.

Quelqu'un a frappé à la porte. J'ai regardé le réveil : minuit douze. Lee est allée répondre. J'ai entendu la voix grave de Kirby poser des questions pleines de sollicitude. Mortifiée, j'ai

enfoui mon visage dans l'oreiller. Bien sûr, il avait entendu...
Nos chambres sont quasiment communicantes, tant l'immeuble
est mal insonorisé. Par chance, Lee s'est débarrassée de lui :

— D'accord, je t'appellerai... Malheureusement, il n'y a rien
que tu puisses faire... Merci, en tout cas.

Sur ces mots, elle a refermé la porte d'un geste ferme.

J'ai regretté notre idylle avortée et pseudo-romantique
du mois de décembre. Si seulement Kirby ne m'avait jamais
embrassée, si seulement il ne m'avait pas parlé d'amour... La
suite, du moins l'absence de suite, aurait été moins embar-
rassante pour nous deux. Emma avait raison : c'était moi qui
redoutais cette relation. Seulement en partie. Après que je lui
ai annoncé mon diagnostic, Kirby a disparu pendant six jours,
pas un appel, pas une visite. Pour nous, c'est long, car nous
avions l'habitude de nous voir tous les jours. En réapparais-
sant, il s'est comporté comme si de rien n'était. Depuis, il est
désespérément fidèle à lui-même, un modèle de compassion
et d'altruisme. Il était évident qu'il était mu par la loyauté, et
non par « l'amour ». Comment lui en vouloir ? Il avait perdu
femme et enfants dans des conditions atroces... Il fallait être
fou, avoir des tendances autodestructrices pour se lancer dans
une relation intime avec une femme dans ma situation. Non,
non, je ne lui en voulais pas, mais j'avais des scrupules à lui
imposer un deuil supplémentaire.

Depuis quand je mets le mot « amour » entre guillemets ?

— Rentre chez toi, Lee. Je crois que ça va un peu mieux.

C'était un mensonge. Je me sentais si mal que j'en avais des
frissons. J'avais trop chaud, j'étais épuisée... Cependant, j'étais
encore capable de mentir.

— J'ai déjà prévenu Henry que je restais. Si seulement je
pouvais me rendre utile... Tu veux que je te masse le dos ?

— Non merci, ai-je répondu en secouant la tête. Je ne supporte aucun contact.

— Et un peu de musique ? Pour te changer les idées.

— Je ne sais pas. Non, je ne crois pas.

— On va quand même essayer, d'accord ?

J'ai accepté pour lui faire plaisir :

— Terry m'a envoyé les intermezzos de Brahms, par Glenn Gould. Mets-les.

Quelques minutes plus tard, je me suis traînée dans la salle de bain.

— Éteins ! Ne gâche pas ça...

Je pleurais de fatigue, de frustration, et désormais de peur que cette maudite maladie ne me fasse détester une œuvre aussi sublime.

— Éteins ça, Lee ! Éteins !

Quand je suis revenue dans la chambre pour m'asseoir à côté d'elle, elle a eu l'air effrayée.

— On devrait appeler le médecin, répéta-t-elle. Ce n'est pas normal.

— Justement. C'est du poison. (Je me suis recroquevillée sur moi-même.) La seule chose qui me permet de tenir, c'est de savoir qu'il est en train de ronger mon cancer comme un acide.

— Mais c'est trop... Laisse-moi appeler, Isabel, juste histoire de poser la question.

— C'est inutile, je te dis ! Ça fait partie des effets secondaires.

— Laisse-moi appeler !

— C'est bon, vas-y...

Je n'avais plus la force de discuter.

Je l'ai entendue murmurer au téléphone, sans écouter ce qu'elle disait. Je m'en moquais.

— J'ai expliqué au service que c'était une urgence, m'annonça-t-elle avec satisfaction, depuis le seuil de la chambre. Le docteur va rappeler.

J'ai grommelé. Il y en avait au moins une de nous deux qui se sentait mieux.

Quelques minutes plus tard, la sonnerie du téléphone a retenti.

— Il transmet une ordonnance à la pharmacie de nuit sur Columbia, déclara-t-elle au terme d'une autre conversation à voix basse. Je vais aller la chercher. Tu peux rester seule environ vingt minutes ? Je...

— Tu ne vas pas aller à la pharmacie à une heure et demie du matin...

L'effort de parler a réveillé une nouvelle nausée.

— Ne dis pas de bêtises, je...

— N'y va pas, Lee. Je ne rigole pas. Je te l'interdis !

Elle n'a pas ri, c'était déjà cela. Pendant quelques secondes, elle m'a observé d'un air perplexe.

— Bon, j'appelle Kirby. Il ira à la pharmacie.

J'ai protesté, juré comme un charretier, mais elle a simplement attendu que je m'allonge en gémissant de fatigue.

C'est ainsi que je me suis retrouvée sur mon canapé, sous une couverture, à trois heures du matin, à écouter Lee et Kirby échanger des propos anodins. Je commençais à aller un peu mieux. Mes vomissements étaient plus espacés – toutes les trente minutes, environ – et j'étais moins fébrile. Hélas, je n'arrivais toujours pas à boire de l'eau. Lorsque Kirby m'a suggéré gentiment de manger quelques craquelins, j'ai eu la réaction prévisible. Lee a préparé du thé qu'ils ont siroté sans un mot, en grignotant furtivement des *Oreos*, je crois. Ce soir-là, je ne m'étais jamais sentie aussi mal. Et pourtant, je ne pensais pas à me terrer dans un coin pour rester seule avec ma souffrance. À quoi bon faire preuve de noblesse pour ne pas m'imposer aux autres ? En vérité, j'avais grand besoin de compagnie.

Kirby était assis par terre en tailleur, les poignets posés élégamment sur ses genoux. Derrière lui, dans le fauteuil, Lee a bâillé sans se couvrir la bouche, un sacrilège, à ses yeux, ce qui prouve à quel point elle était fatiguée.

— Depuis combien de temps vis-tu à Washington, Kirby ? Au fait, c'est bien ton prénom ?

— Mon nom de famille. Depuis 1980. Ma femme et moi venions de Pittsburgh.

— Ah, Pittsburgh... J'ai des amis là-bas. Tu connais les Newman ? Mark et Patti ?

Kirby a répondu que non.

— Donc tu es originaire de Pittsburgh ? s'enquit Lee.

— Non. De l'État de New York, à la base.

— Ma famille vient de la région de Boston.

— Ah.

Silence.

— Comment as-tu fait la connaissance d'Isabel ? demanda poliment Kirby.

— Nous vivions à deux rues l'une de l'autre à Chevy Chase. J'ai rencontré Terry, son fils, un soir d'Halloween.

J'ai esquissé un sourire à ce souvenir.

— La première fois que j'ai vu Isabel, poursuivit Kirby, elle parlait avec une sans-abri qui s'installait au coin de notre immeuble. Elle était assise sur le trottoir, entourée de ses sacs en plastique, et Isabel était accroupie près d'elle pour la regarder dans les yeux. Elle portait une jupe vert foncé et un corsage bleu ciel, avec des chaussures plates. C'était surtout la sans-abri qui parlait. Plusieurs fois, elles ont ri. Isabel ne lui a pas donné d'argent. À la fin de leur entrevue, elle a serré sa chaussure, gentiment, dans un geste... d'affection.

Je me suis tournée vers lui.

— La deuxième fois, reprit-il de sa voix basse et neutre, elle s'est assise à côté de moi, dans le bus 42. Je ne l'ai pas reconnue immédiatement. Je me suis dit que c'était peut-être elle que j'avais vue discuter si gentiment avec la sans-abri, mais je n'en étais pas sûr. Cette fois, elle portait un pantalon et un chandail marron. Et des bottes. Elle avait une pile de livres dans les bras, des manuels dont je ne pouvais pas lire les titres. Et elle avait les doigts tachés d'encre.

Sur F Street, elle a sorti un baladeur de son sac et a mis des écouteurs. Du coin de l'œil, je l'ai observée. Son visage s'est détendu et elle a souri. Sur ses genoux, ses mains se sont relâchées. La musique était à peine audible. Si je la trouvais parfaite, je redoutais qu'elle n'affiche ce sourire béat pour Megadeath ou les Beastie Boys. Imagine mon soulagement, à Dupont Circle, quand elle a retourné la cassette. J'ai constaté que c'était une symphonie de Mozart. En *sol* mineur.

— Seigneur... souffla Lee.

— Elle est descendue du bus au même arrêt que moi et a longé Ontario Road en direction d'Euclid. Je lui ai emboîté le pas. Lorsqu'elle a gravi les marches de l'immeuble et a ouvert la porte d'entrée, j'ai halluciné. C'était un rêve qui se réalisait ! Une fois dans l'ascenseur, elle m'a vu, enfin, et m'a retenu la porte. Nous sommes montés en silence. Tout ce que je trouvais à raconter me semblait trop... banal. Pas assez intéressant pour l'occasion. La porte s'est ouverte et j'ai décidé de parler, je ne sais plus ce que j'ai dit, j'ai occulté. Bref, elle a fini par m'indiquer son nom et je lui ai donné le mien. Un signal a retenti car j'avais gardé la porte de l'ascenseur ouverte trop longtemps. Elle s'est reculée et a dit : « Bon... », puis elle m'a salué de la main.

L'histoire était terminée. Kirby ne m'a pas regardée, au contraire de Lee, qui semblait fascinée.

Je me suis redressée et, tranquillement, j'ai réfléchi. Que dire ? Mais il fallait que j'intervienne. Malgré mes précautions, j'avais bougé trop vite. Le pire est arrivé : une nausée m'a submergée sans prévenir. J'ai eu le temps de marmonner :

— Ça n'a rien de personnel, vraiment...

Rejetant vivement ma couverture, j'ai foncé vers la salle de bain au mépris de toute dignité.

À mon retour, Kirby et Lee discutaient avec animation et riaient à propos d'autre chose. Le moment difficile était passé. Quel soulagement ! Pourtant, malgré la gêne, je n'en avais pas encore terminé. Allongée sur le côté, j'ai observé Kirby, son visage long, sa peau pâle, ses traits émaciés, ses yeux marron légèrement enfoncés. Je l'ai écouté raconter une anecdote sur sa fille Julie, qu'il avait perdue à l'âge de douze ans. J'ai compris que, l'air de rien, Lee était en train de passer de sa jalousie première à l'amitié. Mes yeux se sont embués de larmes, et j'ai fini par m'assoupir.

L'aube.

— Rentrez chez vous, tous les deux.

Kirby s'était endormi par terre et Lee dans le fauteuil. Secouée de spasmes, je me suis recroquevillée sous ma couverture. Je n'avais plus chaud, j'étais frigorifiée.

— Tu peux boire du thé, maintenant ? s'enquit Lee.

Elle se leva et s'étira. Oui, je pouvais avaler du thé. Un miracle. Nous avons bu sans un mot. J'ignore lequel d'entre nous avait la plus mauvaise mine. Moi, sans doute, mais je refusais de me regarder dans le miroir.

— Quelle nuit, fis-je en me grattant la tête. J'ai le cuir chevelu qui me démange.

En me voyant me figer, ils m'ont regardée sans comprendre.

— C'est l'Adriamycine, ai-je expliqué en essayant de rire. Tous les patients sans exception perdent leurs cheveux. Dans quinze jours, je serai chauve.

— Isabel... murmura Lee.

Elle s'est approchée de moi pour m'embrasser sur le front. Au bord des larmes, je me suis crispée. Si Kirby n'avait pas été présent, j'aurais peut-être apprécié son geste.

— Et si tu les rasais toi-même ? suggéra-t-il.

— Comment ? ai-je demandé, étonnée.

— C'est vrai, renchérit Lee. Tu pourrais te raser les cheveux avant qu'ils ne tombent.

— Les raser moi-même ? ai-je répété en touchant mes boucles. Maintenant ?

— Montre-leur que c'est toi qui commandes ! s'exclama Lee, les yeux pétillants. Aie le dernier mot !

— Je peux te les raser, si tu veux, proposa Kirby doucement. Avec mon rasoir électrique. Nous pourrions le faire ensemble, tous les trois.

Alors j'ai fondu en larmes, mais pas longtemps. J'ai pleuré pour ce que j'allais perdre, pour l'amour de mes amis dont la gentillesse était si douloureuse. Et un peu pour mes cheveux, aussi...

17

Lee

Les Grâces ont célébré plus d'anniversaires (quatre) à Neap Tide, ma maison familiale des Outer Banks, que n'importe où ailleurs. Nous n'avons donc eu aucun mal à choisir où passer le dixième. Nous sommes parties le vendredi matin, plus tard que prévu parce que Rudy a eu du mal à obtenir la voiture de Curtis. Le trajet fut interminable. Il a fallu s'arrêter toutes les heures pour que Rudy et Emma aillent aux toilettes. Malgré leurs dénégations, je suis sûre qu'elles avaient apporté un flacon d'alcool qu'elles s'échangeaient à l'avant de la voiture.

— Vous ne buvez pas, j'espère ? leur ai-je demandé après le troisième arrêt.

Emma m'a regardée comme si j'avais perdu la raison. Il n'empêche qu'elles sont devenues de plus en plus volubiles au fil de la journée, gloussant pour un rien, chantant sur de vieilles chansons rock'n'roll que je n'appréciais déjà pas à l'époque. Les airs de country étaient encore pires : Tammy Wynette et Dolly Parton, et Dieu sait qui d'autre. Pour avoir la paix, j'ai dû prétendre qu'Isabel essayait de dormir, ce qui n'était pas faux : depuis qu'elle était en chimio, elle faisait la sieste chaque après-midi. Même Rudy et Emma n'étaient pas immatures au point de s'en moquer.

Neap Tide est en réalité Neap Tide II : la maison d'origine a subi tant de dégâts avec le cyclone Emily qu'il a fallu la reconstruire. Elle est plus grande et plus confortable, avec des ventilateurs au plafond, une terrasse supplémentaire, des équipements neufs. Toutefois, elle demeure aussi chaleureuse et simple. Rien à voir avec les villas à un demi-million de dollars qui se construisent sur la côte, de nos jours. Henry et moi venons tous les six mois, mes parents tous les deux ans, et mes frères jamais, car ils préfèrent Cape Cod. Le reste du temps, nous louons à des touristes.

Lorsque Rudy a enfin garé la voiture entre les pilotis, sous le porche battu par les vents, nous étions épuisées. Emma a voulu aller voir l'océan sans tarder, tandis que Rudy et moi sortions nos affaires (et les siennes) pour gravir les deux volées de marches. Au moment de nous répartir les chambres, j'ai suggéré qu'Isabel et moi ayons chacune une pièce et que Rudy et Emma partagent la troisième. Personne ne vit d'objection. Après le retour d'Emma, une fois installées, nous nous sommes retrouvées dans la cuisine pour discuter (encore une idée de moi) des repas, des tâches et autres questions domestiques. C'est alors qu'est survenue notre première querelle.

Enfin, pas vraiment une querelle... Disons notre premier moment de tension. J'expliquais pourquoi il était plus logique de manger à la maison, ce soir-là, et de sortir le lendemain (la route nous avait fatiguées, nous avions des steaks au frais) et je suggérais que certaines tâches convenaient mieux aux unes qu'aux autres. Emma, par exemple, est excellente cuisinière, mais elle est très désordonnée, alors que Rudy, quoique légèrement moins créative, range ses affaires au fur et à mesure. Emma, qui avait déjà bu la moitié d'une bière, s'est soudain mise au garde-à-vous en criant tel un soldat :

— Oui, chef !

Habituée à ses réflexions sarcastiques, j'ai laissé passer. Hélas, quelques minutes plus tard, alors que j'essayais d'organiser les roulements pour le ménage dans les parties communes, salon et salle à manger, cuisine, terrasse... J'assume totalement : ce n'est pas de l'autoritarisme de ma part, il faut bien que quelqu'un mette les choses au point dès le départ pour éviter tout malentendu ultérieur. Bref, Emma a redoublé d'insolence. Elle parlait dans sa barbe, mais de façon audible. Il s'agissait d'une allusion à ma vie sexuelle. Elle se demandait qui de Henry ou moi avait le dessus, au lit.

Dans un silence gêné, je me suis détournée.

— Emma... a soufflé doucement Isabel.

J'ignore si c'est la réflexion d'Emma ou la réprobation bienveillante d'Isabel... En tout cas, j'ai fondu en larmes.

Un vrai déluge. Chaque fois que j'essayais de tourner le dos, Isabel me faisait pivoter vers elle. Je me suis assise à la table de la cuisine, le visage dans les mains.

Emma s'est agenouillée à côté de moi :

— Lee, je suis désolée. Vraiment, je regrette...

Il y avait de la peur dans sa voix. Isabel me caressait doucement les cheveux. Rudy m'a apporté un verre d'eau.

J'étais mortifiée.

— C'est mon traitement contre l'infertilité, leur ai-je expliqué. Je prends du Clomid et ça provoque des sautes d'humeur. Je n'y peux rien.

— Non, c'est de ma faute, répondit Emma. Ma réflexion était vraiment débile. Lee, n'y prête pas attention.

— Non, c'est moi... ça ne fonctionne pas. Je n'arrive pas à tomber enceinte et je me sens stupide d'avoir attendu trop longtemps. J'ai quarante et un ans ! Je me sens coupable et je ne le supporte pas.

— Tu n'y es pour rien, assura Rudy. C'est à cause du sperme de Henry.

— Pas sûr. D'après le médecin, il y a peut-être un autre problème, parce que je devrais être enceinte, depuis le temps. À mon avis, il pense que c'est moi. Franchement, j'ai l'impression que Henry est content de ne plus être le seul responsable !

J'aurais voulu arrêter de pleurer car je voyais bien que je les inquiétais. Hélas, je n'y arrivais pas. Pire encore, je suis devenue un moulin à paroles :

— Qu'est-ce que j'ai fait ? J'ai fait quelque chose de mal·? Est-ce parce que j'ai fauté, quand j'étais jeune ? J'ai eu une aventure d'une nuit ! dis-je avec fougue en voyant Emma et Rudy s'esclaffer, même Isabel a souri. J'ai pu attraper une infection sans le savoir... Et j'ai porté un stérilet quand j'avais trente ans, afin de pouvoir faire l'amour tranquillement. Maintenant on connaît les conséquences éventuelles.

— Lee, ce n'est pas...

— Si seulement je n'avais pas attendu si longtemps ! Mais non, il fallait que ma vie soit parfaite : une carrière, une maison, un mari ! Pourquoi ne me suis-je pas mariée avant trente ans ? J'ai toujours su ce que je voulais. J'ai travaillé d'arrache-pied pour atteindre mes objectifs, et j'ai toujours réussi. Maintenant, tout s'écroule. Je suis comme paralysée, impuissante, incapable de résoudre ce problème.

J'ai sangloté de plus belle, tant j'étais gênée.

Rudy s'est assise à côté de moi.

— Ce doit être difficile pour toi, au travail, déclara-t-elle. Avec tous ces enfants... Il a fallu que tu exerces ce métier-là...

— Oui, admis-je en sanglotant.

J'étais heureuse que quelqu'un l'ait enfin verbalisé. C'était peut-être trop évident : j'étais responsable d'un centre pour enfants. Le destin est parfois cruel. La vie me jouait un sale tour.

— C'est horrible. Je ne sais pas si je vais continuer, tant ça fait mal.

— Pauvre Lee, dit Emma en m'enlaçant.

— C'est une torture permanente. Hélas, je n'ai pas le choix. Je pourrais être consultante, écrire des articles, un manuel, peut-être... Mais ce serait toujours...

— Dans le domaine de l'enfance, compléta Rudy. Encore et toujours.

— Oui. De toute façon, même si je travaillais dans une banque, je verrais toujours des bébés dans la rue, des femmes allaiter leur enfant ou acheter des couches, je lirais des articles sur ces adolescentes qui jettent leur nouveau-né dans une benne à ordures.

Isabel m'a enlacée à son tour, posant sa joue contre la mienne.

— Continue... C'est bon de pleurer. Tu en as parlé à Henry ? Je parie qu'il meurt d'envie d'en discuter.

Je me suis dégagée de leur étreinte. J'avais honte, je ne me sentais pas digne de leur compassion. Il fallait que je parle :

— Je suis furieuse contre lui ! J'essaie de me maîtriser, car je sais que c'est irrationnel, mais je n'y peux rien. Je me gave de médicaments, j'ai fait des millions d'analyses en tout genre, j'ai été sondée, piquée, pénétrée... Et lui, il n'a qu'à se masturber !

Je n'ai pu m'empêcher de sourire en voyant Emma grommeler dans sa barbe.

— Au plus profond de moi, je lui en veux terriblement. Peu importe que ce ne soit pas de sa faute. Je sais que c'est presque aussi dur pour lui. Pour Henry, la sexualité relève de l'intimité. Il ne supporte pas les questions des infirmières et des médecins sur nos rapports. Il a même eu une réflexion déplacée sur le groupe.

— Ah bon ?

— À propos de personne en particulier, mais il se rend compte que vous êtes au courant de nos moindres petits secrets, et il déteste ça. Il a horreur d'aller à la clinique donner son sperme, car tout le monde sait exactement ce qui se passe. Il se sent ridicule. D'autant que c'est à cause de son sperme que nous subissons ces épreuves...

— Il culpabilise, commenta Rudy. Il se sent incapable de te donner ce que tu souhaites le plus au monde.

J'ai hoché la tête.

— S'il veut à ce point être père, c'est en partie pour compenser l'absence du sien. Certaines douleurs de son enfance remontent à la surface, ce qui ne fait qu'aggraver la situation.

— Une double malédiction, fit Emma.

— Exactement.

J'étais subjuguée d'avoir réussi à évacuer mon angoisse et de recevoir tant de compréhension et de compassion en retour. Naturellement, il y avait bien d'autres choses que je ne pouvais pas révéler... Comme mon regret de ne pas avoir épousé quelqu'un d'autre, n'importe quel homme qui aurait pu me donner des enfants. Et, bien sûr, je ne pouvais leur confier combien nos rapports sexuels s'étaient dégradés. Nous ne faisions plus l'amour que si c'était nécessaire. Pour quelle autre raison ? La passion ? Il n'y en avait pas. Je me sentais moche, asexuée, et Henry avait l'impression d'être nul. Nos rapports étaient mécaniques... La dernière fois que nous avons essayé, je n'ai pas eu d'orgasme, et lui tout juste. J'aurais pu simuler, mais je m'en moquais. Nous étions tellement embarrassés que nous n'avons plus recommencé.

— Et une thérapie ? suggéra Rudy. Si vous alliez en parler à quelqu'un ?

— Henry refuse, et pas question d'y aller seule.

— Ça va s'arranger, assura Emma. La situation peut changer du jour au lendemain, tu sais. Un coup de fil de la clinique, un test positif...

— C'est ce que je me répète depuis des mois ! Attendre et espérer, attendre et espérer. Ma vie se résume à ça, désormais !

— Lee, intervint doucement Isabel, tu n'évoques jamais la possibilité d'une adoption.

— Non, parce que Henry ne veut pas, il tient à avoir un enfant à lui. Moi aussi... de même que mes parents.

— Tes parents ?

— Attends, fit Emma, Henry ne veut pas adopter ? Il te l'a dit ?

— Jenny affirme que son père est mort au Vietnam mais, en vérité... C'est un secret... Henry pense qu'elle ne sait même pas qui c'est. C'est pour cela qu'il veut un enfant biologique. Nous en avons parlé, au début, et nous étions d'accord.

— Peut-être que maintenant...

— Non, je suis motivée et je ne laisserai pas tomber ! Je l'aurai, cet enfant !

— Même si cela te rend dingue...

— Cela ne me rend pas dingue, Rudy. Je suis déterminée à ne pas baisser les bras. Il y a une différence.

— Je ne voulais pas dire folle comme moi. Tu es la plus saine d'esprit du groupe, Lee.

— Parle pour toi ! objecta Emma.

Nous avons ri, ravies que le problème soit réglé.

— Bon, ça suffit ! ai-je décrété.

J'étais gênée d'être au centre de l'attention. De plus, je n'avais pas envie de parler de mes parents. Ils voulaient un petit-enfant biologique, un petit Pavlik porteur des gènes de notre génie. Leur attitude me dérangeait, et j'imaginais déjà les commentaires d'Emma...

— Vous avez raison, tout va s'arranger, dis-je en me levant. Mais cela prend du temps et c'est fatigant. Vous êtes adorables. Mon quart d'heure de parole est écoulé ! ajoutai-je riant, et je me sens beaucoup mieux.

Si elles n'en crurent pas un mot, elles cessèrent de me tourner autour pour préparer des boissons et les porter sur la terrasse. C'était comme si nous venions de nous rappeler que nous fêtions notre anniversaire. Il ne fallait pas que ce week-end parte en vrille. Naturellement, elles parleraient de moi dès que j'aurais le dos tourné : « Pauvre Lee, je ne savais pas, je ne l'ai jamais vue dans cet état, cela ne lui ressemble pas. » Moi non plus, je ne me suis jamais vue comme ça. Je ne me reconnais plus. Je veux retrouver ma vie d'avant...

Le soleil couchant était si aveuglant que nous avons dû tourner nos sièges jusqu'à ce qu'il disparaisse sous l'horizon brumeux. « C'est ça, la vie ! », répétions-nous à loisir, confortablement allongées, les pieds nus sur la balustrade.

Rudy ne se rappelait pas si c'était la troisième ou la quatrième fois que nous célébrions notre anniversaire à Hatteras. Sa question a réveillé bien des souvenirs.

— Et si on allait se promener sur la plage ? ai-je soudain suggéré.

Je leur réservais une surprise pour le lendemain soir. Pour l'heure, la nostalgie risquait de tout gâcher.

C'était la marée descendante. Deux par deux, nous avons longé la côte : Rudy et Emma dans l'eau, le pantalon roulé jusqu'aux genoux, Isabel et moi sur le sable mouillé. Isabel était coiffée d'un joli foulard rouge et vert. Elle était superbe. Jamais on aurait imaginé qu'elle était malade. Elle affirmait que le traitement la faisait grossir, mais cela ne se voyait pas.

— Comment tu te sens ? ai-je demandé.

— Très bien.

— La route a été longue. Moi, je suis crevée. Tu es sûre que ça va ?

— Ça va.

— Et Kirby ?

— Très bien. Il t'embrasse.

— Je l'aime beaucoup, dis-je avec un sourire. Au début, j'ai eu des doutes, je l'admets. Et après ta première séance de chimio...

— Quelle nuit ! répondit-elle en hochant la tête.

La semaine dernière, sa deuxième séance s'était bien mieux déroulée que la première. Les nausées avaient duré moins longtemps. Je ne suis pas restée avec elle. Emma lui a tenu compagnie, mais pas toute la nuit.

— Alors... il est toujours amoureux de toi ?

Elle a secoué légèrement la tête, pas pour répondre, pour chasser la question.

Elle ne voulait jamais parler de Kirby, si ce n'est pour me confier que ses sentiments tombaient au mauvais moment et qu'elle se réjouissait de son amitié. Était-elle triste ? La sérénité d'Isabel n'a pas que des avantages : parfois, c'est un mur entre nous.

Je ne cessais de ralentir pour m'adapter à son pas. Puis elle a fini par s'arrêter.

— Continue, Lee. Je vais m'asseoir un moment pour regarder la mer.

— Tu es fatiguée. Je reste avec toi.

— Non, continue. Rattrape Emma et Rudy. Vous me prendrez sur le chemin du retour.

C'est le genre d'incident que je ne supporte pas. Isabel me porte à croire qu'elle n'a rien de grave, si bien que, parfois, j'oublie... Puis elle a une faiblesse, ou alors je la surprends en train de s'asseoir avec précaution, comme une vieille dame fourbue d'arthrite, et la réalité me tombe dessus. À chaque fois, c'est un choc. Il doit en être de même pour elle, en pire. En bien pire...

Nous avons soupé dans la salle à manger, à la lueur des bougies, avec de la musique douce et un bouquet de fleurs dérobées dans le jardin des voisins. C'était succulent, même les pommes de terre au micro-ondes. Nous avons porté de nombreux toasts et, à la fin du repas, nous étions plutôt joyeuses. Mon coup d'éclat semblait oublié. En réalité, je crois qu'il a plané au-dessus de nous toute la soirée et nous a rendues plus attentionnées envers les autres. Emma s'est particulièrement bien comportée : elle m'a parlé gentiment, sans le moindre sarcasme. Elle ne cessait de me toucher, de poser une main sur la mienne, de me prendre le bras pour partager une plaisanterie. J'ai vraiment dû lui faire peur...

Nous avons pris le café dehors, dans nos chaises longues, pour écouter les vagues et regarder les nuages passer devant la lune. C'était une belle soirée douce et étoilée. La brise soufflait de l'océan. Neap Tide ne se trouve pas directement sur le front de mer mais, depuis la terrasse, on voit l'Atlantique à gauche et le Pamlico Sound à droite. La nuit, on entend la mer aussi clairement que sur la plage.

— Au fait, je ne suis pas enceinte, moi non plus, au cas où quelqu'un se poserait la question... annonça Rudy de but en blanc, au cours d'un creux dans la conversation.

Elle avait étendu ses longues jambes, ses bras fins repliés derrière la tête avec grâce. Nous avons affiché un air détaché. Le clair de lune scintillait sur les cheveux noirs de Rudy et dans ses yeux gris. Même dans la pénombre, elle est captivante. Au moment où j'allais dire quelque chose, elle s'est penchée vers moi.

— Surtout, ne crois pas que je n'en parle pas pour te ménager, hein. Ce serait...

— Condescendant ? hasarda Emma, et inutile, ajouta-t-elle avec un sourire.

— C'est ça, fit Rudy. Donc je tenais à ce que vous le sachiez.

Pour dire la vérité, j'avais complètement oublié qu'elle et Curtis essayaient d'avoir un enfant.

— Tu es inquiète ? lui ai-je demandé. Cela fait combien de temps ?

— Depuis janvier. Je suis un peu déçue. J'ai lu quelque part que s'il ne se passait rien au bout de six mois, il y avait peut-être un problème.

— Il paraît.

J'aurais bien aimé le savoir, moi, il y a deux ans...

Emma scruta Rudy.

— Tu crois vraiment qu'il y a un problème ? Tu suis tes courbes de température et tout ça ?

— Pas au début, mais depuis deux mois, oui.

— Deux mois, ce n'est rien, déclara Isabel.

— Je sais, fit Rudy avec un long soupir de frustration.

— Comment va Curtis ? ai-je demandé. Il aime son nouveau travail ?

— Curtis...

Elle hésita tellement longtemps que tous les regards se sont posés sur elle.

— Hmmm ?

Nous n'avons pas insisté. C'était trop récent. Nous ne savions pas encore quoi penser, si tant est qu'il y ait quelque chose à en penser. Emma semblait contrariée.

— Quelle nuit superbe, déclara Isabel. Vous sentez cette brise ? Cela vous ennuie si j'enlève mon foulard ?

Nous avons pouffé, protesté, Emma a même juré.

— Nom de Dieu, Isabel, comment peux-tu poser cette question ?

En vérité, cela me fait toujours un choc de voir son crâne chauve. Mais l'on s'y habitue vite. Je trouve même qu'elle est mignonne. Naturellement, elle n'est pas de cet avis. Toutefois, j'ai du mal à distinguer cette calvitie de sa maladie. Comment la regarder sans avoir de la peine ?

— Alors, comment ça se passe ? demanda doucement Emma en tendant le bras vers le dossier de la chaise d'Isabel. Comment vont tous les petits tracas ?

Isabel lui a souri.

— Ça va. Je me fatigue vite. C'est ça le pire.

— Et ta hanche ?

Isabel avait des douleurs, ces derniers temps. Si elle n'en faisait pas grand cas, il lui arrivait de boiter.

— Quand cela empirera, je pourrai subir des rayons.

— Tu veux dire *si* cela empire, objectai-je.

— Oui.

— Parce que la chimio devrait te soigner. C'est le but du jeu, non ?

Elle a hoché la tête en souriant. Parfois, je trouve que mon attitude est plus positive que la sienne.

— Bon, ça c'était pour le corps, dit Emma. Et la tête ?

— Ça va aussi. J'ai bon espoir.

Nous avons écouté le son de ce mot. Isabel énonce toujours des vérités simples. Nous ne pouvions rien attendre de mieux de sa part.

Rudy s'est levée pour se placer derrière elle.

— On va essayer quelque chose. J'ai lu des articles sur la thérapie du toucher.

— Tu crois posséder ce pouvoir ? railla Emma avec un sourire de biais.

— C'est possible. Toi aussi, d'ailleurs, Madame Je-sais-tout. Pour le savoir, il faut avoir essayé.

— Il suffit sans doute d'y croire, dis-je un peu froidement.

Parfois, le cynisme d'Emma m'agace. Isabel a fermé les yeux, puis elle a souri.

— Chut ! fit Rudy. Ayez des pensées positives. Je place mes mains comme ça, de façon à te frôler, et je sens ton aura, Isabel.

Elle a remué lentement ses longs doigts à deux centimètres de la tête d'Isabel. Puis elle est descendue le long de son cou, ses épaules, ses bras.

— Je te fais la totale, murmura Rudy.

Isabel hocha la tête.

— Tu sens quelque chose ?

— La chaleur de tes mains.

J'ai tourné la tête pour foudroyer Emma d'un regard de triomphe, mais elle avait les yeux fermés, en pleine concentration.

— Je sais que je sens ton énergie, affirma Rudy. Quelle hanche te fait mal ?

— Celle-ci, répondit Isabel.

Rudy passa les mains dessus.

J'ai fermé les yeux à mon tour pour me livrer à ma méditation favorite. J'imagine une sorte de peloton d'exécution mexicain. Les cellules cancéreuses d'Isabel sont des brigands vêtus de noir, un ceinturon en bandoulière. Enfin, ils ressemblent plutôt à des haricots coiffés de sombreros. Ils se tiennent en rang face à un groupe de soldats qui les visent et les tuent de leurs longs fusils noirs. Ils s'écroulent, puis une nouvelle rangée de cellules cancéreuses se présente. Pan, elles sont mortes aussi ! Puis une autre. C'est très efficace et cela peut durer indéfiniment.

Sa manipulation terminée, Rudy reprit sa place.

— Tu veux essayer ? proposa-t-elle à Emma.

— Oh non ! Isabel est une amie. Je ne voudrais pas lui provoquer une récidive.

Elles ont ri, mais j'ai trouvé la blague de mauvais goût.

Je me suis éloignée un instant. Derrière la porte fermée, j'entendais clairement la voix d'Emma s'élever peu à peu, de plus en plus stridente, colérique. À mon retour, elle était debout, dos à la balustrade, fulminante.

— Je déteste le lien corps-esprit ! Et je ne supporte pas ce Shorter ! Je trouve qu'il a fait plus de mal aux malades que quiconque depuis les sangsues !

— Qui est Shorter ? ai-je demandé à Rudy.

— Un médecin qui a écrit un livre sur...

— C'est un imbécile ! Il m'énerve. Si vous croyez ses conneries, alors vous considérez qu'Isabel s'est infligé son cancer en étant fragile sur le plan émotionnel. Va te faire foutre, Shorter ! Isabel n'est pas responsable de son cancer !

— Emma, ce n'est pas exactement...

— Ce qui me tue, c'est qu'un prétendu médecin soit aussi stupide et si destructeur. Quand Isabel n'a pas le moral – ce qui peut se comprendre, de temps en temps, au vu des circonstances – Shorter lui dit qu'elle fait pousser ses tumeurs ! Quel crétin !

— Je ne crois pas qu'il affirme... reprit Isabel.

— C'est un imbécile ! Où est passée la science ? Isabel, il te dit en gros que tu t'es rendue malade toi-même. Et les microbes ? Hein ? Et l'hérédité ? Et le tabac ? Et l'amiante ? Les nitrates ? La pollution ?

L'air marin lui dressait les cheveux sur la tête tandis qu'elle allait et venait. Plusieurs fois, elle a martelé la balustrade de son poing. Elle n'était pas ivre, elle était simplement furieuse.

— Quelle est la différence entre Shorter qui attribue ton cancer à tes névroses et Jerry Falwell qui assimile le sida au péché ? Le cancer, ça arrive. On n'en est pas responsable. La vie est injuste. Ai-je vraiment besoin de le dire ? Le fait est, Isabel, que tu n'as pas eu de chance. Voilà tout. C'est un coup dur.

— J'entends ce que tu dis. Assieds-toi, Emma. Arrête de faire les cent pas, veux-tu ? Parfois, je pense comme toi. Hélas, que cela nous plaise ou non, il existe un lien entre le physique et le mental. Les gens qui n'ont pas la foi meurent plus jeunes, par exemple. C'est prouvé.

— Pas pour moi.

Isabel eut l'air agacée.

— Eh bien, je ne saurais pas te l'expliquer... c'est une question de neuropeptides, de cellules T, d'endorphines, un truc comme ça. Le cerveau communique avec le corps. Tu peux me croire sur parole !

— D'accord, maugréa Emma en s'affalant sur sa chaise longue, boudeuse.

— Je comprends, déclara Rudy avec compassion. Cela ne me plaît pas non plus, cette idée qu'on puisse se rendre soi-même malade...

— Qu'Isabel se soit rendue malade ? reprit Emma. C'est n'importe quoi ! Tu mènes ta vie du mieux possible, en essayant de ne faire de mal à personne, et paf, un jour, tu as un cancer. Et voilà que ce... taré débarque et écrit un best-seller disant que c'est de ta faute. C'est insultant !

— Tu exagères et tu le sais, déclara Isabel. Tous ces auteurs, Shorter ou autre, ne prétendent pas que c'est de notre faute.

— Ils le sous-entendent.

— Emma, intervint Rudy, tu trouves que nos cercles de guérison sont une niaiserie ? Tu crois que, quand Isabel médite, ça ne sert à rien ?

— Non, absolument pas !

— Alors si tu penses que je peux faciliter ma guérison par la pensée positive, pourquoi n'acceptes-tu pas que mes pensées négatives aient contribué à me rendre malade ?

— Tu crois ça ? demanda Emma en se tournant vers elle avec fougue.

— Je ne sais pas. C'est possible, en tout cas.

— Je ne suis pas d'accord. Pour quelqu'un d'autre, peut-être, mais pas toi, Isabel. Pas toi !

Un silence pesant s'installa. Allions-nous fondre en larmes ?

C'est moi qui ai enfin pris la parole d'une petite voix bizarre :

— Je suis d'accord avec Emma.

Elles m'ont regardée d'un air curieux. Je me suis raclé la gorge avant de poursuivre :

— Je crois que, parfois, on peut se rendre malade. Parfois aussi, cela se produit comme ça. Isabel n'est pas toxique. Il n'y a pas plus... (j'ai cherché mes mots) plus pur qu'elle. Je suis sincère. Il n'y a pas plus doux... Et personne ne mérite ça moins qu'elle, ai-je conclu dans un murmure.

Isabel m'a tendu la main, puis elle m'a attirée vers elle. Au lieu de pleurer, nous nous sommes toutes regardées. Je ressentais un mélange de peur et d'exaltation. J'ignore à quel point je crois au lien corps-esprit, mais si ce qu'on raconte est exact, il y avait suffisamment d'énergie psychique entre nous, en cet instant, pour guérir un service entier de soins palliatifs.

Nous avons passé le samedi matin sur la plage, à écouter Emma nous mettre en garde contre les méfaits du soleil.

— Le temps couvert est trompeur, répétait-elle, recroquevillée sur une chaise longue, couverte de serviettes et badigeonnée de crème solaire.

Je la comprends : elle est blonde, elle a des taches de rousseur, elle brûle, puis elle pèle. Cependant, elle radotait comme un disque rayé.

— D'accord, mais quand nous serons vieilles et que les gens se demanderont pourquoi une charmante jeune femme comme moi sert de garde-malade à trois vieilles peaux, vous...

— On le regrettera amèrement, marmonna Rudy dans le creux de son bras, le visage sur sa serviette à fleurs.

Rudy ne sera jamais une vieille peau. À la voir élancée, mince et bronzée, en bikini, j'étais jalouse de son corps, comme nous toutes. Comment ne pas l'être ? Jusqu'à la veille, j'enviais aussi sa vie amoureuse. Enfin, sa vie sexuelle, pas sa vie amoureuse, ni son couple, ou quoi que ce soit de Curtis Lloyd. J'avais toujours imaginé que Curtis et elle s'éclataient au lit. Cela dit, je me fondais uniquement sur le fait qu'ils sont beaux tous les deux. Et ils n'arrivaient pas à concevoir un enfant, enfin jusqu'à présent... Je me sentais superficielle et bête d'avoir associé la beauté physique à la fertilité. Je devrais être au-dessus de cela : je suis mariée avec Henry.

Et il y a autre chose, de plus difficile à avouer, une part d'ombre en moi qui se réjouissait secrètement de leurs difficultés. J'ai honte, c'est ainsi. Bien sûr, je souhaite à Rudy d'avoir un enfant, mais je veux que Henry et moi soyons les premiers.

— Je vais faire un tour ! annonça Isabel en secouant sa serviette pour la poser sur ses épaules.

— Tu veux que je t'accompagne ? ai-je proposé.

— Non merci. Ce ne sera pas long.

Nous l'avons regardée s'éloigner tranquillement et, dès qu'elle a été trop loin pour nous entendre, nous avons parlé d'elle.

C'est systématique quand nous sommes toutes les trois, désormais. Au début, nous avions des scrupules. Plus maintenant. Nous échangeons nos informations sur le cancer, les confidences d'Isabel, les détails sur son état, sa voix...

— Elle a l'air bien.

— Elle marche lentement, quand même.

— Elle ne s'est pas encore baignée.

— Elle n'est pas très solide. Si elle se baigne, il faudra que quelqu'un aille avec elle.

— Je crois qu'elle ne mange pas assez.

— Elle dit que la chimio lui laisse un goût bizarre dans la bouche.

— Apparemment, elle garde une bonne attitude.

— Vous ne croyez pas qu'elle fait semblant d'être positive pour nous rassurer ?

— Même si c'est le cas, ça lui fait du bien. Vous avez lu cette étude sur le sourire qui rend heureux ?

— Elle va guérir. Elle fait tout pour ça et la chimio fonctionne.

— Si elle ne la tue pas...

— Heureusement que Kirby est là.

— Vous croyez qu'ils vont se mettre ensemble ?

— Moi oui. Dès qu'elle aura repris des forces.

— Vous avez vu son collage ?

— Non.

— Quel collage ?

— Sur le mur de sa chambre. Elle a représenté sa vie. Son passé, son avenir, ses étapes, ses événements majeurs, avec des photos d'elle quand elle était petite, ses parents, son mariage, Terry, nous...

— Nous ?

— Et des dessins d'elle avec son cancer, ses efforts pour le vaincre.

— Isabel ne sait pas dessiner.

— Ce ne sont que des croquis.

— Qu'a-t-elle mis pour représenter son avenir ?

— Des images issues de brochures d'agences de voyages. L'Inde, le Népal... Un diplôme, une photo d'elle avec Terry, une autre photo de nous. Ah, et l'en-tête du magazine de l'AARP[7]. Et à la fin, un bébé.

— Un bébé ?

— Elle dit que c'est elle. Enfin, sa réincarnation.

— Ah... fit Rudy en hochant la tête.

— Enfin, faut voir... conclut Emma, avec un sourire plein d'espoir.

Le soir, nous avons mangé dans un nouveau restaurant de fruits de mer de Hatteras. Le temps avait été couvert toute la journée. Lors de notre trajet de retour, il s'est mis à pleuvoir.

— C'en est fini de notre promenade au clair de lune sur la plage, gémit Rudy. Passons louer un film au club vidéo.

J'étais la seule à ne pas être d'accord :

— Non, non, faisons autre chose !

— Quoi, par exemple ?

Je n'avais pas d'idée. La conversation tournant au ridicule, j'ai dû intervenir :

— Bon, très bien, je vais être obligée de gâcher ma surprise : j'ai déjà une vidéo pour ce soir.

— Ah bon ?

— Laquelle ?

— Je refuse de regarder des dessins animés, prévint Emma, visiblement lassée d'être gentille avec moi.

C'était une référence un peu désobligeante à la dernière fois que j'avais loué nos vidéos de bord de mer : *Le Bossu de Notre-Dame*, *Pocahontas* et *Aladin*. J'aurais dû me douter qu'elle détestait Walt Disney.

---

7. American Association of Retired Persons : lobby dont le siège se trouve à Washington, et dont le but est d'améliorer la vie des personnes à la retraite.

— Ce ne sont pas des dessins animés, c'est nous. Dix ans de Grâces. J'ai monté nos vieux films pour notre anniversaire. Vingt-six minutes.

— C'est formidable ! s'exclama Isabel.

Rudy a lâché le volant pour applaudir. Même Emma semblait ravie. Certes, elle n'a pas pu s'empêcher de s'affaisser sur son siège en maugréant :

— Oh, non, pas un film de vacances...

Elle plaisantait. En réalité, elle était aussi enchantée que les autres, ce qui m'a fait plaisir. Parfois, la Grâce la plus organisée, la plus compétente et pragmatique reçoit la reconnaissance qu'elle mérite. Mais c'est rare.

— Va chez le coiffeur, DeWitt ! (Emma fit une grimace en apercevant son image, sur l'écran.) Mauvaise année, sur le plan capillaire. Pourquoi personne ne m'a rien dit ?

— Chut, je n'entends rien !

— Qui m'a laissée sortir avec cette robe ? s'insurgea Rudy. Le beige ne me va pas du tout.

— Vous vous souvenez quand on s'est teint les cheveux ?

— Je vous trouve superbes, commenta Isabel.

— Mon Dieu, regardez comme j'étais mince ! s'émerveilla Emma en désignant l'écran. C'était en quelle année ?

— Tu es toujours mince, même si tu ne le vois pas, répondit Rudy.

— Ouais, c'est ça...

— J'ai lu que les femmes qui ont une image positive de leur corps ont deux fois plus d'orgasmes.

— Eh bien, ne t'en fais pas pour moi, je suis très bien dans...

— Chut ! ai-je répété. Si vous vous taisiez, on entendrait peut-être ce qu'on raconte ! En général, on parle toutes en même temps. Cela me surprend toujours quand je regarde de vieux films : on ne se tait pas une seconde ! Et nos propos ne semblent jamais importants, ni particulièrement cohérents. Pourtant, à l'époque, nous étions lucides et concises, non ?

— Le séjour « remise en forme » ! Vous vous souvenez ? s'exclama Emma en se désignant à l'écran. J'avais perdu trois kilos en six jours.

— Moi un et demi.

— Et moi deux, que j'ai repris.

— La première semaine.

— Nous devrions y retourner, suggéra Rudy. C'était vraiment cool.

Nous avons ri en voyant Emma et Rudy dans la cabane des Poconos où nous avons passé une semaine, en 1990, lors d'un séjour « remise en forme ». L'institut de cette pauvre femme n'était en fait qu'une auberge. Nous étions allées là-bas au lieu d'opter pour un établissement de meilleure qualité parce qu'Emma n'avait pas d'argent, à l'époque.

— Quelle imbécile ! railla Rudy avec affection en ébouriffant les cheveux d'Emma. Pourquoi tu n'as jamais l'air normal ?

C'est la vérité. Chaque fois que je pointe la caméra sur Emma, elle tourne le dos ou grimace, quand ce n'est pas un geste obscène quoique subtil : elle pose par exemple le menton sur sa main en dressant le majeur le long de sa joue, le tout avec un sourire espiègle sans doute drôle, mais puéril. Je ne compte plus les portraits de groupe qu'elle a gâchés en se moquant de quelqu'un à la dernière seconde.

Je suis rarement présente dans ces films, car je tiens la caméra, un rôle ingrat que les autres tolèrent à peine... Jusqu'au moment de regarder le résultat concret de mes efforts. Alors là, pas moyen de les éloigner de l'écran.

— Ah, voilà ! Enfin, j'espère, dit Emma en se frottant les mains. Lee, tu l'as mise, hein ? Je parie que tu l'as coupée.

J'aurais en effet dû censurer cette scène. Si seulement cela réduisait au silence celles qui me reprochent de manquer de dérision. Voilà pourquoi j'aime jouer les vidéastes : j'ai constaté ce qui se passait quand quelqu'un d'autre, en l'occurrence Emma, s'emparait de la caméra.

C'était lors d'un de nos soupers, dans la maison que Rudy et Curtis venaient d'acheter à Capitol Hill. J'avais apporté ma caméra pour filmer les lieux, dans l'intention d'offrir la bande à Rudy, afin qu'elle l'envoie à sa mère ou à sa sœur. Sa famille ne vient jamais la voir. C'était sans doute le seul moyen de montrer aux siens son nouveau foyer. Je sortais de mon cours de danse classique. J'avais chaud, et je ne me sentais pas à l'aise. J'ai donc demandé à Rudy si je pouvais prendre une douche avant le repas.

— Ça vient, ça vient ! jubila Emma.

Rudy et Isabel gloussaient déjà. La caméra tremblante, mal dirigée, a montré une porte close. Puis une main a tourné la poignée. La voix innocente d'Emma a déclaré :

— Hum... Je me demande ce qu'il y a là-dedans. Qu'est-ce qui peut se cacher à l'intérieur ? On jette un coup d'œil ?

Dès qu'elle a ouvert la porte, un nuage de vapeur est apparu.

— Oui ? a fait ma voix couverte par le bruit du jet d'eau.

Cela les amuse toujours. Mon ton collet monté, sans doute...

La caméra avance. Dans la buée, on discerne le rideau de douche à rayures bleues et blanches.

— Oui ? fis-je, derrière le rideau.

— Je viens juste chercher un (inaudible)... répond Emma.

— Ah, OK, dis-je, toujours aimable.

Une main écarte le rideau, et me voilà, entièrement nue, de face. Sauf que je me lave les cheveux, les yeux fermés, de sorte que je ne me rends compte de cette indignité qu'au bout de quinze secondes (je le sais car Henry m'a chronométrée). Quinze secondes, c'est long, quand on est nue à l'écran sans le savoir. J'aurais pu continuer plus longtemps si Emma n'avait pas déclaré d'une voix sensuelle :

— Coucou...

J'ai ouvert les yeux, puis la bouche, et j'ai crié.

Black-out.

Très drôle... Mes amies étaient écroulées de rire sur le canapé. Même Isabel. J'ai ri avec elles, un peu jaune, certes. Cet incident remonte à plus de sept ans, et je cherche encore un moyen de me venger d'Emma. Je n'ai encore rien trouvé d'aussi bon, mais cela viendra. Oh oui...

Ensuite, le film passait au mariage de Rudy.

— Oh, regardez Henry ! Ses cheveux !

— Quel colosse...

C'est la partie de la vidéo que je préfère. Notre premier rendez-vous. Rudy avait organisé un mariage traditionnel, or Henry arborait une veste en velours côtelé, un pantalon marron et pas de cravate. Et sa tenue incongrue n'avait aucune importance. Je m'en moquais ! Quand je m'en suis rendu compte, j'ai compris que je devais être amoureuse. Et ses cheveux... Ils étaient longs, épais, superbes, plus beaux que ceux d'Emma et à peu près de la même couleur.

— Ouah, vous êtes sublimes, souffla-t-elle.

C'était la vérité. Quelqu'un, je crois que c'était Isabel, nous avait filmés en train de danser. L'orchestre jouait *Sea Of Love*. Henry et moi semblions effectivement noyés dans un océan d'amour. En tout cas, nous avions l'air bien partis... Si j'avais su à quel point cela se voyait, je me serais enfouie sous terre. C'en est à la fois gênant et agréable. J'aime bien regarder ces images et je me repasse souvent cet extrait, parce qu'il ne dure pas assez longtemps, à mes yeux. Je suis fascinée par la façon dont Henry me prend par la taille, par mes mains sur sa nuque, mes doigts dans ses cheveux. Nos visages se frôlent, comme si nous allions nous embrasser. De véritables préliminaires en public. Quelques heures plus tard, nous étions dans mon lit, à faire l'amour pour la première fois.

Vint ensuite une fête donnée dans le jardin d'Isabel, à l'été 1995. À l'apparition de Gary, Emma a sifflé. Isabel a paru un peu nostalgique. Je pense qu'elle lui a vraiment pardonné. Avec son pantalon à carreaux et son pull aux manches relevées, il semblait affable et sûr de lui. La caméra ne ment jamais, dit-on. En voyant l'objectif, il a affiché un large sourire en ouvrant les bras. « Regardez-moi ! Je suis un bon gros nounours ! » Je me rappelle l'époque où je l'aimais bien. Sa façon de flirter était touchante, voire un peu flatteuse. Désormais, il me dégoûte.

— Lisa Ommert ! s'exclama Rudy. Je me demande ce qu'elle devient. Quelqu'un a de ses nouvelles ? Elle a tenu combien de temps ? Un an ?

— Neuf mois, précisai-je en regardant Lisa.

Elle avait fait partie des Grâces jusqu'à ce qu'elle parte s'installer en Suisse avec son mari. Sur l'écran, elle était en grande conversation avec Gary, Emma et Peter Dickenson, le petit ami d'Emma, à l'époque.

— Je me demande de quoi nous pouvions bien parler, commenta Emma d'un ton étrangement morne.

— C'était la fin de la soirée, souligna Rudy. On était sans doute saouls.

— Pas du tout !

Du coin de l'œil, j'ai observé Emma. Peter et elle avaient rompu brutalement. Amoureux un jour, séparés le lendemain. Et nous n'avons toujours pas le droit de lui demander pourquoi. Rudy le sait, pas Isabel, ni moi. Enfin, Isabel l'a peut-être compris par intuition. Selon moi, il y avait une autre femme, et Emma l'aurait appris dans des circonstances terribles et humiliantes. Je ne vois pas ce qui a pu arriver de si douloureux que, des années plus tard, on ne puisse toujours pas en parler.

— Comment ça se passe avec Clay ? ai-je demandé d'un ton désinvolte.

Clay est l'homme que Sally Draco tenait à lui faire rencontrer. J'avais été sidérée qu'elle accepte. Et je l'étais encore davantage quand elle l'a revu. Le premier rendez-vous devait se dérouler à quatre, mais Sally et Mick se sont décommandés au dernier moment, car il était soi-disant malade.

— Ça va, marmonna Emma.

— C'est tout ?

Elle a haussé les épaules, les yeux rivés sur l'écran, entêtée, comme souvent ces derniers temps quand on parle des hommes. Son attitude signifiait : zone interdite.

— C'est bon, excuse-moi. Je ne te savais pas aussi sensible...

— Les filles ! protesta Rudy.

Emma était penchée en avant, les avant-bras sur les genoux, l'air tendu.

— Désolée, fit-elle en se redressant aussitôt, un sourire aux lèvres.

— D'accord, dis-je en pensant « moi aussi ». Je ne sais même pas pourquoi nous nous excusions, mais c'était bon de se réconcilier.

Les dernières minutes du film remontaient à un an tout juste, ici même, à Neap Tide, où nous fêtions notre neuvième anniversaire. Une conclusion idéale pour une rétrospective. Nous étions tellement... spéciales. Le terme exact, c'est idiosyncratique, je crois. Bref, nous étions nous-mêmes : Emma, sur une chaise longue, dans le sable, emmitouflée dans des serviettes et un sweat-shirt à capuche, plongée dans son bouquin ; Rudy superbe et bronzée, à côté d'elle, en train de siroter un Bloody Mary dans un thermos ; Isabel revenait en courant de sa baignade, les cheveux trempés, les lèvres bleuies, riant d'un rien, simplement heureuse. Même l'image que Rudy a prise de moi est caractéristique. Je suis dans la cuisine, en train de coller sur la porte du réfrigérateur un tableau que je viens de rédiger : « Suggestions de répartition des tâches, 14/6 – 17/6. » Je me souviens que, plus tard, Emma a ajouté la tâche « dormir », avec son nom inscrit dans toutes les cases. Ce fut un week-end joyeux, ça oui ! Et pourtant, en nous regardant crier, faire les folles, je me suis sentie triste. Nous avions l'air si insouciantes... Bien des épreuves nous attendaient, mais nous étions trop occupées à être « nous-mêmes » et à trouver normal qu'il en soit toujours ainsi pour penser à l'avenir.

La dernière scène était très artistique : les têtes à contre-jour d'Isabel, Rudy et Emma, sur la terrasse, à contempler un coucher de soleil rougeoyant. Ce ne sont que des silhouettes sombres contre le ciel écarlate, avec le murmure de leurs voix basses, admiratives. À la dernière seconde, Isabel m'a entendue et s'est retournée. Il reste juste assez de lumière pour voir son sourire.

Fondu.

— Vous vous souvenez de quoi on a parlé, ce soir-là ? demanda Isabel après un silence.

— Moi oui, répondit Rudy.

— De nos buts dans la vie, dis-je.

— C'est ça, approuva Isabel. J'ai raconté que je voulais finir ma licence, puis travailler auprès de personnes du troisième âge et voyager.

— Je voulais un bébé.

— Moi, j'ai déclaré que je n'avais pas d'idée, intervint Rudy en se tournant vers Emma. Toi, tu voulais élever des vaches et voir James Brown en concert.

— Et passer une nuit avec Harrison Ford, ajouta Emma. Au fait, j'ai changé d'avis. Je préfère David Duchovny.

Je me rappelais mieux, à présent. Tout avait commencé par une discussion sur les ambitions, puis nous avions fini par évoquer ce que nous voulions réaliser avant d'être trop vieilles. Des choses que, sur notre lit de mort, nous regretterions de ne pas avoir accomplies. Je voulais participer à une émission télévisée sur les ventes aux enchères et danser dans *Casse-Noisette*. C'était un thème bien inoffensif, il y a un an. C'était drôle.

Je n'arrivais pas à regarder Isabel.

Puis elle a rompu le silence :

— Mes objectifs n'ont pas beaucoup changé, depuis ce soir-là. C'est bizarre, hein ? J'ai davantage de regrets, mais exactement les mêmes ambitions.

— Quels regrets ? demanda timidement Rudy.

— Oh...

Elle portait son foulard, dont elle se mit à tripoter nerveusement la frange qui tombait sur son épaule, souriant dans le vide, douce et mélancolique.

— Eh bien, mon plus grand regret est toujours là : de ne pas avoir déployé plus d'efforts pour sauver mon couple. Pour Terry, précisa-t-elle en voyant que nous allions protester. Je me fais peut-être des illusions, mais si Gary et moi avions trouvé un moyen de rester ensemble, Terry ne serait peut-être pas parti aussi loin. Enfin, je ne sais pas...

— Non, tu ne sais pas, confirma Emma, les lèvres pincées.

— J'ai de nouveaux regrets, maintenant, poursuivit-elle. Ils ne m'étaient jamais venus à l'esprit.

— Lesquels ?

— Eh bien... De ne pas avoir appris le piano, l'aquarelle, de ne pas avoir rencontré Carlos Castaneda pour lui demander si tout était vrai, dit-elle en riant. Je ne connais pas les étoiles, le chant des oiseaux. Je ne sais pas distinguer un pinson d'un roitelet. Et les fleurs sauvages...

Rudy a pris le bras d'Isabel et a posé la tête sur son épaule.

— Je n'ai jamais présenté la météo, joué la comédie, ni chanté, ni dansé... Je n'ai jamais composé un poème. Je ne suis pas grand-mère.

— Pourquoi ne le fais-tu pas ? s'enquit Emma après un silence pesant.

J'ai eu envie de l'embrasser.

— Tu peux y arriver ! reprit-elle. Enfin, peut-être pas la météo... Ils ne savent pas ce qu'ils manquent.

— Il me semble que Carlos Castaneda est mort, intervint Rudy.

— D'accord, mais le reste... Pourquoi pas, Isabel ? Je ne plaisante pas ! Tu peux composer un poème tout de suite, sans problème. Je t'aiderai. La semaine prochaine, achète de la peinture, un manuel d'astronomie et... c'était quoi, déjà ?

Isabel se mit à rire.

— ... Pour les oiseaux, dit Emma, tu peux te procurer un CD de leurs chants, avec la voix d'un type qui t'indique leur nom. Quant aux fleurs sauvages, tu peux acheter un livre et faire une promenade à Rock Creek Park. Quoi d'autre ? Les petits-enfants ? Pour ça, il faudra voir avec Terry.

— D'accord, dit Isabel en appuyant la tête sur le dossier du canapé.

Sa tristesse s'était envolée. Elle semblait détendue, amusée, bienveillante. Franchement, je ne suis pas envieuse de nature, mais j'aimerais être aussi douée qu'Emma pour remonter le moral de quelqu'un (quand elle veut bien s'en donner la peine).

— Vous voulez savoir quels sont mes regrets ? demanda Emma en comptant sur ses doigts. Ne jamais avoir conduit à cent cinquante kilomètres à l'heure, eu une longue conversation moralisatrice avec le pape, ne jamais être allée à Graceland...

— Attendez ! coupa Rudy. J'ai quelque chose à dire. À toi, Isabel, au nom de nous trois. Enfin, je sais que je parle aussi pour les autres. Je veux affirmer haut et fort que nous... d'abord, nous savons que tu vas t'en sortir.

Emma et moi avons hoché vigoureusement la tête.

— Ensuite, je voudrais qu'on prenne un engagement. Après tout, il est important de verbaliser les choses. Alors voilà : quoi qu'il arrive, nous sommes là. Je veux dire, nous serons toujours là, tu ne seras jamais seule, jamais. Oh là là, je m'exprime mal...

— Pas du tout, assura Emma. C'est très bien d'en parler. Tu n'auras jamais à affronter quoi que ce soit seule, Isabel. En fait, tu ne te débarrasseras jamais de nous.

Je n'ai pas pu renchérir, même si c'est ce qu'on attendait de moi. J'avais trop peur de fondre en larmes. J'étais incapable de prononcer un mot. Et si je pleurais, ce serait de colère autant que de chagrin. Comment osaient-elles lui parler comme si elle était mourante ? Elle ne l'était pas ! Elle est en train de guérir. Or elles ont menti. Elles n'y croient pas, et c'était comme une trahison, pas seulement pour Isabel : pour moi aussi.

Touchée, elle les a embrassées, retenant ses larmes à grand-peine. J'avais envie de la protéger de leur pessimisme, mais comment ? Alors elle m'a souri, les yeux embués, et m'a tendu la main. Je me suis levée.

— Et si on mangeait une glace ? dis-je avant de m'éloigner.

Dans la cuisine, j'ai pleuré toutes les larmes de mon corps.

18

Rudy

— Tu crois que Lee devient folle ?

Emma s'était exprimée à voix basse, presque dans un murmure. La chambre de Lee était à côté de la nôtre, celle d'Isabel en face, et nous avions laissé notre porte entrouverte pour créer un courant d'air avec la fenêtre.

— Tu veux dire à propos de l'enfant ? Non, répondis-je. C'est bien qu'elle nous ait raconté tout ça. Elle garde trop de choses pour elle, elle...

— Non, je ne pensais pas à ses confidences. Je suis d'accord, ça lui a fait du bien, c'était plus sain. Je parlais de cette histoire de grossesse.

— Ah...

— On dirait qu'elle ne voit plus que ça. Et je la crois quand elle dit qu'elle ne baissera pas les bras. Pourquoi n'adoptent-ils pas un enfant ? Pourquoi ? Elle est tellement obsédée par son désir d'enfant qu'elle ne pense à rien d'autre.

— Je sais. Qu'est-ce qu'elle disait, à propos de ses parents ?

— Aucune idée. Encore une obsession. Si seulement on pouvait se rendre utiles...

— Comment ?

— Il n'y a rien à faire.

— À part la soutenir, dis-je.

— Oui, fit-elle en me regardant. Rudy, c'est bien ce que tu as dit à Isabel.

— Oh... Je ne sais pas. J'ai simplement essayé de me mettre à sa place et de me demander ce qui serait le plus effrayant, dans sa situation. Si je pensais que j'allais mourir, si j'étais seule... Je voulais qu'elle sache qu'elle ne le serait jamais.

— C'est ça, le plus effrayant ? La solitude ?

— Selon moi, oui.

Sur la table brûlait une lampe à l'huile. Au clair de lune, je décelais Emma allongée, vêtue de son vieux T-shirt de nuit UNC. Elle appuya sur le haut de sa cuisse pâle pour vérifier si elle n'avait pas pris trop de soleil, dans l'après-midi.

— À mon avis, reprit-elle, le plus effrayant, c'est l'oubli. Être, puis n'être plus rien. Même si tous les gens qui t'ont connue sont avec toi, à la fin, à te tenir la main en te disant que tout va bien, qu'ils t'aiment, tu es quand même seule. Où que tu ailles, tu y vas seule.

— Beurk, c'est lugubre...

— Mais non. Pourquoi ? Ne me dis pas que tu ne penses jamais à ça.

— C'est vrai, j'y pense.

Toutefois, j'allais mieux depuis quelque temps.

— Tu imagines, ai-je repris, Lee a cru qu'on buvait, hier, dans la voiture.

Cela a dû sembler illogique, mais j'ai établi le lien après coup.

— Tu connais Lee. Si tu t'amuses bien, c'est que t'es saoule.

— Je n'ai pas beaucoup bu, ces derniers temps, dis-je. Hier, cela faisait des semaines.

— J'ai remarqué. Il y a une raison ?

— Eh bien... Je crois que je me sens un peu plus forte, plus à l'aise dans ma vraie vie.

— Pourquoi ?

— Je l'ignore. D'abord, Éric et moi avons bien travaillé. Même si c'est dur, j'ai l'impression d'avancer, pour une fois. Selon lui, il est fréquent que les gens ne progressent pas pendant un certain temps et que, tout à coup, ils fassent un bond en avant.

— Comme les périodes de plateau, pendant un régime.

— Exactement.

— Comme si tu pouvais le savoir ! pouffa Emma. Éric est doux, non ? Patient. Il accepte d'avancer lentement.

J'ai cru déceler un sous-entendu dans ses propos.

— Tu veux dire que je ne vais nulle part, qu'il ne sert à rien. En fait, tu considères que cette thérapie est une perte de temps.

Emma a tourné la tête vers moi, sur son oreiller.

— C'est ce que je pensais, admit-elle à ma grande surprise. Mais je commence à croire que Greenburg est plus intelligent que moi.

— Ça c'est un compliment ! Il sera ravi de l'entendre.

Nous avons souri dans la pénombre.

— Emma...

— Quoi ?

— Tu sais, ce stage de paysagisme... Tu te souviens...

— Bien sûr.

— J'ai décidé de m'inscrire.

— Rudy ! s'est-elle exclamée, en se redressant.

— Je commence en septembre.

— C'est formidable. Qu'en dit Curtis ?

— Euh...

Elle s'est rallongée, sans cesser de me regarder.

— Tu ne le lui as encore rien dit, c'est ça ?

— Pas encore. J'attends le moment propice.

— D'accord... Rudy, tu ne le lui as pas dit parce que tu sais qu'il ne va pas apprécier. C'est vrai, quoi...

— J'ai l'impression d'entendre Éric. C'est flippant, Emma.

— Alors, quelle est ta réponse ?

— La réponse, c'est que je n'aime pas ça. Je n'aime pas ce que ma réticence révèle sur moi ou sur Curtis.

— *Ou* sur Curtis. J'aime ça !

— Je sais bien qu'on a des problèmes à régler. J'ai besoin de lui dire ce que je pense. En parler à Éric ou à toi, c'est bien, mais j'ai besoin de lui en parler, à lui.

Elle s'est penchée vers moi.

— C'est nouveau, ça, Rudy. Et c'est bien. Ça change.

— Je sais. Il était temps, non ?

Elle n'a pas réagi. Il arrive à Emma de faire preuve de tact.

— Ce ne sont pas simplement les médicaments.

— Quoi ?

Tendant une jambe, j'ai donné un coup de pied dans le matelas du lit superposé.

— Je prends des... antidépresseurs (j'aurais dû dire « un nouvel antidépresseur »). C'est vrai, je ne me sens pas déprimée. Toutefois, je ne crois pas que ce soit la seule raison. Comme le dit Éric, ce n'est pas parce que des cachets pour les fous fonctionnent que l'on est fou.

Je n'avais jamais trouvé cette réflexion particulièrement drôle, mais Emma riait si fort que j'ai dû lui ordonner de baisser le ton.

Éric affirme aussi que le rire est cathartique et purifiant, qu'il est bon pour le corps et l'âme, que, quand il est authentique, il est meilleur que le sexe. Au cours des treize dernières années, je me demande combien d'heures j'ai passées à me tordre de rire avec Emma. Si je suis folle maintenant, qu'est-ce que ce serait si je ne l'avais pas rencontrée ?

Autre avantage du rire partagé : il naît de la confiance. C'est peut-être pourquoi j'ai lâché sans m'en rendre compte :

— Nous n'avons pas fait l'amour pendant tout le mois de décembre.

— Décembre... de l'année dernière ?

— Oui.

— Toi et Curtis ?

— Qui d'autre ?

— Euh... (Emma m'a observée du coin de l'œil, histoire de tâter le terrain.) Il y avait une raison particulière ?

— Eh bien, justement... S'il y avait une raison, j'ignore laquelle. Je n'avais pas mérité de punition. Il ne... Il ne me... Il ne s'est rien passé. Je n'ai rien dit. Je sais que j'aurais dû lui parler, mais je n'ai rien dit. Même pas à Éric.

— Tu n'as jamais rien dit à Curtis ?

— Non.

J'étais gênée. Quelle lâcheté...

— Et puis, le Jour de l'an, c'est arrivé comme si de rien n'était. Ensuite, j'ai déclaré : « Bonne année » ou quelque chose d'un peu suggestif, tu vois, pour que Curtis puisse s'exprimer, s'il le voulait. Mais il... Il s'est contenté de me regarder très froidement. Ça s'est réglé comme ça. Depuis, ça va, tout est normal, sexuellement parlant.

— Sexuellement parlant.

— Oui.

— Pas sur les autres plans.

C'est drôle comme il est parfois plus facile de parler de sa vie sexuelle, un sujet pourtant intime, que du reste de sa vie.

— Oh, ai-je dit, ce sont plusieurs petites choses qui s'additionnent, au fil du temps. Rien de particulier. Je pense à des trucs dont j'ai envie de parler à Curtis. Bientôt.

Emma a soupiré.

— Quoi ? Donne-moi un exemple, que l'on ait au moins l'impression d'avoir une conversation.

— Eh bien, sur la vidéo, tout à l'heure, le moment où nous sommes devant la maison, juste avant de partir pour le séjour de remise en forme. Quand Curtis m'embrasse pour me dire au revoir.

— Oui, c'était un peu bizarre.

Elles étaient passées me chercher en dernier. Nous étions pleines d'enthousiasme, impatientes de nous mettre en route. Chacune espérait perdre du poids, mais nous avions l'intention de nous arrêter en route pour un dernier repas plantureux dans une auberge réputée. Ainsi, nous serions au maximum pour la pesée du premier soir. Nous faisions donc les folles, nous étions déjà parties. J'aurais dû me rappeler que Curtis souffre chaque fois que je le néglige. En réalité, c'est pire que cela. Il est terrorisé si je ne suis pas concentrée sur lui à tout moment. Il a besoin d'être le centre de mon attention. Sinon, c'est comme s'il ne croyait pas totalement en sa propre existence.

Bref, quand Curtis m'a embrassée, ce ne fut pas un petit baiser tendre qu'échangent les conjoints en public, « au revoir, chérie, sois prudente, à bientôt », un petit baiser furtif sur les lèvres, voire l'esquisse d'une étreinte, ou une bise enjouée, affectueuse quoique impersonnelle. Loin de là. Sans m'écarter du groupe, et sous l'œil de la caméra de Lee, Curtis m'a enlacée pour un vrai baiser de cinéma, passionné, sensuel, torride. J'ai voulu l'arrêter, mais il refusait de me lâcher. Il a fait en sorte que mes pensées reviennent vers lui. C'était délibéré. En m'embrassant, il a repris le contrôle de ma personne, une façon de me dire : « pense à moi » et d'affirmer à mes amies : « elle est à moi ». C'était encore pire à l'écran, des années plus tard, que sur le moment, car ce souvenir s'ajoute à beaucoup d'autres, parfois plus dérangeants.

— Je crois que je ne veux plus être possédée, fis-je lentement.

— Possédée ? Oui, je vois ce que tu veux dire, répondit Emma, mais... C'est un mot bien étrange.

— Je le suppose, oui. En même temps, j'ai peur que les choses changent. Je déteste le changement.

— Tu en es sûre ? Tu es certaine que ce n'est pas Curtis qui déteste le changement et que tu risques de le mettre en danger ? De le bouleverser ?

— Hum...

Il y avait là matière à réflexion.

— Tu avances lentement, mais ce n'est pas un problème. C'est sans doute une bonne chose, comme une perte de poids pendant un régime. Enfin, tu ne peux pas comprendre... Bref, tant qu'il y a du mouvement... Ton psy sait sans doute ce qu'il fait.

— Je fume devant lui, ai-je révélé.

— Qui ? Éric ?

— Curtis.

— Quoi ?

— Pas dans la maison en sa présence, parce que je trouve ça grossier, mais quand il n'est pas là. Je ne me gargarise pas, je ne vaporise pas de désodorisant dans la pièce pour qu'il n'en sache rien. Et quand nous sommes au restaurant ou dans un bar, je fume devant lui. Éric trouve ça génial. Enfin, s'il affirme que c'est mauvais de fumer, il aime l'idée que je ne me cache pas. C'est bien plus sain, selon lui.

— J'imagine. Oui, c'est plutôt courageux de ta part. Grossier, un peu pervers... Se pourrir les poumons pour mieux s'affirmer, le développement personnel par l'emphysème.

— Tu veux une cigarette ?

— Oui.

Nous en avons allumé deux.

— Je ne faisais pas ça quand j'étais jeune, dis-je.

— Faire quoi ?

— Tu sais...

Allongées sur nos lits étroits, à partager le même cendrier, nous avions l'air de deux adolescentes.

— Avoir une meilleure amie, échanger des secrets dans le noir, fumer... Je n'ai jamais connu ça, moi.

— Tu avais trop de problèmes, répondit Emma d'un ton neutre. Ta famille t'a démolie, mais tu es en train de t'en remettre. Tu guéris peu à peu.

— Tu crois ?

— Oui.

Elle était si catégorique que j'ai eu un mouvement de recul de peur de sembler pathétique.

— J'espère, dis-je néanmoins.

— Fumer devant Curtis ! Rudy, tu es vraiment rebelle ! C'est génial !

Pour une fois, sa remarque n'avait rien de sarcastique.

Quand je pense que Curtis m'avait demandé de ne plus être son amie... Pour mon bien, avait-il affirmé. Quelle attitude méprisable, quand on y réfléchit. Je n'osais même pas en parler à Emma tant j'avais honte pour Curtis. C'était la preuve – et je m'en suis rendu compte plus tard, avec l'aide d'Éric – qu'il faisait semblant depuis le départ, à propos d'Emma. Elle, au moins, si elle ronge son frein sans me dire ce qu'elle pense vraiment de lui, c'est pour moi, par respect et affection. Curtis triche parce qu'il est malhonnête. Encore une façon de me posséder...

Emma s'est mise à bâiller. Nous avons éteint nos cigarettes et soufflé la bougie.

— On parle toujours de moi, dis-je d'une voix endormie.

— Je sais, fit-elle, les yeux déjà fermés. C'est parce que tu es égocentrique.

— Toi, il faut tout te demander. Tu ne dis jamais rien par toi-même. Tu m'obliges à te tirer les vers du nez. Tiens, j'allais oublier : Lee m'a demandé ce que je pensais de l'idée d'intégrer Sally dans le groupe.

— Ah bon ? Elle m'a dit qu'elle allait le faire. Qu'est-ce que tu lui as répondu ?

— Que j'étais pour.

— Quoi ?

Je me suis mise à rire.

— Imbécile ! grommela Emma en se recouchant.

Elle s'était dressée d'un bond sur son séant.

— Qu'est-ce que tu lui as vraiment répondu ?

— La même chose que toi, que ce n'était pas le bon moment à cause d'Isabel.

Emma s'est recouchée.

— Tu crois que Lee était déçue ?

— Non, pas du tout. Je me demande même pourquoi elle m'a posé la question. Par équité, je suppose. Comment se fait-il que tu aies décidé de rester deux jours de plus ? (Emma a ouvert un œil.) Cela ne me semble pas très raisonnable. D'ailleurs, c'est même incongru.

— Tu me trouves raisonnable ?

— Eh bien, comparée à moi...

— Ah...

Même dans le noir, je la voyais sourire.

Dans la soirée, Lee nous avait implorées – une, deux ou les trois, peu lui importait – de rester jusqu'au mardi, puis de rentrer avec elle et Henry. Personne ne s'est porté volontaire. Nous ne cessions de lui demander pourquoi, et elle a fini par nous l'avouer : elle s'était lassée de son coup de cœur pour Sally. Elle avait invité les Draco des mois plus tôt, mais, désormais, elle n'avait plus aucune envie de passer deux jours en tête à tête avec Sally, avec pour seule autre présence celle des deux maris.

— Pourquoi tu ne l'aimes plus ? s'enquit Emma d'un ton qui se voulait désinvolte.

— Oh, je ne sais pas. Aucune raison précise, avait répondu Lee. Je n'ai rien à lui reprocher : je ne suis plus aussi à l'aise avec elle, c'est tout.

Moi non plus, et depuis le départ. Je suis peut-être mal placée pour le dire, mais je crois que Sally a de gros problèmes, Emma étant sans doute le moindre.

Isabel et moi n'avons pu rendre ce service à Lee, car nous devions rentrer dimanche. Emma a réfléchi, puis elle m'a sidérée en déclarant :

— Bon, je reste, si tu veux. J'ai apporté du travail. Je pourrais le faire ici.

Je l'ai fixée, mais elle a évité mon regard pendant que Lee la remerciait, l'assurant que Sally était super, que ce serait plus facile ainsi. Isabel n'a pas prononcé un mot.

— Donc, Emma, ai-je repris. Pourquoi restes-tu ? Tu ne crains pas que ce soit dangereux de voir Sally et Mick si longtemps... Cela ne risque pas d'être... douloureux ? Hé, Emma... Tu dors ?

Peut-être... Ou pas. Elle ne m'a pas répondu.

19

Emma

imanche après-midi, Rudy et Isabel se sont mises en route assez tard. Après leur départ, je suis allée me promener sur la plage. J'aurais dû rester à la maison pour aider Lee à faire le ménage, car Mick, Sally et Henry n'allaient pas tarder. Pourtant, je suis allée me promener. Pourquoi ? Pas par paresse. Je ne voulais simplement pas être présente à l'arrivée du couple. Je ne supportais pas la perspective de les accueillir, au côté de Lee, sur la terrasse, tout sourire : « Vous voilà enfin ! Salut ! Comment ça va ? »

Et je voulais aussi que Mick soit prévenu. Il ne s'attendait pas à me trouver là, et son visage était tellement expressif... Ce serait déjà assez dur quand il aurait l'air ravi de me voir, mais ce serait encore pire s'il avait l'air... perplexe.

C'était une journée magnifique, je suppose : ciel bleu, nuages blancs, vagues ourlées d'écume, sans oublier les mouettes, les coquillages, le sable... C'était la marée montante. Je le savais parce que les gens déplaçaient couvertures et parasols. Par ailleurs, je ne voyais plus rien. J'aurais aussi bien pu me trouver en ville. Si ces deux jours ne risquaient pas d'être douloureux ? Oui, Rudy avait raison. C'était fort probable. Pourquoi n'y ai-je pas pensé plus tôt ? Parce que l'amour n'est pas seulement aveugle : il est masochiste.

Depuis le cocktail de Lee, je n'avais revu Mick qu'une seule fois, dans son atelier. Et je lui avais parlé au téléphone. Ce fut intense et frustrant, tout en non-dits. Croyez-le ou non, je ne recherche pas les problèmes. Je ne suis pas de ces femmes qui reproduisent le même schéma dysfonctionnel avec tous les hommes et qui s'y complaisent sans s'en rendre compte. Mon schéma, c'est de tomber sur une dysfonction différente à chaque fois et de prendre mes jambes à mon cou en la découvrant. Alors pourquoi me tourmenter à propos de Mick, qui n'a rien de dysfonctionnel ? Pourquoi continue-t-il à m'appeler ? Nous sommes des gens raisonnables, alors pourquoi faisons-nous cela ?

En traversant les trois jardins qui séparent la maison de la plage, on évite la route, ce qui est pratique quand on est pieds nus. Lee nous interdit ce raccourci car il est « illégal ». Mais quand elle n'est pas avec nous, nous le prenons. Je me trouvais tout près de Neap Tide II quand le rire strident de Sally Draco m'est parvenu. J'ai aussitôt compris que j'avais commis l'une des pires erreurs de ma vie.

Je ne les voyais pas encore. J'entendais le timbre de baryton de Henry, le ton plus sec et limpide de Lee. L'intonation de Sally était tendue, aiguë. En dressant l'oreille pour guetter la voix de Mick, j'ai fini par entendre son rire détaché.

Quelle mouche m'avait piquée ? Je n'avais rien à faire ici. Eux oui : ils s'appartenaient. Hélas, trop tard pour m'échapper. J'ai senti la solitude m'envelopper et j'ai frémi, affligée. Je méritais ce qui allait m'arriver.

Trop occupés à bavarder et à rire, ils ne m'ont pas remarquée, même lorsque j'ai gravi les marches de la terrasse. En réalité, non... quelqu'un m'a vue. J'ai sursauté comme si un animal venait de traverser la route devant moi. C'était un enfant : Jay, le fils de Mick. Je l'avais oublié, celui-là. Lee s'attendait-elle à sa venue ? Assis par terre, sur la terrasse, avec ses cheveux blonds et ses genoux cagneux, il a levé la tête, pas étonné le moins du monde. Il était en train de faire des nœuds à son cerf-volant. De ses yeux bleus, il m'a scrutée avec sérieux et curiosité pendant quelques secondes. Dès que j'ai souri, il a regardé par-dessus son épaule, vers ses parents. Je l'entendais presque les appeler au secours.

— Ah, la voilà ! s'exclama Henry.

Tous les regards se sont tournés vers moi. Je me suis avancée, tout sourire.

— Salut ! Le voyage s'est bien passé ?

J'ai embrassé Henry, puis Sally, qui ne m'a pas laissé le choix. Quant à Mick, je lui ai adressé un petit signe de loin. Je l'ai à peine regardé, en l'observant du coin de l'œil, comme s'il était le soleil. Sa nouvelle coupe de cheveux lui donnait l'air plus jeune, presque juvénile, même si elle était moche : on voyait son cuir chevelu sur les côtés. Et il était trop pâle, tendu, mal rasé. Avait-il été malade ?

— C'est chouette que tu aies décidé de rester ! babilla Sally.

Elle m'a carrément pris les mains et m'a regardée dans les yeux.

— Alors, qu'est-ce que tu deviens ?

Pendant un moment de panique, je me suis dit qu'elle savait tout et qu'elle me torturait. *Alors, qu'est-ce que tu deviens ?* Même à ma mère, je ne réponds jamais franchement à cette question.

— Bien, bien ! ai-je affirmé en imitant son enthousiasme. C'est ton petit garçon ?

La diversion fut efficace : elle m'a lâché les mains.

— Jay, viens dire bonjour à Emma !

Le pauvre... Pourquoi les gens font-ils ça ? Comme si un enfant pouvait avoir envie de rencontrer une vieille peau amie de ses parents. Il s'est levé et nous a rejointes en traînant la patte.

— Bonjour, a-t-il maugréé en tendant la main, tête baissée.

Mick a pris son fils par les épaules. Plus détendu, il s'est lové contre lui. Il était exactement comme sur la photo : angélique, un peu comme sa mère, avec ses cheveux blonds et ses yeux clairs, mais il avait aussi quelque chose de digne et de noble dans le port de tête, ce qu'il ne pouvait tenir que de son papa. Sans parti pris, bien entendu...

— Tout le monde en maillot ! On va à la plage ! annonça Henry au grand plaisir de Jay.

— Sans moi, répondis-je. J'ai pris assez de soleil pour aujourd'hui.

Cette réflexion me valut les rires incrédules et les railleries habituelles. Henry se montra particulièrement inventif en me traitant de cachet d'aspirine ou de Casper, le fantôme rigolo.

— C'est bon, j'ai l'habitude du dédain des ignorants et des inconscients. Ils riront moins quand ils mourront d'un mélanome.

La véritable raison, bien sûr, c'était que je n'avais pas envie d'être témoin de leur bonheur familial, des rires, des éclabous-sures et autres scènes de joie. Enfin seule, je me suis préparé un copieux gin tonic que j'ai bu sous la douche. Et si je me noyais ? ai-je pensé de façon absurde. Je pourrais m'en aller dans les canalisations en même temps que l'eau et le savon, puis disparaître. Je ne manquerais à personne...

Je me suis ressaisie à temps pour le souper. Nous nous sommes entassés à six dans la fourgonnette des Patterson pour aller chez Brother's nous empiffrer de poisson grillé, de frites et de salade de chou dégoulinante de mayonnaise. J'étais assise en face de Sally, qui parlait sans cesse. Ses che-veux étaient d'un blond cendré très chic qui contrastait avec ses sourcils bruns et ses yeux bleus. Ce serait une femme fas-cinante si seulement elle la fermait de temps en temps. Elle avait la manie de regarder les gens à chaque fois qu'elle disait quelque chose, même une banalité. Elle vérifiait de façon compulsive nos expressions faciales, en quête d'une réaction. Un rire faux ponctuait presque chacune de ses déclarations, annonçant aux autres qu'elle allait être drôle. Je me suis demandé si elle n'était pas droguée. Sans doute pas. En tout cas, elle était tendue comme un ressort, elle en faisait trop.

Peut-être s'étaient-ils disputés... À côté d'elle, muré dans un quasi-silence, Mick souriait avec une politesse forcée. Néanmoins, il était plein de sollicitude. Je n'arrivais toujours pas à le regarder en face, mais je décelais une certaine lassitude dans sa façon de se tenir, dans l'inclinaison de sa tête. Non, ils n'étaient pas en froid. C'était leur façon de vivre.

— Mick va peut-être travailler, annonça Sally.

J'ai levé la tête. Elle a ri nerveusement et s'est penchée vers lui d'un air taquin. L'espace d'une seconde, j'ai lu la consternation dans le regard de Mick.

— Enfin, vous savez, un vrai travail, qui rapporte de l'argent.

Gênée, Lee a commencé à s'agiter. L'insatisfaction de Sally sautait aux yeux. De plus, parler d'argent est strictement interdit par le protocole, selon Lee. Comme nous tous, elle s'est tournée vers Mick d'un air interrogateur.

— Oui, je pense prendre un emploi à temps partiel, confirma-t-il d'un ton léger.

— Tu n'arrêterais pas la peinture, dis-je.

— Non, répondit-il en m'adressant un autre regard furtif. Non.

Nous avons tous les deux détourné les yeux.

— Dommage que tu ne connaisses pas la plomberie, tu pourrais travailler avec moi, suggéra Henry avec une chaleur qui dissipa la tension ambiante. Tu cherches quel genre d'emploi ?

— Gardien de nuit ! intervint Jay.

Mick s'est mis à rire. Surpris, Jay afficha un large sourire.

— C'était une plaisanterie, expliqua le père à son fils. Tout comme travailler chez McDonald's...

— Ah, mais tu pourrais avoir un pistolet si tu serais gardien de nuit.

— Si tu *étais*, corrigea Sally machinalement avant d'éclater d'un rire faux. Jay voudrait que Mick travaille soit au zoo, soit chez McDonald's ou dans un rodéo.

— Ou dans l'armée de l'air ! ajouta l'enfant.

— Quant à moi, poursuivit Sally, je serais ravie qu'il fasse de l'intérim. N'importe quoi, de quoi avoir des revenus réguliers.

La tête baissée, je jouais avec mes frites. Le silence pesant s'éternisait. Le pire, c'était que Mick n'en voulait sans doute pas à Sally. Elle l'avait convaincu qu'il n'était pas à la hauteur et, incapable de le dire franchement, elle se contentait de réflexions cinglantes.

— Le loyer de mon atelier a augmenté, expliqua Mick comme si ce moment de gêne n'avait pas existé. Et je n'ai toujours pas de revenus, alors je vais peut-être recontacter mon ancien cabinet juridique, effectuer des recherches à temps partiel sur les brevets, par exemple. Ce ne sera pas si mal, ajouta-t-il en me regardant.

Mais ses peintures, ses superbes peintures... J'en avais mal au cœur. J'avais peur. Tant d'injustice me rendait furieuse. Et si j'avais ignoré que c'était de l'amour que j'éprouvais, je le savais, désormais car, en vérité, ses toiles ne faisaient toujours aucun sens, à mes yeux.

Lors du trajet de retour, la perspective de passer quelques heures de plus en compagnie de Mick et Sally m'était insupportable. Désolée, Lee, tu es toute seule...

— Tu vas bien ? me demanda-t-elle lorsque je lui ai annoncé que j'allais me coucher tôt.

— Ça va. Je crois que j'ai pris trop de soleil...

Excellent prétexte. Malgré les taquineries bienveillantes, je garde ma bonne humeur. J'ai dit bonsoir avant de disparaître.

Je suis restée allongée dans mon lit à les écouter discuter et rire sur la terrasse. Parfois, je devinais quelques mots, mais j'entendais leurs intonations parfois assurées, parfois hésitantes. J'avais l'impression d'être une enfant envoyée au lit pendant une réception de ses parents. À propos d'enfant, Jay dormait sur un lit de camp, au pied du lit de Mick et Sally. J'aurais pu proposer de le prendre avec moi, à la place de Rudy. On devine pourquoi je me suis abstenue.

Vers vingt-trois heures, j'ai entendu des pas dans l'escalier extérieur, puis dans l'allée. Par la fenêtre, je n'ai pas pu voir de quel couple il s'agissait. Quelques minutes plus tard, j'ai reconnu la voix de Henry, sur la terrasse. Alors j'ai su : Mick et Sally faisaient une promenade romantique au clair de lune. Et l'enfant dormait dans leur chambre. Donc...

Tu l'as bien mérité, me dis-je. Ce n'est pas une consolation quand on souffre de jalousie. Chaque cliquetis de mon réveil de voyage me faisait l'effet d'une balle dans la tête. J'avais toutes les peines du monde à ne pas les imaginer enlacés sur le sable froid, sous la lune bleue... Sally est superbe, du moins quand elle se tait, et Mick est un homme passionné, j'en ai la certitude, même s'il ne m'a jamais touchée.

Le réveil indiquait 23 h 34 quand Lee et Henry ont longé le couloir sur la pointe des pieds avant de refermer la porte de leur chambre. À 23 h 40, sous prétexte d'avaler un somnifère, je suis montée dans la salle de bain que je partageais avec les Draco. En réalité – ô surprise – je voulais fouiller la trousse de toilette de Mick. Rien qu'un coup d'œil, pour voir ce qu'il emportait en voyage. Une façon pathétique d'être plus proche de lui. J'avais perdu toute dignité...

Du Mennen et un rasoir Gillette, mais pas d'après-rasage, un bandage, un peigne, pas de brosse ; un coupe-ongles, une bouteille d'aspirines génériques, un bâton de baume pour les lèvres, des pastilles contre les brûlures d'estomac. Des lunettes de soleil, du genre que l'on clipe sur ses lunettes de vue. Du fil dentaire, un déodorant en bâton, du dentifrice Crest et une brosse à dents Oral-B. Pas de condoms. Des allumettes, des épingles à couches et un tas de vieux pansements au fond de la trousse.

Pourquoi pas de condoms ? Trois possibilités. Premièrement, Sally prenait la pilule. Deuxièmement, ils essayaient d'avoir un enfant. Troisièmement, ils n'avaient plus de relations sexuelles.

C'était de loin la troisième que je préférais...

La trousse de maquillage à motif fleuri de Sally était posée au-dessus des toilettes, mais je n'y ai pas touché. Je n'étais pas en quête d'informations, je voulais juste voir les affaires de Mick. C'est pitoyable, je sais. Je voulais passer le doigt sur les dents de son peigne, vérifier combien il lui restait d'aspirines, sentir sa mousse à raser, voir s'il y avait des poils sur son déodorant. Peu importe... j'étais vraiment à l'ouest.

À 23 h 56, ils sont rentrés. Ils sont passés chacun leur tour dans la salle de bain et, à minuit dix, ils étaient au lit, porte fermée, lumière éteinte. Non, je ne regardais pas par le trou de la serrure ! Je l'ai vue s'éteindre dans le reflet de nos fenêtres.

Silence.

Je pouvais laisser libre cours à mon obsession...

Imaginer l'être aimé dans les bras d'une autre n'est pas seulement une torture. Cela peut être émoustillant, il faut bien l'admettre. Mais oui, c'est plutôt sexy ! Pourquoi pas ? La détresse affective et l'excitation sexuelle ne s'annulent pas toujours, loin de là. L'angoisse ne fait qu'attiser le désir, le rendre plus sombre. Se soulager, si l'on en est réduit à ça, aggrave la situation. On se sent encore plus seul, plus insignifiant. Dans les heures grises qui précèdent l'aube, j'ai songé à rassembler mes bagages et à partir. Des problèmes de logistique m'en ont empêchée : il aurait fallu que je vole une voiture.

Quand je me suis enfin endormie, j'ai sombré dans une sorte de coma et dormi la moitié de la journée. C'est une habitude, chez moi. Le lendemain du soir où j'ai jeté Peter Dickenson dehors – il y a des années, je ne sais plus combien –, je me suis couchée et j'ai fait le tour du cadran. Il n'y a pas de mal à ça. C'est moins dangereux que la drogue ou l'alcool, et bien moins onéreux. Disons que c'est un calmant naturel.

À mon réveil, je suis montée d'un pas chancelant. Les pièces à vivre de la maison se trouvent à l'étage, et les chambres en bas. Personne. Tant mieux, me suis-je dit, jusqu'à ma troisième tasse de café et mon deuxième sandwich fromage-tomate. Ensuite, j'ai commencé à m'ennuyer sérieusement. J'ai donc enfilé mon maillot de bain et je suis allée à la plage.

Les hommes jouaient au frisbee sous le regard des femmes. Très touchant... J'ai enduré un interrogatoire sur ma santé et, après avoir assuré à tous que je me portais à merveille, j'ai subi des plaisanteries sur ma paresse. Pour profiter du parasol de Lee, j'ai étalé ma serviette derrière la sienne. Sally était allongée à côté d'elle. J'ai sorti mes affaires : mon livre, ma lotion, mes lunettes de soleil, mon chapeau, j'ai roulé une serviette en guise d'oreiller, puis je me suis installée sur le ventre. Et j'ai regardé jouer les hommes.

C'était une partie à trois : Henry et Mick, avec Jay au milieu. Les adultes se lançaient le frisbee en grognant comme des joueurs de tennis, en prenant soin de le diriger vers le petit. Il y a quelque chose de rassurant à voir des hommes jouer avec des enfants. Quand ils se montrent patients et délicats, qu'ils font des concessions, qu'ils masquent leur supériorité, en d'autres termes quand ils se comportent comme des femmes, ils renforcent nos illusions : ils sont civilisés.

En revanche, je m'inquiétais pour Lee et Henry. Aucun des deux ne trahissait quoi que ce soit, à part un amusement ordinaire. Comment ne pas souffrir devant Jay ? Comme Rudy, je me suis réjouie de voir Lee se lâcher un peu, du moins selon ses critères, et nous confier ses craintes et sa colère de ne pas être enceinte. Étant la plus autonome, Lee utilise moins le groupe à des fins thérapeutiques. Je savais qu'elle ressentait ces émotions terribles que sont le ressentiment, la jalousie, la fureur et la culpabilité, mais j'étais sidérée qu'elle l'admette. Et à présent, voir Henry jouer si gentiment avec cet ange blond, l'enfant parfait, le fils rêvé... Elle ne pouvait qu'avoir le cœur brisé.

Pourtant, ils s'en sortaient bien. Enfin, je l'espère au plus profond de moi, parce que ces deux-là sont faits l'un pour l'autre. Depuis le départ, Lee se montre d'une grande franchise à propos de sa passion pour Henry. Leur attirance mutuelle est presque palpable. Rien de manifeste, d'exubérant, surtout pas... On ressent leurs vibrations, en partie dans sa façon de la regarder comme si elle était une déesse du sexe et qu'il n'avait pas touché une femme depuis cent ans, mais aussi à cause du côté coincé de Lee. Les voir ensemble entraîne toujours mon imagination vers des pensées lubriques. Pour tout dire, ils m'excitent un peu.

Hier, avant de me coucher, je suis allée prendre l'air sur la terrasse. Lee et Henry s'y trouvaient déjà, adossés à la balustrade, dans un coin sombre. Oups ! J'ai failli bredouiller une excuse et m'enfuir. Pourtant, ils ne faisaient rien. Henry l'avait enlacée par-derrière et elle était lovée contre lui, les mains sur les siennes. Ils m'ont souri, puis ont de nouveau levé les yeux vers le ciel. Si ma présence ne les dérangeait pas le moins du monde, j'avais l'impression d'avoir interrompu une scène d'amour, tant le voile de tendresse qui les entourait était intime. En le voyant poser la joue sur celle de Lee avec tendresse, j'ai senti ma gorge se nouer. Je leur ai souhaité une bonne nuit et je suis partie.

Comme j'aimerais vivre la même chose ! N'est-ce pas le désir de tout le monde ? Si seulement je connaissais cette intimité profonde, cette tendresse... Je sais que ce n'est qu'une illusion, au mieux un sentiment fugace et décevant. Peu m'importe. Leur façon de se fondre l'un dans l'autre, de ne faire plus qu'un, dans la pénombre... ouvrait devant moi un abîme de solitude. Il y a des moments où je préfère le rêve.

— Mes cours de danse vont vraiment me manquer, déclara Sally en se redressant pour enduire ses jambes de crème solaire.

Je l'ai regardée d'un air vague.

— Je disais à Lee que je dois abandonner notre cours de danse, reprit-elle avec sollicitude, désireuse de m'intégrer. On n'a plus les moyens. Trop de frais plus importants à payer.

C'est dur, car c'est la seule activité que je pratique pour moi, mais on n'a pas le choix.

Elle afficha un sourire plein de bravoure.

— Ouais, c'est dommage, fis-je.

Lee ne disait rien. Elle regardait à peine Sally. Hum... L'ambiance était plus tendue que je ne le pensais. Moi qui devais servir de tampon entre elle et Sally, durant ce week-end... Je m'en voulais. Lee n'avait vraiment pas choisi la femme de la situation.

Je n'ai vu le frisbee que lorsqu'il m'a heurtée de plein fouet sur la clavicule. J'ai eu un mal de chien. Henry s'est approché, en sueur, souriant, haletant.

— Désolé, Emma ! Ça va ?

— Oui, ça va.

Faisant bonne figure, je lui ai rendu l'objet. Son maillot ample et étrangement seyant à rayures bleu-blanc-rouge lui arrivait aux genoux. Il a lancé le frisbee au-dessus de la tête de Jay. Mick a pris son élan pour exécuter un bond spectaculaire sous les cris de joie de son fils. D'une main, je me suis protégé le visage pour mieux observer le mari de Sally.

Il avait perdu du poids. Il était même trop maigre. Je n'aurais pas dû m'en prendre à Sally, mais je lui en voulais quand même. À part ses avant-bras, Mick était presque aussi pâle que moi. J'avais envie de toucher la démarcation entre la peau blanche et la peau dorée, sur son biceps, de tracer la ligne de mes lèvres, de mes dents. Tout en lui me troublait. Il était parfait. Fixer ouvertement ses cuisses et ses mollets, ses côtes, les poils de son torse, ses clavicules, de le voir courir, bondir, alors que je ne l'avais toujours vu que marcher ou s'asseoir... c'était presque tabou.

Mick, ses jambes, son dos et son ventre ferme m'étaient interdits, ce qui les rendait terriblement attirants. Il était superbe, bien que trop maigre, trop pâle, avec ses cheveux trop courts. « Il ressemble un peu à Daniel Day-Lewis », avait dit un jour

Isabel, il y a longtemps. Naturellement, je me suis gardée du moindre commentaire, mais je me souviens d'avoir pensé : Daniel n'a pas cette chance.

Pourquoi m'obsède-t-il tant ? Quel est ce besoin destructeur et illusoire de le garder toujours à l'esprit ? Pourquoi ne puis-je l'oublier ? Et pourquoi ne peut-il pas m'oublier ?

Pour ma part, je suis incapable de résister, voilà tout. Mon besoin (pas mon désir, j'ai dépassé ce stade) est plus fort que ma discrétion (pas ma conscience, car je n'ai toujours rien fait de mal). Nos rares rencontres ne sont en rien immorales. Elles ne font de mal qu'à moi... et à lui.

Il ne faudrait pas qu'il devine mes pensées. Il ne ment pas très bien. Je suis bien meilleure que lui dans l'art de la dissimulation. Il ne masque pas sa joie quand nous sommes ensemble, et il n'est ni froid ni suave au téléphone. Nos conversations sont de plus en plus personnelles. Lors de la dernière, j'ai commencé à lui parler de ma visite chez ma mère, et j'ai fini par lui raconter mon enfance, ce que j'ai ressenti quand mon père est parti, puis quand il est mort... Maintenant, il sait des choses sur moi que seule Rudy connaissait.

Et je sais des choses sur lui, moi aussi. J'imaginais très bien le juriste sérieux et performant qu'il était, l'éternel vainqueur, félicité par papa et maman, qui consacrait sa jeune vie à faire en sorte que ses parents adoptifs soient fiers de lui. Qu'ils soient fiers et n'aient pas de regrets de l'avoir adopté. Il m'a dit que, en abandonnant le droit, il n'avait pas seulement déçu Sally, mais aussi ses parents. D'une certaine façon, c'était encore plus dur parce qu'ils attendaient davantage de lui. Ils en riaient avec leurs amis, désormais, gentiment, avec tendresse : « Qu'est-ce que tu vas devenir ? » Et c'est pour lui une grande souffrance.

Notre intimité est des plus étranges, comme celle des détenus qui communiquent par les tuyaux ou en tapant des messages codés contre le mur. Nous partageons des secrets sans jamais nous toucher.

Lassé, Jay s'est approché de nous en traînant les pieds dans le sable. Il s'est écroulé entre ma serviette et celle de sa mère, les yeux rivés sur Mick et Henry, dont les échanges étaient montés d'un cran maintenant qu'ils étaient entre hommes.

— Salut, m'a-t-il dit timidement, avec un sourire de biais.

— Salut à toi.

— Tu t'es levée tard, dis donc.

— Oui. Il faut croire que j'étais fatiguée.

— Pourquoi ?

— Voyons... J'ai fait des cauchemars.

Il a hoché la tête.

— Moi aussi, j'en fais, des cauchemars. Je me réveille et mon père vient me voir. Ou ma mère, des fois. Après, je me rendors.

— C'est pareil pour moi.

Sauf pour les parents.

— Tu rêves de quoi ? lui ai-je demandé.

— De monstres. Et toi ?

— En général, je suis en retard, mais je ne sais plus pourquoi. Je ne sais plus où est la gare, ou parfois je suis à l'arrêt de bus et les gens m'indiquent une direction différente. Alors le bus arrive, ou le train, et je ne sais pas où il va, je n'arrive pas à lire le numéro, et je suis en retard, très en retard. Tout le monde me répète la même chose, encore et encore, jusqu'à ce que je me réveille.

Jay m'a observée longuement, puis il a eu un renvoi.

— Pardon, a-t-il marmonné avec une œillade en direction de Sally, qui s'est contentée de sourire avec indulgence.

Si seulement je pouvais dire que c'est une mauvaise mère... Non, ce n'est pas vrai. C'était une façon de parler. Je n'en suis pas au point de souhaiter à un enfant d'avoir une mauvaise mère. D'après ce que je vois, malgré mon regard tordu, Sally est même une très bonne mère, attentive, calme, affectueuse.

Et pourtant, Jay ne se comporte pas avec Sally comme avec Mick. Avec son père, il est rieur, libre, détendu, heureux, normal, équilibré. Avec sa mère, il retrouve vite son sérieux. Son jeune front se plisse, et il l'observe d'un air inquiet. À cinq ans et demi, c'est déjà un petit ange gardien.

Je ne suis pas une experte des enfants, loin de là, ils me font même une peur bleue. Ils sont tellement autonomes... je ne sais pas... tellement directs. L'ironie ne fait pas partie de leur vocabulaire et ils ne comprennent jamais les blagues. Bref, par principe, je garde mes distances. Or celui-ci me fascine, de sorte que je lui prête une attention spéciale. J'ai découvert un garçon poli, angoissé, timide et très gentil, mais prudent et trop observateur pour son âge, comme s'il avait besoin d'évaluer sans arrêt l'atmosphère affective.

Bizarrement, Jay s'était pris de sympathie pour moi. C'était arrivé la veille, chez Brother's. J'ai lu sa décision sur son visage innocent. Je ne sais pas pourquoi. J'ai oublié le contexte. Je m'étais lancée dans un discours sur les perversités de l'anthropomorphisme et l'arrogance des humains envers les créatures prétendues inférieures. D'accord, j'avais bu quelques bières... Bref, j'ai cité des expressions désobligeantes : être un âne, avoir une tête de cochon, être laid comme un pou. Très amusé, Jay riait à gorge déployée, ivre de joie, un rire si irrésistible et contagieux que tout le monde s'est esclaffé avec lui. Henry et moi avons trouvé d'autres exemples : langue de vipère, ours mal léché... Jay a failli tomber de sa chaise. Quelle rigolade ! Je crois avoir trouvé en lui mon meilleur public. Quand il s'est calmé, il m'a souri d'un air un peu niais, mais charmant et approbateur.

Question : suis-je futile ou bien est-ce vraiment l'enfant le plus gentil et le plus vif que j'aie jamais rencontré ?

La journée s'est terminée tranquillement. Je m'étais levée si tard que j'avais l'impression qu'il était encore tôt. Nous avons soupé à la maison : burgers et saucisses au barbecue. Ensuite, Lee m'a prise à part et a exigé de savoir ce qui n'allait pas.

— Rien. Qu'est-ce que tu veux dire ?

Je me suis efforcée d'avoir l'air abasourdi alors que j'étais au bord de la panique. Comment était-elle au courant ?

— C'est Mick, n'est-ce pas ?

— Non ! ai-je crié, horrifiée.

— Je ne comprends pas pourquoi tu ne l'aimes pas.

— Si...

— Je n'aurais pas dû te demander de rester. Excuse-moi, Emma.

Elle avait récuré la cuisinière et était désormais attablée, un torchon humide dans une main et dans l'autre un verre d'eau glacée qu'elle a porté à son front. Pour la première fois, j'ai remarqué combien elle était fatiguée.

— Mais non, je suis contente d'être là, vraiment, je passe un bon moment...

Elle eut un geste désinvolte.

— Remarque, je comprends que tu te caches. J'en ferais autant si je le pouvais. Pour te dire la vérité, je n'apprécie plus la compagnie de Sally, souffla-t-elle.

Une précaution inutile car nous étions seules dans la maison : Henry, Mick, Sally et Jay étaient partis se promener au clair de lune sur la plage. Lee a passé les doigts dans ses cheveux courts en soupirant.

— Si seulement elle arrêtait de me raconter des choses que je n'ai pas envie d'entendre...

— Des choses personnelles ?

Elle a hoché la tête.

— Au début, je lui ai fait quelques confidences sur moi, enfin sur nous, Henry et moi. Rien de vraiment intime, toutefois, ajouta-t-elle vivement. Pas ce que je raconte au groupe...

— Non, non.

— Mais c'était assez personnel, tu vois...

— Bien sûr.

— Enfin, j'ai arrêté. Et elle, elle continue à me raconter sa vie.

— Dans le genre...

J'ai attendu sans vergogne, pleine d'espoir.

— Ils ont passé cinq de leurs six années de mariage en thérapie de couple.

— Ohhh !

Mick n'avait jamais rien suggéré de tel. Quelle discrétion... Dans la même situation, la plupart des hommes l'auraient dit, non ? C'est logique : mon couple bat de l'aile, couchons ensemble.

— Et je déteste sa façon de parler de son mari, ajouta Lee en se penchant vers moi. Henry adore Mick, et je l'aime bien, moi aussi. Nous sommes plus proches de lui que d'elle, en réalité.

— Qu'est-ce qu'elle dit de lui ?

— Oh, elle lui en veut de ne pas travailler, car leur mode de vie a changé. Elle vient du Delaware. J'ai l'impression que sa famille a de l'argent. Elle m'a carrément dit : « Ce n'est pas ça que j'avais acheté. » Puis elle a ri pour faire comme si elle plaisantait. Or elle était sérieuse.

— Non...

— C'est... ça m'énerve ! J'ai épousé un plombier et je n'ai jamais eu honte de Henry. Jamais ! Cela fait partie de lui, et c'est ce que j'aime en lui. S'il décidait d'arrêter la plomberie pour devenir... Je ne sais pas quoi, vigneron, par exemple, qu'est-ce que j'en penserais ?

— Oui ?

— Cela ne me dérangerait pas, reprit-elle avec conviction.

— Bien sûr que non, parce que ce serait toujours Henry.

— Et que c'est lui que j'aime.

J'ai pensé à Sally. Sans doute était-ce Mick l'avocat qu'elle aimait. Maître Michael Draco valait le coup, surtout avec son costume trois pièces et ses bretelles, mais Mick le peintre sans le sou, non. *Ce n'était pas ça qu'elle avait acheté.*

Sally était vraiment tordue. Elle inspirait la pitié par ses complexes et l'antipathie par son hypocrisie. Cependant, c'était une bonne mère. Avec Jay, elle parvenait à transcender ses névroses.

Pauvre Mick. Même moi, je voyais qu'il était piégé.

Vers vingt-deux heures, Jay s'est réveillé en hurlant. Je ne l'ai pas entendu tout de suite. Nous étions tous les cinq en haut, à regarder la télévision. Enfin, seul Henry regardait le match de basket. Mick s'est levé d'un bond. Aussitôt, Sally a dit : « J'y vais » avant de filer.

— Jay fait souvent des cauchemars ? a demandé Lee, interrompant sa lecture.

— Ces derniers temps, seulement, répondit Mick. Presque tous les soirs.

Les pleurs se sont tus soudainement. Mick s'est aussitôt détendu.

— Ce n'est pas si rare, à son âge, lui a expliqué Lee. C'est même le cas de la plupart des enfants. Ne t'inquiète pas outre mesure.

Il l'a remerciée d'un sourire.

— Je sais que c'est normal, mais quand même...

— C'est stressant.

— Je vais juste vérifier. Juste pour voir, a-t-il marmonné avant de disparaître.

Il est revenu quelques minutes plus tard, soulagé.

— Il s'est rendormi. Tout va bien, annonça-t-il.

— Tant mieux ! avons-nous répondu en chœur.

— Sally s'est couchée. Elle vous dit bonne nuit.

Nous nous sommes donc retrouvés à quatre, pour notre dernière soirée, à lire et à regarder la télévision. Henry avait le canapé pour lui seul. Une bière tiède posée sur son torse, il marmonnait de temps à autre des commentaires et lançait des invectives aux joueurs. Attablée dans la salle à manger,

Lee était plongée dans la lecture de *Vogue*. Mick partageait son attention entre le match et son livre, un polar emprunté à la bibliothèque. Quant à moi... Je faisais genre « je lis le dernier Louise Erdrich ». Je l'avais apporté exprès pour impressionner les autres. En réalité, j'observais Mick. Et parfois, il m'observait aussi.

Lee a bâillé, puis s'est étirée.

— Bon, je vais me coucher. Henry ?

— Dans une minute.

— Bonne nuit, tous les deux ! a-t-elle lancé à Mick et moi.

La minute de Henry s'est transformée en un quart d'heure, le temps des arrêts de jeu. Je ne cessais de me répéter que je devais partir avant lui. S'il ne restait que Mick et moi, ce serait gênant. Mais j'ai relu le même paragraphe encore et encore, sans broncher.

Enfin, Henry s'est levé, ravi de la victoire de son équipe.

— Excellent match ! Lee est allée se coucher ?

Nous avons ri.

— Bon. On part de bonne heure, demain, ou plus tard ?

— Pour nous, ce sera de bonne heure, hélas, répondit Mick. Les parents de Sally viennent souper.

Du Delaware, sans doute. Ces gens riches...

— Et toi, Emma, tu es pressée ?

— Non, pas vraiment. Quand Lee et toi voudrez partir...

— Parfait. On passera la matinée à la plage, alors.

Je ne connais personne qui aime autant l'océan que Henry, pas même Isabel. Il est comme un gosse.

— Bien sûr, tu risques d'avoir eu ton quota. Tu as passé combien de minutes en plein soleil, ce week-end ? Dix ? Quinze ? Ha ! Ha !

— Ha ! Ha !

Hilare, il a jeté sa cannette vide à la poubelle.

— Trois points !

Puis il est descendu.

Il avait laissé le téléviseur allumé. Mick et moi avons échangé un regard, puis nous avons tourné la tête vers les deux commentateurs sportifs. Nous sommes restés ainsi un bon moment. Quand un autre animateur nous a promis que, si nous restions sur cette chaîne, nous aurions droit aux résultats sportifs, je me suis levée.

Pourquoi étions-nous si tendus ? Ce n'était pas la première fois que nous étions seuls. Nous sommes amis, après tout. Mais j'ai posé les yeux sur Mick et je me suis sentie fondre. Les jambes en coton, le souffle court, les nerfs à fleur de peau...

Il s'est levé à son tour. Un regard et c'était fini. J'ignore qui a tendu la main le premier. Jusqu'à la dernière seconde, cela aurait pu rester innocent. Rien qu'un contact, un frôlement des doigts pour se dire bonsoir... Nos mains se sont trouvées et nous nous sommes enlacés, avant de nous écarter aussitôt.

Fataliste, je me suis accrochée au souvenir de ses épaules puissantes, à l'odeur de son T-shirt, résignée à ne rien obtenir de plus. Il a dit quelque chose que je n'ai pas saisi, tant mes sens étaient en émoi.

— Quoi ?

Il m'a prise par la main et m'a entraînée sur la terrasse.

Un endroit trop éclairé, trop ouvert. Nous avons descendu l'escalier, moi pieds nus, lui dans ses *runnings* délacés. Sous la maison, entre sa voiture et une remise cadenassée, nous nous sommes arrêtés. Dans une ultime seconde de lucidité, nous nous sommes regardés sans nous toucher. Nous pouvions encore reculer, discuter.

Nous nous sommes embrassés. Ce fut douloureux, mais je ne pouvais plus m'arrêter. C'était comme boire de l'eau de mer quand on a soif. Quitte à en mourir, il le fallait. Agrippée à lui, je l'ai embrassé à pleine bouche. Il m'a plaquée contre le mur de la remise. Ma tête a heurté le compteur électrique.

— Aïe...

Quand Mick a voulu me lâcher, je l'en ai empêché.

— Embrasse-moi ! dis-je, frénétique, alors que c'était déjà le cas.

Je ne cessais de le lui répéter, comme des paroles obscènes, parce que c'était bon de ne pas mentir, pour une fois, de lui avouer ce que je voulais vraiment. Entre deux baisers, il se contentait de murmurer des jurons qui me faisaient l'effet d'un poème d'amour. Puis il a glissé les doigts dans mes cheveux.

— Tu es si belle...

J'avais le cœur en joie. C'était la première fois qu'il m'adressait un compliment. C'était tellement important, à mes yeux... Je l'ai embrassé avec tendresse, non plus comme une démente, puis nous nous sommes mis à trembler. Enfin, il a glissé les mains sous mon chemisier. Peau contre peau.

Haletante, j'ai posé la question fatidique :

— Mick, où pourrait-on aller ?

Lorsqu'il a tourné la tête pour scruter les alentours, la lueur du lampadaire a étincelé dans ses yeux. Comme moi, il se moquait des conséquences. Main dans la main, nous nous sommes frayé un chemin vers la pelouse, puis un bosquet de pins séparant Neap Tide de la maison voisine. Un sentier se dirigeait ensuite vers la mer. Où m'emmenait-il ? Allions-nous nous allonger parmi les pins pour nous embrasser encore dans le noir ? Allions-nous continuer jusqu'au bord de l'eau et faire l'amour sur le sable froid, au clair de lune ? Je l'ai suivi aveuglément. J'adorais être ainsi entraînée, ravie que la décision vienne de lui, et non de moi.

J'ai marché sur une plante épineuse.

Aussitôt, je me suis mise à sautiller sur un pied en jurant. Mick m'a attrapée par le bras. J'ai plié la jambe en arrière pour essayer d'arracher les épines. Hélas, je n'ai pas tout enlevé. Au premier pas, je me suis mise à boitiller.

— Assieds-toi.

Nous nous sommes installés sur le sable. N'était-ce pas l'illustration de ma vie ? Une analogie vivante ? Du grand art ? Il a posé ma cheville sur ses genoux en s'efforçant d'être doux. Il a réussi à ôter les dernières épines de ma voûte plantaire. Mais quelque chose avait changé : nous étions redevenus nous-mêmes, deux êtres lucides. L'arrachement était si brutal que j'avais envie de pleurer.

Le vent soufflait dans les arbres et les hautes herbes, sous le ciel noir étoilé. Bercés par le grondement régulier des vagues, nous sommes restés là à nous regarder. Mick scrutait ses mains pâles sur ma cheville encore plus blanche. J'ai pris conscience du poids de mon mollet sur sa cuisse. Il portait un pantalon de jogging gris et un T-shirt noir. Le clair de lune luisait dans ses cheveux trop courts. Submergée par un élan de tendresse, je me suis penchée vers lui pour le toucher. Nous nous sommes mis à parler en même temps, puis je lui ai cédé la parole.

— Quand nous sommes arrivés ici et que j'ai appris que tu restais...

Il s'est interrompu, je me suis encore rapprochée.

— Je m'attendais à ne voir... que des traces de toi. J'étais impatient de retrouver un livre que tu aurais lu et laissé là, une... une serviette humide.

Il a ri.

— J'ai regardé dans ta trousse de toilette, ai-je bredouillé. Juste pour voir, pour toucher tes affaires...

En sentant sa main sur ma joue, j'ai fermé les yeux.

— Je n'aurais pas dû rester. Je l'ai compris dès que je t'ai aperçu...

— Je suis content que tu sois là.

— Moi aussi, mais c'est de la folie.

— Je sais.

— Qu'est-ce qu'on va faire ?

— Aucune idée.

J'avais perdu toute volonté. C'était mon espoir secret : que Mick prenne la situation en main, qu'il se charge des décisions, qu'il me dicte ma conduite, qu'il m'oblige à agir si je résistais, un peu comme un père et sa fille. J'étais gênée.

— Emma, je ne crois pas que je puisse quitter ma famille. Je ne peux pas quitter Jay.

— Je sais, je sais. Je ne te le demande pas, répondis-je vivement en butant sur chaque mot.

Comment pouvait-il croire une seconde que je veuille détruire sa famille ? Pourtant, sa détermination m'a brisé le cœur. C'était sans équivoque, or j'avais besoin de quelque chose, une petite lueur d'espoir à laquelle m'accrocher.

J'ai posé une main sur la sienne.

— J'ai tant de choses à te dire... (Il a penché la tête vers moi.) Mais à quoi bon, si tu ne peux pas la quitter ?

La gorge nouée, il a eu l'air peiné. Je souffrais, moi aussi.

— Faites-vous encore l'amour ? Tu as eu d'autres femmes, à part moi ? Je ne sais rien de toi. Comment puis-je être amoureuse, alors que nous ne sommes jamais allés au cinéma ? Je déteste cette situation. Je veux juste... Te tenir la main, Mick, te téléphoner...

C'était une véritable torture. Il ne m'a pas répondu. Il n'arrivait toujours pas à me parler de son couple, à trahir Sally. Le moment était pourtant bien choisi pour déclarer : « Emma, je suis malheureux, elle ne me comprend pas, soyons amants. » Mais il était incapable de se trouver des excuses en invoquant les défauts de sa femme. Et surtout, il ne pouvait quitter son petit garçon, qui s'inquiétait déjà pour sa maman et qui faisait des cauchemars chaque nuit.

— Ça s'arrête là, n'est-ce pas ? On n'aura rien de plus ?

J'ai effleuré sa bouche, sa joue mal rasée, je lui ai caressé les cheveux.

— C'est quoi, cette coupe atroce ? ai-je demandé pleine de tendresse, les yeux embués de larmes.

— Je ne voulais pas que cela arrive. Je ne veux pas te faire du mal.

— Je sais. De toute façon, c'est trop tard.

— Emma...

Nous nous sommes embrassés, les yeux fermés, comme pour fuir la vérité. C'était sans espoir et nous repoussions l'inévitable. C'était si bon, d'être dans ses bras. Je ne m'étais jamais montrée aussi honnête depuis notre rencontre.

Hélas, il fallait que cela s'arrête. Nous nous sommes écartés en tremblant, haletants, comme deux adolescents sur le siège arrière d'une voiture.

— Bon sang, ai-je soufflé.

— Emma...

Nous nous sommes regardés, face à face.

— D'accord, dis-je. C'est fini. On arrête, parce que ça me tue.

Il m'a aidée à me relever. Cela peut sembler bête, mais j'en avais besoin. Il a regardé en direction de la maison. Par réflexe, j'en ai fait autant. Rien : pas de lumière à l'étage, pas d'épouse soupçonneuse sur la véranda, les mains sur les hanches, à scruter les dunes. Son inquiétude m'a gagnée, au point que je me suis sentie mal.

— Tu veux que je rentre la première ?

— Non, répondit-il d'un ton vif.

— Tu vois ce qui se passerait ? fis-je, un peu nerveuse. Nous ne pourrions même pas nous amuser. Il ne faut plus se voir, Mick, plus du tout. Ne m'appelle pas.

Il a hoché la tête, puis posé les mains sur son front.

— Lee et Henry donneront des fêtes.

— Je sais. Si tu es invité, je n'irai pas.

— Non, vas-y. Je resterai à l'écart.

— Non. Tu es l'ami de Henry et je peux voir Lee quand je veux...

Je me suis retournée pour regagner la maison en prenant garde aux épines. Encore une métaphore de ma vie : Mick et moi n'étions même pas parvenus sur la plage. Quant à faire l'amour avec passion près des vagues déferlantes... À cause d'un maudit chardon, nous avions dû nous contenter de quelques baisers furtifs.

Je ne pleure jamais en public, c'est une question de fierté, voire une obsession. Bref, je ne pleure pas. Imaginez mon désarroi quand, arrivée au bas des marches, je me suis rendu compte que je ne pouvais plus m'arrêter. J'aurais pu dire bonsoir à Mick et gravir les marches quatre à quatre. Il n'aurait jamais su. Hélas, je n'avais pas envie de le quitter.

— Merde, ai-je murmuré lorsqu'il m'a prise dans ses bras.

Étions-nous en sécurité ? Si quelqu'un sortait, Henry, par exemple, pour fumer un cigare, ou Jay en pleine crise de somnambulisme ? Ou encore Lee, prise d'une compulsion soudaine de passer le balai ?

— Je déteste cette situation.

— Moi aussi, et c'est de ma faute. Je te jure que je ne l'ai jamais voulu...

— Arrête de dire ça. Ce n'est de la faute de personne. D'ailleurs, on n'a rien fait.

— Je t'ai rendue malheureuse.

— C'est vrai, mais je te pardonne.

Nous nous sommes embrassés, puis j'ai tout gâché.

— Je ne suis pas comme ça, ai-je affirmé en m'essuyant le visage sur son T-shirt. Vraiment pas. C'est la première fois.

Il a fait semblant de me croire et a chassé mes larmes de ses doigts, puis il s'est penché pour poser son front contre le mien.

— Je regrette de t'avoir fait du mal, pas que ce soit arrivé. Je mens depuis le début.

— Moi aussi, j'ai menti.

— Au moins...

— Ouais...

Au moins, nous ne mentions plus, maigre consolation.

— Tu vas me manquer, murmura-t-il.

— Il ne faut pas.

Mais je ne me suis pas écartée, je voulais profiter de chaque seconde futile et douloureuse.

Un dernier baiser, très doux. Pas de passion, juste un au revoir. Je n'aime pas la sensation de mon cœur qui se brise. Cette histoire est très romantique, mais elle me ronge comme de l'acide.

— Au revoir. Demain, je me lèverai tard, Mick. Je ne veux pas te voir.

Ce furent nos dernières paroles. Des phares de voiture ont balayé l'impasse, une voiture inconnue qui nous a effrayés. Nous nous sommes écartés l'un de l'autre, puis j'ai gravi les marches sur la pointe des pieds. Je suis passée devant la porte de Sally pour regagner ma chambre.

Je me suis assise sur le lit pour guetter les pas de Mick. Presque aussitôt, j'ai entendu sa porte se refermer doucement. J'ai dressé l'oreille, comme une bête, comme une louve : rien, pas un murmure. Rien.

J'avais toute la nuit pour souffrir. J'aurais préféré que Sally le surprenne, que cette comédie cesse.

Il se trompe. Il devrait la quitter pour moi. Je le rendrais heureux et j'adorerais Jay. En fait, je l'adorais déjà.

Mais...

Mais ce que j'aime, chez lui, c'est qu'il est fidèle. Il m'a tuée.

20

Isabel

J'ai découvert le purgatoire. Pas l'enfer, non, c'est trop barbant. Le purgatoire est un lieu mal éclairé, au sol carrelé et aux murs mauves. Il y règne un silence studieux, malgré le téléviseur mural branché en permanence sur CNN. On appelle ça un service d'imagerie médicale.

Dans la salle d'attente, mon rythme cardiaque est toujours plus lent. Assise sur une chaise en pin légèrement rembourrée, je sens mon visage se détendre. Je discerne mal ce qui m'entoure, l'ensemble est un peu flou. Mes nerfs, mon énergie, tout se fond dans les murs pastel, les dalles du plafond et les reproductions de toiles de Renoir. *Est-ce que quelqu'un peut s'occuper de moi, s'il vous plaît ?* J'en suis réduite à les implorer : *Soyez doux. Ne me faites pas mal.* C'est un abandon, un renoncement, je remets ma vie entre leurs mains, totalement passive, car il n'y a rien que je puisse faire. Lâcher prise est un soulagement, ne plus prendre ma vie en main, ne serait-ce que pour un moment...

Aujourd'hui, je suis là pour une radiographie du thorax. J'ai déjà subi des jours et des jours de rayons pour ma hanche. Ils m'ont réparée : je n'ai plus mal et je ne boite plus. Je devrais apprécier cet endroit. Mais non. Je suis comme ma chienne : si le vétérinaire ne lui fait jamais vraiment mal, elle tremble comme une feuille dès l'entrée du stationnement.

Ici, personne ne semble avoir peur, même pas les enfants. J'observe discrètement mes compagnons de radiologie, guettant un signe de désespoir, de panique, de dévastation. En vain.

Personne ne pleure en silence ou ne se recroqueville sur lui-même. Personne ne craque. Suis-je comme eux ? Ils semblent attendre un rendez-vous avec leur assureur ou chez le dentiste. Mon visage est-il aussi neutre et résigné ? Aussi inexpressif ?

— Madame Kurtz ?

Une jeune femme mince aux cheveux fins et au visage parsemé de taches de rousseur me sourit depuis le seuil. Je lui emboîte le pas pour longer deux couloirs.

— Ça va ? me demande-t-elle en marchant.

Puis elle écarte un rideau donnant sur une petite cabine.

— Vous vous mettez torse nu et vous enfilez cette chemise. Je reviens vous chercher dans une minute, d'accord ?

J'enlève donc mon pull, mon chemisier et mon soutien-gorge à prothèse pour revêtir une tunique en coton bleu qui souligne mes hanches. Dans la lumière fluorescente, j'ai mauvaise mine. Et pourtant, je ressens un élan d'amour pour moi-même, une sorte de tendresse douloureuse. Pauvre Isabel...

La manipulatrice revient. Son badge indique qu'elle s'appelle Mme Willett. Dans la salle, je commence à défaire ma chemise.

— C'est bon, me dit-elle en me plaçant les bras sur les côtés, devant un carré blanc en bois ou en plastique qui ressemble à un panier de basket. Puis elle disparaît. J'entends sa voix, à l'autre extrémité de la pièce, derrière un écran de protection.

— Ne bougez plus. Respirez, bloquez. Respirez...

Elle prend une autre radio latérale, puis de dos.

— Cela devrait suffire. Vous patientez un instant ? Je reviens tout de suite.

Ils ne reviennent jamais tout de suite. En général, c'est au bout de cinq ou dix minutes. Elle est partie voir le radiologue qui va vérifier si les clichés sont exploitables. Parfois, il faut recommencer. C'est le pire moment. À son retour, la manipulatrice ne dit rien. Mais je ressens quand même une tension. Ma peur, mon fatalisme, mon apitoiement sur moi-même sont à leur comble. Je vais toujours chercher un magazine, n'importe quoi, et je parcours les recettes minceur, les articles sur le miracle des antioxydants, les pubs de mode, les pantalons à paillettes...

— C'est bien, annonça Mme Willett d'un ton enjoué en revenant les mains vides, vous pouvez vous rhabiller.

Je scrute son visage. Était-ce de la compassion que j'ai perçue dans sa voix ? Elle sait ce que montrent les radios. Le médecin a-t-il désigné un endroit en secouant la tête ? Non, c'est impossible. Son sourire est trop enjoué. Je ne peux avoir de métastases dans les poumons. Elle n'afficherait pas cet air-là.

À tort ou à raison, je me sens mieux en me rhabillant dans la cabine. Je prends l'ascenseur et je franchis la porte automatique pour déboucher sur le trottoir, respirer un air frais, non médical. Je suis une autre femme, qui ne se définit pas par sa maladie, indiscernable des gens sains qui se hâtent sans savoir. Comme eux, je pourrais être immortelle.

J'ai traversé Pennsylvania Avenue pour remonter K Street en prenant mon temps. Sur le chemin de l'hôpital, je n'avais pas vraiment remarqué le temps qu'il faisait. Heureusement, car je l'aurais mal vécu. C'était une de ces journées dorées de fin d'été. L'air embaumait et le soleil caressait les feuilles encore vertes. Malgré l'heure de pointe, les passants semblaient détendus, aussi séduits que moi par la douceur de cet après-midi.

À Farragut Square, j'étais trop fatiguée pour attendre le bus sur Connecticut. J'ai acheté un café – la caféine est mon dernier vice, sinon je suis un régime strictement macrobiotique – puis je suis allée m'asseoir sur un banc, dans le parc.

Je suis tombée dans le petit jeu morbide auquel je me livre de temps en temps. Petites vieilles dames ridées, enfants, jeunes hommes, jolies filles, jeunes mères et leurs bambins, ados boudeurs, vieux messieurs, chaque fois que je voyais passer quelqu'un, je pensais : *Tu vas mourir, tu vas mourir, tu vas mourir, tu vas mourir, tu vas mourir, tu vas mourir, tu vas mourir.* Je ne cherchais pas à me réconforter. C'était plutôt une façon de croire à l'impensable, de me dire que personne ne s'en sort vivant, au final. En réalité, j'ai toujours du mal à croire à la mort. Oui, encore maintenant...

Quelle importance, de toute façon ? Il suffit d'être vivant et d'en avoir conscience. Dans cet instant unique du temps si vaste, moi, Isabel, j'ai le privilège d'exister. Je sirote un café bien chaud adouci au lait végétal. C'est vraiment goûteux. Des étourneaux chantent dans les chênes. L'air sent le parfum, puis les gaz d'échappement, puis le parfum. J'adore le contact chaud et velouté de ce banc patiné par des milliers de postérieurs. Me voici, en ce monde, à cette seconde précise. Je n'ai jamais été ainsi, et je ne le serai plus jamais. C'est un honneur, un émerveillement...

— Vous permettez ?

En levant les yeux, j'ai vu un vieil homme penché vers moi, un sourire aux lèvres. D'abord perplexe, j'ai compris qu'il voulait s'asseoir à côté de moi.

— Euh... oui, je vous en prie.

Je me suis déplacée en serrant mon sac contre ma hanche.

Il s'est assis péniblement avec un long soupir de soulagement, puis il s'est adossé tout doucement, comme un vieux chien qui s'installe près de la cheminée. Du coin de l'œil, je l'ai vu sortir un mouchoir de sa poche. Son manteau était bien trop épais pour un après-midi de septembre. Il s'est tapoté le nez d'une main noueuse et pâle, puis il s'est tourné vers moi pour m'adresser un large sourire.

— Belle journée, n'est-ce pas ?

— Superbe, ai-je répondu en hochant la tête.

— Je ne supporte pas l'humidité.

— Moi non plus, en général. Mais il n'y en a pas, aujourd'hui.

— Il fait beau...

— Un temps magnifique.

Gonflant les joues comme un crapaud, il a levé ses yeux pâles vers les arbres. Avec un soupir, il a placé les deux mains sous son genou et a soulevé sa jambe pour la croiser sur l'autre. Il portait des chaussettes beiges sous des sandales marron usées et semblait avoir des cors aux pieds.

— Où l'avez-vous eu, votre café ? s'enquit-il.

— Sur le trottoir d'en face, répondis-je en tendant le bras.

— Ah... ça sent bon.

— Vous en voulez ? Je peux aller vous en chercher un.

— Non, non ! Merci beaucoup ! répondit-il en souriant encore de toutes ses fausses dents blanches. J'ai arrêté le café. Ça me tape sur les nerfs. J'aime toujours son arôme. C'est pas comme les cigarettes... J'ai arrêté aussi, mais je trouve que ça pue. Vous fumez, vous ?

— Non. Je n'ai jamais fumé.

— C'est très sage. Ma femme ne fumait pas, elle non plus...

Il s'interrompit pour tousser dans son mouchoir. Il avait une toux grasse de vieillard. Puis il s'est détourné pour cracher discrètement dans son mouchoir avant de le ranger dans sa poche. Il a ensuite plongé la main sous son chandail pour sortir deux photos.

— C'était Anna, ma femme. On s'est rencontrés en Italie, pendant la guerre. Elle était Italienne.

Il tenait à ce que je prenne les photos en main. J'ai découvert deux versions d'Anna : mince et jolie sur le premier cliché, ronde et jolie sur le second, avec le même sourire mystérieux. Enfin, mystérieux à mes yeux. Difficile de deviner ce que dissimule le sourire d'une inconnue.

— Je l'ai perdue en 1979, raconta-t-il en gonflant de nouveau les joues.

— De quoi est-elle morte ?

C'était une question trop personnelle, mais je n'ai pas pu m'empêcher de la poser.

— D'un cancer du col de l'utérus.

— C'est très triste. Vous avez des enfants ?

Il a secoué la tête.

— On a eu un bébé... On l'a perdu très vite, trop vite. Ensuite, on n'a pas pu en avoir d'autres.

— C'est terrible...

J'ai failli poser une main sur lui. Je m'étais exprimée avec trop de ferveur. Ce drame remontait si loin que ma compassion devait lui sembler excessive.

Il a écarté les doigts sur les genoux de son pantalon lustré : sa façon de hausser les épaules, sans doute.

— Merci, dit-il avec beaucoup de dignité. Et vous, vous êtes mariée, si je peux me permettre ?

— Non, ai-je répondu, avant d'ajouter, sans savoir pourquoi : j'ai un fils.

— Et lui, il est marié ?

— Non. Il vit avec quelqu'un.

Susan, institutrice dans une école élémentaire. Je ne l'avais jamais rencontrée. Quand avais-je perdu Terry ? Il est parti faire ses études à Montréal et n'est jamais revenu. Longtemps, j'ai refusé d'y voir une fuite mais, après toutes ces années, je dois bien m'y résoudre : Terry s'est enfui loin de ses parents. Je ne lui en veux pas, et je ne crois pas aux regrets éternels. Cet échec n'est pas la seule tragédie de ma vie.

— C'est comme ça, de nos jours, commenta le vieil homme. Ça ne choque personne.

— Dans le temps, on appelait ça s'incruster, ai-je répondu.

— C'est ça, s'incruster, a-t-il répété en riant. Sheldon Herman, enchanté. Je ne vous serre pas la main, je suis enrhumé.

— Moi, c'est Isabel.

— Ravi de vous rencontrer. Tenez...

Il a sorti une autre photo.

— Voici Moxie.

C'était un chien aux airs de berger allemand, avec de longues oreilles et les yeux rougis par le flash.

— Le meilleur ami de l'homme, commenta Sheldon Herman d'une voix rauque. C'était une brave bête. Elle m'a bien tenu compagnie après la mort de ma femme. Elle est morte en 1988, elle avait treize ans.

J'ai émis un grommellement de compassion.

— Je l'ai enterrée dans le jardin, avec une petite cérémonie, et des fleurs. J'ai déposé sa balle de tennis près de ses pattes.

— Oui...

— Ensuite, il a fallu que je déménage. Vous savez ce que c'est : les vieux, on les vire de chez eux. Alors maintenant, je suis dans une maison pour les vieux. C'est pas mal. Ça pourrait être pire.

Il s'est tourné vers moi. Ses joues hérissées de poils blancs étaient striées de rides profondes. Difficile de savoir s'il avait le teint clair ou mat, tant sa peau était délavée, presque effacée.

— Ce qui m'a le plus manqué, reprit-il, c'est d'avoir quelqu'un dont je puisse m'occuper. Là où je vis, on est tout seuls. J'ai une chambre individuelle et il n'y a que des hommes.

Il m'a toisée avec son large sourire.

— Vous êtes impressionnable, Isabel ?

— Comment ?

— Vous êtes du genre à avoir peur des araignées et des petites bêtes ?

— Non, ai-je répondu doucement. Je ne dirais pas cela. Pourquoi ?

— N'allez pas tomber dans les pommes, hein, prévint-il en glissant une main dans l'autre poche de son manteau.

Je me suis crispée légèrement, pas vraiment alarmée, en alerte. Il a sorti quelque chose que je n'ai découvert que lorsqu'il a ouvert sa main tachetée. Une souris.

— Je l'ai trouvée dans un piège qu'ils avaient mis dans la cuisine. Elle a une patte écrasée, vous voyez ? Elle boite. Je pourrais vous montrer, mais vous risquez de tomber dans les pommes. Je l'ai appelée Brownie. C'est mon amie, maintenant.

— Elle est mignonne.

Elle l'était, avec ses yeux vifs et ses petites pattes roses, et sa fourrure rousse. Au creux de sa paume, elle scrutait les alentours, nerveuse, en agitant sa moustache.

— Je lui donne du fromage, du pain, de la salade... J'ignore s'ils savent que je l'ai. En tout cas, personne ne me crée de problèmes. Vous voulez la caresser ?

Sous son regard pétillant, j'ai passé le doigt sur le dos soyeux de la souris.

— Elle vous tient compagnie.

— C'est ça. Il faut bien avoir quelque chose, n'importe quoi, un être vivant, pas un objet. Il faut que ça respire, c'est la seule condition. Je l'ai toujours pensé. Plus que jamais, ces derniers temps. La vieillesse, sans doute...

— Sans doute.

— Vous savez, j'aimais ma femme plus que tout, plus que moi-même, mais quand je regarde en arrière, je me dis que ça n'a pas suffi. Si je pouvais recommencer ma vie, je m'y prendrais mieux, c'est sûr.

Il a soulevé la souris et a embrassé le sommet de son crâne de ses lèvres fines. Ensuite, il l'a rangée dans sa poche avec grand soin, comme une mère qui allonge son bébé dans son berceau.

— Belle journée, reprit-il avec un soupir, en se penchant en arrière pour observer les branches des arbres. C'est presque la fin de l'été. On n'aura plus beaucoup de journées comme celle-ci, je parie.

— Non, ai-je répondu. Plus beaucoup.

Quelques minutes plus tard, j'ai vu mon bus descendre K Street. J'ai dit au revoir à M. Herman, qui m'a souri, et je l'ai laissé sur le banc. Le soleil projetait quelques ombres sur sa silhouette voûtée.

De retour chez moi, je ne suis pas rentrée tout de suite. J'ai fait le tour vers l'arrière pour voir mon jardin. Enfin, le jardin de Kirby. Au printemps, après mes premières séances de chimio, c'est lui qui s'était chargé de bêcher et de tailler. En été, il a désherbé et arrosé quand je rentrais trop fatiguée d'un cours du soir. Sans lui, je n'aurais pas pris la peine de m'occuper d'un jardin, cette année, même si c'est compris dans le loyer. Naguère, Mme Skazafava, ma propriétaire, cultivait le terrain situé derrière le bâtiment, une parcelle d'environ deux cents mètres carrés. Désormais trop âgée, elle a divisé le terrain en quatre jardins pour ses locataires. Bizarrement, ils ne sont pas toujours pris, alors que l'immeuble compte douze appartements. Depuis mon emménagement, j'ai toujours profité d'une parcelle. C'est la troisième fois. J'adore jardiner. C'est une passion.

Au printemps, Kirby a trouvé une grosse bobine en bois dans une ruelle. Je m'en sers de chaise de jardin depuis que j'ai mal aux jambes. Si la plupart des locataires font pousser des légumes, je préfère les fleurs. À cette époque de l'année, il y avait surtout du feuillage, mais mes cléomes roses et blancs étaient encore en fleur, ainsi que mes asters et mes nicotianas, mes boltonies transplantées, mes *chelone obliqua* avec leurs têtes roses. La nuit tombait. Une abeille bourdonnait dans les coléus, avant de s'envoler au loin. Les oiseaux chantaient une dernière fois avant la nuit. De l'autre côté de la ruelle, ma voisine Helen a passé la tête par la porte du fond pour appeler ses enfants, comme toutes les mères.

En entendant des pas, je me suis retournée. Kirby longeait un mur de béton qui sépare les jardins. Il portait sa tenue d'été : un pantalon militaire, un T-shirt beige et de vieilles sandales Birkenstock. Celles-ci m'ont fait penser à M. Herman et ses pieds difformes, ce qui m'a submergée de mélancolie.

Les mains dans les poches, Kirby s'est arrêté près de moi.

— Salut ! avons-nous dit à l'unisson, avec un sourire.

Il avait cependant le regard voilé.

— C'est bientôt le moment de planter des chrysanthèmes, dis-je. Regarde comme les anémones sont belles, et les *cimicifuga*... Tu les as plantées à l'endroit idéal.

Il s'est accroupi à côté de moi, les mains croisées.

— Comment ça s'est passé ?

L'espace d'un instant, je n'ai pas compris à quoi il faisait allusion.

— Ah, la radio ? Bien. Ça s'est bien passé.

— Ils t'ont dit quelque chose ?

— Non. Ils ne disent jamais rien. Les médecins téléphonent s'il y a quelque chose.

— Je vois.

Il a froncé les sourcils sans un mot. Il est adorable, pour ça. Je sais qu'il s'inquiète, mais il exprime sa compassion par des gestes, et non des mots. Et c'est l'un des rares hommes qui ne se sente pas obligé d'avoir une opinion sur tout, ou pire, une solution pour tout.

Il a baissé la tête. Son long cou semblait tendre et doux comme celui d'un enfant. Prise d'une envie de toucher sa peau et les cheveux soyeux qui formaient un V au milieu, j'ai tendu la main. Soudain, il s'est tourné. J'ai simplement effleuré sa joue. Au lieu d'ôter ma main, je l'ai posée sur sa joue pour la caresser.

— Isabel... a-t-il murmuré, abasourdi.

— Je vais peut-être mourir, ou bien m'en sortir. Je ne sais pas. Probablement pas. Tu en es conscient, n'est-ce pas ?

— Oui.

— Vraiment ? Tu le comprends ?

— Oui. Je sais tout.

Il a porté ma main à ses lèvres. Quand j'ai voulu la dégager, il l'a retenue. Nous ne nous étions pas touchés, pas comme ça, depuis ce soir où il m'avait embrassée, sous le réverbère.

J'ai caressé sa pommette saillante. Il a baissé les paupières pour masquer son regard.

— Je suis malade, Kirby, et je suis chauve. Mon corps n'est pas celui de la véritable Isabel. Je ne vois pas comment tu peux le désirer, mais si...

— Mais si...

— Si tu le veux...

Soudain, j'ai été submergée par une timidité stupide, une peur superstitieuse de verbaliser cette chose que je désirais le plus au monde, ce dont je venais seulement de prendre conscience.

Il s'est levé, sans lâcher ma main, et m'a fait lever à mon tour.

— Je n'ai pas changé le moins du monde. J'attendais, c'est tout...

Ravi, presque reconnaissant, il m'a prise par les épaules, puis m'a serrée dans ses bras.

C'était si bon que j'avais peine à y croire.

— Seulement si tu me veux... ai-je bredouillé contre son T-shirt. Pas par compassion... Ne me mens pas.

Il s'est écarté sans me lâcher.

— Que s'est-il passé ?

— Rien...

— Ton état a empiré ?

— Non !

— Tu me le jures ?

— Ça va, il ne s'est rien passé, je t'assure !

Rien que je puisse encore lui expliquer, en tout cas. Un changement était intervenu dans mon cœur, une histoire de regrets à évacuer pendant que je le pouvais encore. Peu importe d'où vient l'amour, peu importe quand, ou la forme qu'il prend. Je ne veux pas avoir de regrets. Ma vie, c'est ici et maintenant.

— Bon, arrête de dire des bêtises, Isabel. Rentrons.

J'ai rêvé que j'étais enfermée dans un grand placard sombre. J'agitais les mains devant le fin rayon de lumière, au bas de la porte verrouillée, en criant :

— Au secours ! Sortez-moi de là !

Puis la lumière a baissé, avant de disparaître, et je me suis retrouvée dans le noir complet. J'ai hurlé, hurlé, mais je n'avais pas de voix. En me réveillant, j'avais le visage inondé de larmes.

Kirby dormait sur le côté, dos tourné. Il n'a pas bougé quand j'ai glissé ma main droite entre le matelas et la peau chaude de sa taille. J'ai attendu qu'un battement de cœur, le sien ou le mien, m'apaise.

C'était un rêve ancien dont je connaissais la signification, et je l'avais fait si souvent qu'il avait perdu le pouvoir de me transformer en un paquet de nerfs jusqu'à l'aube. Je me suis concentrée sur la respiration rassurante de Kirby et je me suis assoupie.

À mon réveil, je n'ai pas connu ce moment de sourde angoisse qui explose soudain pour se muer en une panique absolue. Alors, mon cœur s'arrête de battre, j'ai soudain très chaud. *Le cancer est de nouveau en moi et, cette fois, il va me tuer.* Pour une fois, j'ai eu un réveil paisible.

En tournant la tête, j'ai vu le profil acéré de Kirby dans les premières lueurs de l'aube. Soit il méditait, soit il dormait. Il dormait, sans doute, même si ses traits austères n'étaient pas détendus. Il respirait en silence. J'ai pensé à Gary en m'efforçant d'éviter les comparaisons.

Faire l'amour avec un nouveau partenaire est toujours délicat, je suppose. Jusqu'à hier soir, je n'avais vécu cette expérience qu'une seule fois. Alors faire l'amour avec une femme chauve n'ayant plus qu'un sein... il y avait de quoi être au-delà de la gêne. Après Gary, le corps harmonieux de Kirby m'avait embrasée et quelque peu effrayée. Et parfois, quand on anticipe un désastre, il se produit.

Kirby nous a sauvés. Je n'ai aucun mérite, j'ai même failli tout gâcher. Nous nous sommes déshabillés pour nous glisser dans mon lit, puis je suis restée allongée, émerveillée par la fermeté de son corps, et j'ai songé à Gary. Kirby pensait-il à sa femme ? Allait-il ressentir de la pitié ? De la pitié et des regrets ? Il s'est contenté de me caresser. Ses mains étaient tellement tendres... Encore une première, pour moi.

Finalement, je me suis laissé séduire.

— Ne réfléchis pas, m'a-t-il murmuré en me couvrant de baisers enflammés et romantiques.

Facile à dire... Pourtant, j'ai tout oublié. Il a occulté ma maladresse, l'étrangeté de la situation, la monstruosité potentielle de notre union. L'espace d'un instant, j'ai même oublié le pire : cette peur profonde qui ne me quitte jamais. J'ai été éblouie. Aussitôt, je me suis dit : *ce lâcher prise n'est qu'une répétition*, ce qui a rompu le charme. Un fantasme morbide et choquant.

La longue nuit ne faisait que commencer. Avant que nous ne nous endormions dans les bras l'un de l'autre, Kirby avait réussi à me guérir de mon côté morbide, au moins pendant un moment. C'est un homme aux multiples talents.

Je ne crois pas que le sexe, l'acte d'amour, transforme les gens. Emma ne serait pas d'accord, mais c'est ainsi : je ne suis pas romantique. Cela étant dit, je dois admettre que je me sentais différente, au matin. Je suis restée immobile, puis j'ai compris ce qui manquait au tableau.

La peur.

Une aube incolore filtrait entre les rideaux. À sa faible lueur, j'ai observé ma paume. D'après la ligne qui part de la base de mon pouce, je vivrai cent dix ans. Si je ne prends pas ça à la légère, je comprends que ça n'a pas vraiment d'importance. Mes révélations d'hier se poursuivent. Finalement, dans l'ordre de l'univers, peu importe que je vive cinq ou cinquante années de plus. Ou deux. L'important, c'est de les vivre au lieu de les subir. Or je suis vivante, à cette seconde précise. Je peux cueillir des fleurs, caresser le chien, manger des roulés à la cannelle. Je serais bien bête de laisser ma mortalité gâcher le plaisir de ces petites choses. Il n'en sera rien. Dorénavant, je me rappellerai que j'ai l'intention de vivre jusqu'à ma mort.

J'ai réveillé Kirby pour le lui dire. Il a surgi de son sommeil en un clin d'œil avec un sourire éblouissant.

— Merci, ai-je dit au lieu de lui parler de ma révélation.

— Pour quoi ?

— Pour ton cadeau.

— Un cadeau...

Il pensait au sexe. J'aime bien quand Kirby se comporte comme un homme normal.

— Tu te fais des illusions, bougonna-t-il en s'humectant les lèvres, son bras sombre contre la couverture rose pâle. Je ne t'ai rien donné, Isabel. Je t'ai prise.

— Salaud !

— N'inverse pas les rôles. Ne fais pas de moi un altruiste, me conseilla-t-il avec sérieux.

Il a pris mon visage dans ses mains pour me caresser les tempes de ses pouces. Il est très romantique. Tout en lui est parfait.

—J'ai de la chance, ai-je soudain réalisé en l'embrassant avec fougue, ce qui l'a surpris.

Je ne voulais plus perdre une seule seconde de ma vie.

— Profite de moi encore une fois, ai-je suggéré.

C'était un bon début.

21

Lee

*J*e somnolais quand Henry a décroché le téléphone, dans le couloir.

— Salut, Emma ! a-t-il lancé avec entrain, avant de monter l'escalier. Oui, elle est couchée. Eh bien, elle a toujours mal... Oui, un jour ou deux... Hier... Non, ça s'est bien passé.

Il s'est arrêté sur le seuil de la chambre.

— Ne quitte pas, je vais voir. (Il a posé la main sur l'appareil.) Tu es réveillée ? Tu veux parler à Emma ?

Je l'ai regardé froidement :

— Ça s'est bien passé, tu trouves ?

Son visage s'est fermé. Il n'avait plus l'air joyeux du tout.

— Je te la passe, dit-il. Elle va te raconter.

J'ai posé la main sur le combiné.

— Pourquoi lui avoir dit que ça s'était bien passé ?

— J'entendais par là qu'il n'y avait pas eu de complications...

Il a même eu le culot de sembler exaspéré.

— Tu es content, n'est-ce pas ? Pourquoi ne pas l'admettre ?

— De quoi ?

— Que ce ne soit plus de ta faute.

— Lee, tu... (Il prit une profonde inspiration pour maîtriser sa colère.) Tu es folle, dit-il doucement avant de quitter la pièce.

Je me suis tapoté les yeux avec un mouchoir en papier, puis j'ai dit « allô ».

— Salut ! Comment ça s'est passé ? Comment tu te sens ?

Oh, lâche-moi, ai-je pensé. Qu'est-ce qu'elle cherchait ? Elle se prenait pour une infirmière ?

— Ça va. Je suis fatiguée.

— Ah bon ? Tu n'as pas mal ?

— Plus maintenant.

— Qu'est-ce qu'ils t'ont fait ?

— Une hystérosalpingographie, puis une laparoscopie.

— Oh ! Tu étais endormie ?

— Pas pour la laparoscopie... ni pour l'HSG.

— Tu as eu mal ?

— Oui.

— Oh, Lee... Henry était avec toi ?

— Il avait du travail, mais il est venu me chercher pour me ramener à la maison.

Silence. Emma a fini par percuter.

— Les nouvelles sont mauvaises ? Qu'est-ce qu'ils ont trouvé ?

— J'ai une salpingite isthmique noueuse.

— Qu'est-ce que ça veut dire ?

— Un conduit bouché. Les petits trucs, comme les œufs, le sperme et les embryons ne peuvent pas passer.

— Oh non... ça peut s'arranger ?

— Parfois. Mais pas dans mon cas, parce que le conduit est abîmé aux deux extrémités.

— Merde.

— Comme tu dis.

— Il doit bien y avoir une solution. De nos jours...

— Il ne reste plus que la fécondation in vitro.

— Un bébé-éprouvette...

— Ils prennent un œuf dans l'ovaire, le fécondent en laboratoire, un embryon se forme, puis ils le placent dans l'utérus.

— Je vois. Donc... ça va marcher ?

— Peut-être. Les chances augmentent s'ils utilisent le sperme d'un donneur.

— Un donneur... c'est-à-dire pas celui de Henry ?

— C'est ça.

— Tu... Ce serait...

— Au point où j'en suis, je n'en ai que faire.

— Ah. Et Henry est d'accord ?

J'en avais marre de cet interrogatoire en règle.

— Ça devient un peu perso, là...

— Oui, pardon. Je n'aurais pas dû poser cette question... C'est juste que, d'habitude, on... Enfin, désolée.

— D'accord.

— Donc, la prochaine étape, c'est la fécondation in vitro. Je suis sûre que ça va marcher. En fait, ils auraient sans doute dû commencer par là, mais c'est facile à dire, après coup.

J'ai patienté.

— Bon, tu me sembles fatiguée, alors je vais te laisser. Je donnerai de tes nouvelles à Rudy. Elle t'appellera sans doute.

— Très bien.

— Tu imagines, elle a commencé une formation de paysagiste. Je n'y crois pas ! J'étais certaine que Curtis l'en empêcherait, ou alors qu'elle se dégonflerait. Je trouve ça génial. Notre Rudy commence à réagir.

— Oui, c'est génial.

— Tu as parlé à Isabel ?

— Hier soir, pas longtemps.

— Tu l'as trouvée comment ?

— Bien. Elle était désolée pour mon problème de blocage.

— Mais elle allait comment ? Elle t'a paru bien ?

— Oui, elle semblait en forme. Il faut que je te laisse.

— Lee ? Pardon ! Je sais que c'est dur...

— Non, tu ne sais pas, tu ne sais rien, et j'espère que cela ne t'arrivera jamais, Emma, parce que, ce jour-là, tu ne trouveras pas ça aussi insignifiant.

— Je ne trouve pas ça insignifiant ! Qu'est-ce que tu veux dire ? Quelle idée !

— Il faut que je raccroche.

— Eh bien, raccroche, alors.

— Très bien.

— Oh, Lee...

J'ai raccroché. Je l'avais prévenue, donc je ne lui raccrochais pas vraiment au nez, en théorie. Je me suis levée et je me suis habillée.

Dans la cuisine, Henry remuait le contenu d'une marmite. En m'entendant, il s'est retourné.

— Tu es debout, fit-il, un peu surpris, mais pas particulièrement ravi. Tu ne devrais pas rester au lit ? Ils ont dit...

— Un jour ou deux, et cela fait une journée. Je me sens bien. Je vais chez Isabel.

— Chez Isabel ? Je suis en train de préparer le souper. Il est sept heures.

— Je sais l'heure qu'il est. Je n'ai pas faim. Surtout pour du chili...

C'est le seul plat qu'il sache cuisiner, mais quand même... Quel manque de considération ! Chacun sait que le chili n'est pas le plat idéal pour une convalescente.

Tout en lui m'agaçait, de sa chemise en flanelle à sa cuiller en bois qui dégoulinait de sauce, par terre, jusqu'à sa nouvelle coupe qui lui donnait l'air d'une fille... C'était à ce propos que nous nous étions disputés, la semaine dernière : « Tu es trop vieux pour avoir les cheveux longs », lui avais-je affirmé.

Il était aussitôt allé chez le coiffeur sans me consulter.

— Tu ressembles à Prince Vaillant ! Quitte à te faire couper les cheveux, autant que ce soit réussi. Essaie d'avoir l'air d'un homme normal, pour une fois.

Il n'a pas apprécié. On ne s'est pas parlé pendant deux jours.

— Bon, dis-je. J'y vais.

— Tu rentres quand ?

J'ai enfilé mon manteau avec précaution. Au moindre geste brusque, je sentais un tiraillement dans mon ventre.

— Je n'en sais rien.

— Appelle-moi avant de partir, dit-il en se remettant à remuer son chili.

— Pourquoi ?

— Pour que je sache.

— Que tu saches quoi ?

— Que tu pars, rétorqua-t-il en se tournant vers moi, agacé.

— Quelle différence ?

Il était furieux. Tant mieux.

— En cas de braquage, tu comptes faire quoi ? Si quelqu'un m'agresse à Adams-Morgan, en quoi le fait que je t'appelle avant de partir...

— Alors ne m'appelle pas ! m'a-t-il lancé en frappant la cuisinière de sa cuiller de bois. Ne m'appelle pas ! Je m'en fous !

Il s'est dirigé vers le salon. J'avais mal au ventre, mais je l'ai suivi, fulminante.

— Tu es content, n'est-ce pas ?

— Merde !

Il a projeté la télécommande sur la table basse.

— Ce n'est plus ton sperme si précieux, le problème, c'est moi.

— Tu perds la tête.

— Pas du tout ! Dis-moi que tu n'es pas secrètement soulagé.

— Lee, le problème vient de nous deux.

— Oui, et tu t'en réjouis. Tu peux partager la faute.

— La faute ?

Il s'est mis à jurer, ce que je détestais, et il le savait.

— Ce n'est la faute de personne ! C'est comme ça, dit-il.

— Oh, ça t'arrangerait !

Il a glissé les doigts dans ses cheveux, décoiffant sa coupe médiévale.

— Qu'est-ce que ça veut dire, ça ?

Je n'en avais aucune idée.

— Rien.

Quand je me suis mise à pleurer, il n'a pas bougé, n'est pas venu me réconforter. Nous nous regardions en chiens de faïence.

— Je vais chez Isabel, ai-je conclu.

C'est Kirby qui m'a ouvert la porte, sa serviette à la main et la bouche pleine.

— Oh, vous êtes à table ! Désolée, je pensais que...

— Lee ? appela Isabel.

Kirby a ouvert la porte en grand. Isabel était attablée dans la cuisine.

— Entre ! On avait presque fini !

— Allez, viens, renchérit Kirby.

Même Grace me souhaitait la bienvenue. Je suis donc entrée.

L'appartement rappelait une tonnelle ou une église. Sur chaque table, chaque étagère de la bibliothèque était posé un vase de fleurs : dahlias, pétunias, cosmos, asters. Il y avait de la musique classique en fond sonore et il flottait un parfum exotique, un mélange d'encens et de gingembre. Un plat chinois ? Les derniers rayons du soleil filtraient par un vitrail représentant un ange, dans la salle à manger. Il y avait des chandelles un peu partout, aussi.

— Qu'est-ce qui se passe ? ai-je demandé bêtement, tandis que Kirby m'invitait à enlever ma veste.

— Comment ça ? Ce n'est qu'un repas, et nous avons fini.

Isabel s'est appuyée sur la table et a repoussé sa chaise pour se lever. Elle a cherché quelque chose de la main. Une canne.

— Je vous ai interrompus. Ne te lève pas ! Je vois que c'est une soirée spéciale. Je peux...

— Non, non !

Elle s'approcha à pas lents. Dans la lumière naturelle du salon, j'ai constaté qu'elle était très pâle. Son visage lisse était émacié, ses yeux cernés semblaient trop grands, ses pommettes trop saillantes. Le nouveau traitement la rendait malade, sans doute. Le médecin avait interrompu le précédent pour passer au Taxol. Elle m'a souri pour me mettre à l'aise. Kirby était toujours là. J'ai fondu en larmes.

J'ai senti deux paires de mains sur moi, apaisantes, rassurantes. En levant la tête, j'ai vu Isabel adresser un message à Kirby d'un regard.

— Bon, je crois que je vais...

Il a marmonné la suite en se dirigeant vers la chambre.

— Oh non, ai-je gémi. Regarde, je l'ai chassé, il...

— Chut... Il vit ici. Il va simplement dans la chambre. Tu ne l'as pas chassé. Tu as mangé ?

— Il vit ici ?

— C'est tout comme.

Elle m'entraîna vers le coin repas, me tenant par le bras, toujours aidée de sa canne en bois à pommeau en cuivre.

— Assieds-toi. Regarde ce qu'il reste à manger.

— Je n'ai pas faim. Seigneur, Isabel, qu'est-ce que c'est que ça ?

— Ça ? De la soupe miso. Avec du tofu et du riz complet. Tu veux du jus de prune ?

— Non merci.

— Nous étions en train de tester un nouveau livre de cuisine. Tu savais que les plats macrobiotiques aiment être mélangés dans le sens inverse des aiguilles d'une montre ? Je parie que non.

— Ils aiment ça ?

— J'ai hâte d'en parler à Emma. Tu veux t'asseoir ou tu préfères qu'on passe au salon ?

— Allons au salon.

Le temps que nous nous installions sur le canapé, Isabel avec un verre de jus de prune et moi avec Grace à mes pieds, je m'étais ressaisie. Je ne reniflais plus, ne hoquetais plus.

— Désolée, dis-je en me mouchant une dernière fois. Tu n'as vraiment pas besoin de ça. J'aurais dû appeler avant de venir, mais je...

— Ce n'est rien.

— Je me suis enfuie de moi-même autant que de la maison. Emma m'a appelée tout à l'heure et je lui ai raccroché au nez.

— Quoi ?

— Je sais, c'est fou. Je l'appellerai demain pour m'excuser. Elle ne m'a rien fait. C'est moi. Je ne suis plus moi-même. Et Henry... Oh, on se dispute pour des niaiseries ! (Je me suis interrompue.) Isabel, tu vis comme ça en permanence ? (J'ai désigné les fleurs, les bougies.) C'est magnifique.

Soudain, une pensée m'est venue. Comment Isabel pouvait-elle mourir ? Elle avait ce beau tapis qu'elle adorait, ces coussins, ces lithographies de fleurs sauvages au mur. C'était poignant, la preuve qu'elle ne pouvait partir, qu'elle devait rester. Ce serait trop cruel...

Elle m'a souri.

— Oui, c'est une idée de Kirby, un lieu de guérison, selon lui. Alors, parle-moi de cet examen.

— C'était horrible. Il faut s'allonger sous un appareil de radiographie, les pieds dans les étriers. Ils t'enfilent un cathéter par le col de l'utérus. Ils m'ont donné un Advil en affirmant que ça ne ferait pas mal... un supplice ! J'ai eu des spasmes.

— Oh...

Isabel m'a serré la main en faisant la moue.

— Ils envoient un colorant dans le cathéter. Si les trompes ne sont pas bouchées, il va jusqu'au bout, mais s'il y a un obstacle, il s'arrête. Le mien s'est arrêté. Il a fallu une laparoscopie pour voir l'étendue des dégâts.

— Alors ?

— Ce n'est pas bon. Il n'y a pas de chirurgie possible. Je ne peux avoir un enfant que par fécondation in vitro et, à mon âge, les chances de succès sont d'environ douze pour cent, même avec un donneur de sperme. De plus, ça coûte une fortune.

— Combien ?

— Environ onze mille dollars.

Isabel est restée bouche bée.

— Henry est... Il n'arrive même pas à en parler, alors on n'échange plus un mot.

Elle a secoué la tête avec compassion.

— Qu'est-ce que tu comptes faire ?

— Une fécondation in vitro.

Isabel faillit dire quelque chose, puis elle s'est ravisée.

— C'est mon argent, pas le sien.

— Je sais, mais c'est une somme colossale.

— Quelle différence ? Si j'avais une terrible maladie...

— Quoi, si tu avais une terrible maladie ? a-t-elle insisté quand je me suis interrompue.

Décidément, j'enchaînais les bévues...

— Je voulais dire que si j'avais besoin d'une opération pour me sauver la vie, il ne regarderait pas à la dépense.

— C'est vrai.

— Eh bien, c'est la même chose.

— Ah bon ?

— Pour moi, oui.

L'air pensif, Isabel m'a observée de son regard doux pendant si longtemps que je me suis penchée pour caresser Grace.

— Et l'adoption, Lee ?

— Non, je te l'ai déjà dit.

— Je sais...

— Nous ne l'envisageons même pas.

— Je vois.

Je me suis redressée pour la regarder.

— La fécondation in vitro peut marcher, Isabel, ai-je déclaré avec enthousiasme. Douze pour cent, ce n'est pas grand-chose, mais c'est douze pour cent à chaque fois. Voilà comment je vois les choses. Dommage que l'on n'ait pas commencé par là. Si seulement on n'avait pas perdu autant de temps...

— Lee...

— Quoi ?

À son sourire, j'ai compris que j'avais été brutale.

— Je n'ai pas de conseil à te donner, rassure-toi.

— Je n'ai rien contre les conseils, ai-je répondu, contrite.

— Je ne veux pas que tu souffres de nouveau.

— Je sais. Tu as raison. Je sens que ça recommence : l'espoir qui renaît, chaque fois, chaque mois. (J'ai posé les mains sur mes yeux.) J'ai tellement peur que ça ne marche pas. Et ensuite, je me dis que ça va marcher, puis le contraire, et je suis de nouveau terrorisée. Je suis tellement fatiguée, si seulement je pouvais me reposer...

— Pourquoi pas ?

— Je n'ai pas le temps. J'ai déjà laissé filer trop d'années. C'est ce qui me tue, enfin entre autres... J'ai toujours tout contrôlé, dans ma vie, tous ses aspects. Et voilà que le plus important est hors de mon contrôle. Je suis coincée. Je suis impuissante et je ne supporte plus cette incertitude.

Isabel a soupiré, puis elle s'est adossée à un coussin. Sa fragilité m'a troublée, mais c'était le Taxol, j'en étais certaine. Cette chimiothérapie était pire que la maladie qu'elle est censée soigner.

— Lee, dit-elle d'un ton las, juste une question, pour que tu puisses réfléchir, d'accord ?

— Bien sûr. Je t'écoute, fis-je en caressant Grace.

— Avoir un enfant est-il le plus important dans ta vie ? Est-ce plus important que Henry ?

Ma gorge s'est nouée. Je n'ai pas pu répondre.

— Demande-toi si ton besoin d'avoir un enfant biologique dépasse le reste, y compris ton couple. Je sais que tu aimes Henry, je n'en doute pas une seconde. Si ta réponse est oui, tu risques de le perdre. Pourquoi l'as-tu épousé ? me demanda-t-elle gentiment. Il n'y a pas de bien ou de mal. Si c'était pour avoir un enfant à toi, et pas celui d'une autre, eh bien, tu as ta réponse. Mais tu n'arriveras peut-être pas à garder ton mari. Tu pleures ?

— Je n'y peux rien.

Je l'ai sentie s'approcher, puis elle m'a enlacée.

— Je sais. Toute cette souffrance... L'essentiel de notre souffrance vient de nos efforts pour l'éviter. La tyrannie de nos désirs. Pauvre Lee, tu le veux tellement cet enfant...

— C'est quoi ça ? Du bouddhisme ?

— Oui, en fait, a-t-elle admis en me serrant contre elle. Désolée.

— Cela ne me dérange pas. Je ne suis pas Emma... (Elle a ri.) Je sais que je suis... quel est le terme ? Pas obsédée.

Isabel a arqué les sourcils.

— Je ne le suis pas. Je suis... consumée, c'est ça. Je suis consumée par ma stérilité, et c'est injuste envers Henry. Nous avons certainement eu des problèmes, avant, or je ne m'en souviens même pas. Selon lui, j'attribue tout ce qui ne va pas entre nous, ce qui ne va pas dans ma vie, au fait que nous ne pouvons pas avoir d'enfant. Il a raison. Je sais... Je sais que je suis en train de l'éloigner de moi, mais...

Isabel est restée contre moi pendant que je sanglotais. Ce qui m'a ramenée sur terre, c'est de réaliser combien j'avais envie de poser la tête sur ses genoux pour me laisser bercer. J'ai failli le faire. Mon unique excuse, c'était que j'étais au fond du trou. Je vivais l'une des pires soirées de ma vie. Et Isabel avait toujours été là, pour moi, attentive et aimante comme une mère.

Cette fois, c'était différent. Elle finirait par se remettre, j'en étais certaine mais, pour l'heure, ses problèmes rendaient les miens bien insignifiants. Je me suis redressée.

— Je me sens beaucoup mieux. Merci de m'avoir écoutée. Allons dans la cuisine, je ferai la vaisselle pendant que tu me raconteras comment tu vas.

J'ai ignoré ses protestations.

— C'est nouveau, ça, ai-je dit d'un ton désinvolte, quand nous nous sommes levées.

— Ça ? C'est Kirby qui me l'a procurée, répondit-elle avec un sourire, en lissant le pommeau de sa canne, qui était en forme de... de cheval ? C'est un dragon symbole d'espoir.

— Ah...

Cela signifiait-il qu'elle en avait besoin ? Ou qu'elle en avait besoin pour lui porter bonheur, et non pour marcher ? Je n'osais pas lui poser la question.

Elle ne m'a jamais dit comment elle allait. Enfin pas vraiment. Elle m'a expliqué que le traitement avait moins d'effets secondaires que les anciens, ce qui m'a étonnée, car elle n'avait pas l'air en forme. Elle était superbe, mais pas en forme.

— Je suis fatiguée, déclara-t-elle en jetant les miettes de la table dans l'évier. Je pourrais dormir pendant une semaine.

— Et les cours ?

— Ça va, répondit-elle après un silence, d'un ton un peu vague.

— Vraiment ? Tu les suis toujours à plein temps ?

Elle observa le comptoir sans rien dire.

— Isabel ?

Elle est incapable de mentir. Elle sait éluder, pas mentir.

— J'ai dû abandonner quelques modules. Cela faisait un peu trop. Je me rattraperai l'été prochain.

— Mais tu es toujours inscrite ? Tu n'as pas...

— Oh oui ! assura-t-elle. Je travaille dur et j'apprécie ce semestre. Il y a des cours passionnants. Je dois rendre un devoir demain, d'ailleurs. La société et le grand âge.

— Oh non... Et tu as fini ?

— Presque. J'ai encore...

— Pourquoi ne m'as-tu rien dit ? Isabel !

— Quoi ? Ne dis pas de bêtises !

Elle m'a suivie au salon en riant.

— Qu'est-ce que tu fais ? Tu t'enfuis ?

— D'abord, je chasse Kirby avant qu'il ait fini de manger, ensuite tu ne peux pas en placer une, et maintenant...

— J'ai placé quelques mots.

— La seule chose que j'aie fait de bien, ce soir, c'est la vaisselle.

— Ne pars pas ! Rien ne t'y oblige. Il ne me reste que les notes à rédiger.

Je l'ai embrassée. Elle semblait différente, un peu fragile. J'avais peur de la serrer trop fort.

— Tu diras à Kirby que je suis désolée. (Elle a fait la moue.) Je t'appelle demain. Merci pour tout.

— Sois prudente sur la route.

— Bonsoir !

— Bonne nuit, Lee.

J'étais dans l'ascenseur, j'avais déjà appuyé sur le bouton, quand je me suis rappelé. Je me suis précipitée chez Isabel.

Elle a ouvert la porte.

— Salut ! Quoi de neuf ? ai-je plaisanté. Je peux faire encore une chose ?

— Bien sûr, dit-elle en s'effaçant. Quoi ?

— Appeler Henry pour lui dire que je rentre.

22

Rudy

Le cabinet d'Éric se trouve sur Carolina Avenue, à Capitol Hill, en diagonale par rapport à Eastern Market. Je peux m'y rendre à pied de chez moi. D'ailleurs, c'est ce que je fais généralement. Aujourd'hui, j'ai pris la voiture, car j'étais en retard. Comme d'habitude, je sais. Une fois garée dans un endroit pas forcément autorisé, j'ai foncé sous la pluie sans prendre le temps d'ouvrir mon parapluie. C'est une vieille maison de ville en briques rouges transformée en bureaux. Le cabinet est installé à l'étage supérieur. Je suis entrée en trombe sans m'arrêter dans la salle d'attente pour ôter mon manteau, qui était trempé.

— Désolée, désolée, il y a une circulation... Vous n'imaginez pas... Je ne trouvais pas de place pour me garer et en plus, j'étais en retard. Je peux mettre ça là ?

Éric a dit oui, et j'ai posé mon manteau sur le radiateur.

— Bon, je suis là. Enfin.

Je me suis écroulée dans le grand fauteuil noir, en face du sien, identique. Nous étions d'égal à égal, sauf que j'avais une boîte de Kleenex toujours pleine à portée de main.

— Comment allez-vous ? fis-je.

— Très bien. Et vous ?

Il répond toujours ça, avec un sourire inquisiteur qui porte à croire qu'il est sincère, qu'il va vraiment très bien, mais qu'il préfère parler de vous que de lui. Excellente qualité pour un psychothérapeute. Je ne sais pratiquement rien de lui, quand on pense que je le vois une fois par semaine, voire davantage en cas d'urgence, depuis sept ans. Il a quarante-six ans et il vit avec une femme un peu plus âgée que lui. Ces derniers temps, l'ambiance est un peu tendue, chez lui. Il me l'a confié il y a quelques semaines, ce qui m'a fascinée jusqu'à l'excès. C'était comme si je venais de retrouver de ma mère biologique. J'avais l'impression d'avoir découvert un élément crucial et inattendu, ou bien auquel j'avais renoncé.

— Je vais très bien, moi aussi. Vous m'entendez souvent dire ça ? Je sors de chez Emma. C'était plutôt glauque, mais je me sens quand même bien.

Étonné, Éric a secoué la tête.

— Le temps, peut-être ?

— Sans doute.

— Quel est le problème, avec Emma ?

— Eh bien, c'est aussi pour ça que je suis en retard. Elle avait lâché ses cheveux, ce qu'elle n'avait pas fait depuis long-temps. En tout cas en ma présence.

Éric afficha une expression m'invitant à continuer.

— Je vous avais dit qu'elle était amoureuse d'un homme marié, vous vous souvenez...

Je n'avais rien ajouté. Je n'aime pas révéler les secrets d'Emma. Enfin, sauf une fois, à Curtis. J'ai simplement déclaré qu'elle appréciait Mick, sans entrer dans les détails. C'était un accident, car j'avais un peu bu.

— Eh bien, dis-je à Éric, ça n'a rien donné, et j'ai cru qu'elle s'en était remise. Je devais être à la fois sourde et aveugle, je m'en rends compte, avec le recul.

— Parce qu'elle ne s'en est pas remise ?

— Non, parce qu'elle est malheureuse. Elle ne fréquente personne, ce qui est inhabituel en soi. Emma a toujours un homme dans sa vie. De plus, elle n'écrit pas. Elle reste cloîtrée chez elle. Je lui ai dit qu'elle semblait en deuil, et elle m'a répondu qu'elle le savait. Elle s'est montrée très franche, ce qui n'est pas normal non plus. Je crois que sa seule stratégie, c'est l'attente. Elle compte faire profil bas jusqu'à ce qu'elle aille mieux. Elle ne s'y prend jamais comme ça, avec les hommes. Jamais ! Elle affirme qu'ils sont comme les chiens : dès qu'on en perd un, il faut en adopter un autre.

— Ah...

— En venant ici, je me disais que la méthode d'Emma est bien plus sûre. Rester à la maison et pleurer dans son coin... C'est mieux que ce que j'ai fait pour me sortir de mes épisodes dépressifs.

— Ses moments de dépression ne sont peut-être pas comme les vôtres.

— Je sais...

C'était évident : les miens sont chroniques, ceux d'Emma sont aigus. Les miens sont cliniques, les siens... peu importe. Quoi qu'il en soit, les paroles d'Éric m'avaient remonté le moral et je lui en ai fait part.

— Comment cela ? s'enquit-il.

— Parce que... je m'en veux beaucoup de mes mauvaises décisions, de mes folies, mais chacun à un point de départ différent, et quand on considère d'où je pars...

— Comment ? Allez, dites-le.

— Très bien. (J'ai pris une profonde inspiration.) Je m'en sors plutôt bien.

Il afficha un large sourire.

— Très bien, Rudy. C'est très, très bien !

Il semblait tellement content que j'ai trouvé autre chose à lui raconter.

— Devinez qui a eu un A moins à son examen.

— Hé !

— Il fallait concevoir un jardin urbain de cent cinquante mètres carrés, avec les plantations, le dallage, les écrans, les sièges, j'ai même prévu une petite fontaine. Bref, j'ai eu du succès.

— C'est formidable.

— C'était dur. Je trouve tous les cours difficiles. Mais j'adore ça, et je suis tellement contente de le faire. Merci, Éric.

— Pourquoi ?

— De m'avoir aidée à oser.

Il a ouvert la bouche pour protester, comme toujours, mais j'ai continué.

— Vous m'avez aidée, et Emma aussi, en me harcelant. Et Isabel, d'une autre façon. Elle ne dit jamais rien, mais je savais qu'elle m'en sentait capable. Elle croyait en moi. Je ne voulais pas la décevoir, même si je ne la déçois jamais. Plus exactement, elle ne serait jamais déçue de moi. Je voulais juste qu'elle soit heureuse pour moi. Je voulais la rendre heureuse.

Éric a hoché la tête d'un air compréhensif.

— Comment va-t-elle ?

— Oh... (J'ai soupiré.) C'est difficile à dire. Elle est évasive. Elle prétend toujours qu'elle se sent mieux, mais elle a mauvaise mine. J'ai entendu dire qu'on pouvait grossir avec la chimio, or elle maigrit. Je crois même qu'elle prend peut-être des stéroïdes. C'est inquiétant. Elle affirme que c'est son nouveau régime... je me demande... Enfin, personne ne sait, au juste. Kirby, peut-être, mais pas les Grâces.

— Cela vous ennuie ?

— Quoi ?

— Qu'elle en dise plus à Kirby qu'à vous ?

— Non, pas moi. Cela contrarie un peu Emma. Lee, c'est sûr, mais elle est plus proche d'Isabel qu'Emma et moi.

Éric arqua les sourcils.

— D'une certaine façon. C'est un peu compliqué. En tout cas...

Il y a une horloge accrochée au mur, au-dessus de la tête d'Éric. Elle est là pour aider les patients à gérer leur temps. Une demi-heure s'était écoulée et je n'avais toujours pas parlé de l'essentiel.

— Bref, voilà ce que je voulais vous dire. Je crois, j'en suis même sûre, que je vais affronter Curtis pour parler de notre relation.

J'ai ri, j'ai même tapé des mains en voyant son expression.

— Je sais, c'est incroyable. Je suis sidérée, moi aussi ! D'où me vient cet esprit d'initiative ? Des médicaments ?

— Quels médicaments ?

— Le nouvel antidépresseur. Je ne prends rien d'autre.

— J'espère bien. Mais vous avez dit *les* médicaments.

— La force de l'habitude.

Nous avons ri.

— Eh bien, Rudy, c'est très intéressant. Que pensez-vous lui dire ? Vous voulez faire un jeu de rôle ?

— Hum... Non, je ne crois pas.

Je ne pourrais jamais le lui avouer : quand nous faisons des jeux de rôle et qu'Éric essaie d'être Curtis, j'ai du mal à ne pas éclater de rire.

— Je commencerai par affirmer que je l'aime, ce qui est le cas – enfin vous voyez ce que je veux dire – mais que notre relation n'a pas toujours été très saine. Et que j'aimerais qu'on abandonne certains schémas.

Éric patienta.

— Comme mon besoin excessif de son approbation. Il me contrôle avec son approbation. Ou sa réprobation. Sa possessivité. Le fait que je lui permette d'être possessif, et même d'aimer ça.

Éric se massa le menton, fasciné.

— Je vais lui expliquer que certaines choses ne sont pas bonnes pour nous, selon moi. Nos arrangements mutuels, notre relation symbiotique. Emma dit que c'est un terme moins galvaudé que « dépendante ». Et...

— Et ?

— Je vais lui annoncer que je veux suivre une thérapie de couple avec lui. Avec qui il voudra, c'est-à-dire sans doute pas vous.

Il a hoché la tête.

— J'aimerais que ce soit vous, mais Curtis refusera, je peux vous le garantir. En fait, il ne voudra de personne. Toutefois, je vais insister.

Je me suis tue pour laisser résonner ce mot. Insister.

— Alors ? ai-je repris. Qu'en pensez-vous ?

— Je suis très content.

Ravie, j'ai crispé les mains, entre mes genoux.

— C'est un progrès. Excellent.

— Je sais. J'ai bon espoir. Il s'est tellement bien comporté, à propos du paysagisme... dans le sens où il ne me l'a pas interdit, je veux dire... Mes cours ne l'enchantent pas, c'est sûr. Je crois...

J'ai reculé, découragée.

— Il croit sans doute que je vais laisser tomber, alors que ça ne vaut pas la peine de s'en soucier. Est-ce que je commets une erreur ?

— Rudy...

— Je sais, mais si j'aggravais les choses ? Et si, quand je lui dirai tout ça, il...

— Quoi ? Que pourrait-il arriver de pire ? Qu'il se mette en colère contre vous ?

— Non. J'ai l'habitude.

— Alors quoi ?

— Qu'il ne m'aime pas ? hasardai-je, apeurée. C'est ça, le pire ?

— À vous de me le dire.

— Je n'en sais rien !

Je me suis passé les mains sur le visage, puis je me suis redressée.

— Je vais le faire, je vais le faire de toute façon ! Ce soir. Peut-être.

J'ai eu un petit frisson de peur, mais il m'a plutôt revigorée, au lieu de m'affaiblir.

— Je vais le faire, ai-je répété pour moi-même.

— Tant mieux, conclut Éric. C'est la bonne décision. Appelez-moi demain, si vous voulez. Je penserai à vous.

Je voulais lui préparer son repas favori. N'ayant pas de veau, j'ai opté pour des côtelettes d'agneau au poivre, qu'il aime presque autant. J'avais l'impression d'être une reine du foyer, dans une série télévisée, à bichonner le patriarche avant de lui demander un nouveau canapé. Ces manigances sont dégradantes, je sais... Enfin, chacun fait ce qu'il peut. Si préparer des côtelettes d'agneau pour Curtis est ridicule, pas de problème.

J'ignore si c'est grâce au repas, mais, ensuite, il était d'assez bonne humeur. Un peu taciturne, peut-être, pas plus que de coutume. Nous avons mangé dans la cuisine car il aime garder un œil sur la chaîne parlementaire du câble (sans le son) pendant les repas. Cela ne me dérange plus vraiment.

Je brûlais d'envie de lui parler de ma bonne note à mon examen, mais je n'ai rien dit. Pour qu'il supporte mes cours de paysagisme, je ne dois pas en parler. Je suis toujours là quand il rentre à la maison, je n'étudie jamais devant lui, je n'évoque jamais mes cours, mes profs, les gens que je rencontre en cours, rien. Et surtout pas où cela pourrait me mener, l'emploi que je pourrais trouver avec mon diplôme.

Il n'est pas facile de vivre dans deux mondes distincts. Pour l'instant, ça marche, et plutôt bien.

Après le souper, Curtis a porté sa mallette au salon. C'était bon signe. Il allait y travailler pendant que je faisais la vaisselle. Certains soirs, il se retire dans son bureau, où il est inaccessible. Zone interdite. Au salon, il restait disponible, toujours dans mon monde.

J'ai failli me verser un autre verre de vin. C'était si tentant... Mais non. Comment ne pas être angoissée ? Il valait mieux que j'aie les idées claires, et non la voix traînante.

Je lui ai apporté du café dans une tasse spéciale que j'avais créée des années plus tôt, avec un service à thé. J'avais utilisé un vert tendre en harmonie avec la délicatesse de ces pièces. Franchement, j'étais assez douée pour la poterie. Je garde mes plus belles créations au salon. Ma petite exposition me remonte le moral et m'attriste à la fois, car elle me rappelle que j'avais du talent et que je n'arrive pas à me tenir à quoi que ce soit.

Peut-être reprendrais-je la poterie, un de ces jours, ai-je pensé en tendant sa jolie tasse à Curtis. Peut-être que s'il savait ce qui est important pour moi, si je le lui disais, il serait moins opposé à mes cours du soir. Il se plaindrait moins de mon tour de potier qui prenait la place de ses appareils de musculation au sous-sol. Cette conversation que nous étions sur le point d'avoir pouvait marquer un grand tournant.

— C'est du déca ? a-t-il demandé sans regarder la tasse.

— Bien sûr, ai-je répondu en m'asseyant à côté de lui.

Il a bu une gorgée et m'a souri.

— Tu as passé une bonne journée ?

— Oui. Curtis ?

— Humm ?

— Il faut qu'on parle, ai-je dit en respirant profondément.

— Oh non... La phrase la plus redoutée, plaisanta-t-il. De quoi ?

— De nous.

Il s'est détourné pour poser sa tasse, puis il m'a fait face, la mine fermée.

— Comme tu le vois, je suis un peu occupé, là.

— Je sais, mais c'est important.

— Mon travail aussi.

— Curtis...

Je me suis levée pour m'asseoir de l'autre côté de la cheminée. Distance et objectivité. Hélas, j'avais oublié mon discours. C'était mal parti.

— D'abord, tu sais que je t'aime. C'est le plus important :
nous nous aimons. Nous avons pris des habitudes, tu ne crois
pas ? Des comportements l'un envers l'autre qui ne sont pas
toujours... utiles. J'ai l'impression que nous sommes tombés
dans des schémas qui ne fonctionnent pas toujours.

Il s'est levé. Il était si grand et si beau en gilet et en bras
de chemise, sa cravate à pois desserrée... Mais il s'est massé le
front assez bizarrement, comme s'il souffrait.

— Rudy, s'il te plaît...

— Quoi ?

— Je ne me sens pas très bien.

— Ah bon ? Tu étais en forme il y a deux secondes.

J'avais peur que cette repartie ne le rende fou de rage, or
il n'a rien dit. Il a fait quelques pas vers la cheminée et s'est
penché en avant, le visage détourné.

— Il faut qu'on discute de certains aspects de notre relation,
ai-je repris. Ça peut arriver à tous les couples. Par facilité, on
oublie vite. Les années passent et on se rend compte... (J'ai
fermé les yeux et effectué un exercice de respiration.) Je sens...
Je veux, j'aimerais qu'on fasse quelques changements. Peut-
être. Ou qu'on en parle, au moins. Curtis, tu m'écoutes ?

— Rudy, pas maintenant.

Même sa voix était étrange.

— Qu'est-ce qui ne va pas ?

— Rien.

— Tu es vraiment malade ?

— Non, mais je ne...

Je me suis approchée de lui. C'était le moment ou jamais.

— Je songeais à une thérapie de couple, ai-je dit vivement.
C'est peut-être ce qu'il nous faut. Histoire de parler, tu vois. Je
crois vraiment que ça nous ferait du bien.

J'ai touché son dos. Il était chaud, humide.

— Curtis ?

J'ai voulu regarder son visage, mais il se détournait sans cesse. J'ai fini par le voir dans le miroir de la cheminée.

— Qu'est-ce qui ne va pas ?

Avec effroi, j'ai vu ses jambes se dérober. Je l'ai attrapé par la taille.

— Ça va, a-t-il dit en se redressant, puis en s'écartant. Je vais bien.

Il se dirigea vers le canapé et s'assit avec précaution, éteignant la lampe sur la table basse.

Je me suis écroulée à côté de lui. Puis j'ai voulu lui prendre la main. Qu'est-ce qui se passait ? Il ne voulait toujours pas me regarder.

J'ai vu une larme sur sa joue avant qu'il ne puisse l'essuyer. Mon cœur s'est arrêté de battre.

— Qu'est-ce qu'il y a ? ai-je murmuré, terrifiée. Que se passe-t-il ?

— Je ne veux pas te le dire, fit-il d'une voix étranglée. Je ne veux pas que tu saches.

— C'est grave ? (Il a opiné.) Ne me dis pas...

Je me suis bouché les oreilles. Je tremblais comme une feuille.

Il n'a pas bougé, les épaules voûtées, l'air pâle et apeuré.

— Bon, je t'écoute.

— Je vais peut-être mourir.

Je me suis mise à rire.

— Je le sais depuis mardi, a-t-il poursuivi.

— Arrête ! Quoi ? Arrête ! Je n'aime pas ça. Qu'est-ce que tu racontes ?

Il m'a regardée droit dans les yeux.

— Curtis !

Il m'a prise dans ses bras.

Il tremblait de tous ses membres en me serrant fort.

— Lors de ma dernière visite médicale... J'ai dit au Dr Slater que j'étais fatigué. Que j'avais un peu le tournis, parfois, mal au ventre.

— Non, non, c'est faux, ça n'est pas arrivé !

Je claquais des dents.

— Je croyais que ce n'était rien, ou alors la grippe. J'ai même failli ne pas lui en parler. Mais il m'a prescrit des analyses. J'ai trop de leucocytes. Rudy, c'est une leucémie lymphocytaire chronique.

— Non ! il y a erreur. Qui te l'a dit ? Ce n'est pas vrai.

— Il n'y a pas d'erreur. Ce sont de bons médecins, Rudy. Les meilleurs.

— Où ?

— À Georgetown.

— Non...

— Ne pleure pas. Je suis désolé. Voilà pourquoi je ne t'ai rien dit. Tu t'inquiètes déjà pour Isabel... Je ne voulais pas ajouter ça.

À travers mes larmes, j'ai vu son visage tendu, anxieux, inquiet pour moi, plein de sollicitude. J'étais agrippée à sa chemise, incapable de relier ce qu'il venait de me révéler à la réalité concrète de sa présence.

— Je n'ai pas encore d'autres symptômes, déclara-t-il en soutenant mon regard, sans me lâcher. C'est une bonne chose. Cela signifie que le mal progresse lentement. Je peux vivre encore des années sans avoir besoin de traitement. Ou pas. Ils ne savent pas encore. Il est trop tôt pour savoir comment mon cas va évoluer.

— Non, non, non, non...

Il m'a attirée contre lui et m'a caressé le dos en me jurant que tout se passerait bien. Le ciel me tombait sur la tête. J'avais l'impression qu'une pluie de coups s'abattait sur moi. Je comprenais à peine ce qu'il me disait, tant sa voix était lointaine, étouffée.

— Il ne faudra le dire à personne, pour l'instant, Rudy. Si cela se sait au bureau, je risque de perdre mon emploi. On ne peut pas se le permettre tant que ce ne sera pas inévitable.

— Ne le dire à personne ?

Je me suis efforcée de me concentrer là-dessus.

— Ne le dire à personne ? C'est...

— Je sais, c'est ainsi. De toute façon, je ne supporterais pas que les gens le sachent. Sauf toi, personne ne doit être au courant, ni ma famille, ni la tienne, ni tes amies, ni Greenburg.

— Mais...

— Promets-moi de ne rien dire.

— Hein ?

— S'il te plaît, Rudy. Je... Je ne peux pas encore le supporter. Tu ne comprends donc pas ? Je ne peux parler de ça qu'avec toi. Promets-le-moi. C'est important.

— D'accord... Oh, non...

Il m'a serrée de nouveau contre lui.

— On se battra ensemble, chérie. On sera forts ensemble.

— Oui.

— Ce sera nous deux contre le monde entier, Rudy, comme avant.

Quand ça ? Quand nous sommes tombés amoureux ? Quand nous vivions à Durham et que rien d'autre n'existait que nous deux ? Il est vrai que c'était l'époque la plus rassurante, la plus sereine. Depuis, nous n'avons eu de cesse de la retrouver.

Il voulait faire l'amour et moi je voulais mourir. Je l'ai laissé faire ce qu'il voulait, et il le voulait tout de suite, devant la cheminée froide, à moitié dévêtus. Il aime ça, de temps en temps. Il trouve ça immoral. Moi, je ne ressentais que le froid et la peur, comme si c'était un fantôme qui me pénétrait. Plus rien n'avait de réalité. Curtis ne pouvait être en train de mourir. C'est quoi, la leucémie ? Comment en mourait-on ? Ce n'était pas vrai ! C'est ce que je me répétais tandis qu'il se mouvait en moi, sans se soucier de ma passivité, sans se poser de questions.

Ensuite, nous nous sommes couchés sur le tapis rugueux. J'ai fait semblant d'être rêveuse. Bientôt, j'allais me réveiller et déclarer : « Curtis, j'ai rêvé que tu mourais, c'était affreux, un vrai cauchemar ! » Je me suis tournée pour observer son visage paisible, ses yeux fermés, ses lèvres détendues. Il était différent, flou. Où était passée sa substance ? Sa peau, ses ongles, les poils de ses avant-bras. Il semblait vulnérable, fragile. Il avait toutefois un sourire au coin des lèvres et battait légèrement les cils. C'est moi qui avais provoqué ce sourire. Ce serait mon rôle, dorénavant. Je ne penserais plus qu'à ça.

Nous sommes montés ensemble. Pendant qu'il prenait sa douche, j'ai pensé à appeler Emma. J'ai failli le faire, j'avais le téléphone en main. Ma promesse comptait-elle ? Comment le lui cacher ? Comment ne pas le dire à Éric ?

Mais j'ai raccroché. Je n'ai appelé personne. Difficile d'expliquer pourquoi. D'une certaine façon, je trahis Curtis depuis notre mariage. C'est un homme réservé, très réservé, et j'ai de temps à autre confié ses secrets à ceux que j'aime.

Je ne le ferai plus. C'est lui qui est malade, pas moi. Si je dois garder le secret pour qu'il le vive mieux, comment ne pas être sa complice ?

— Nous nous en sortirons, me dit-il au lit, en me tenant la main, sous la couverture. Si tu savais comme je me sens mieux, maintenant que je te l'ai dit. Ces derniers jours ont été les plus durs de ma vie.

— Chéri...

— Je n'aurais peut-être pas dû t'en parler. C'est peut-être égoïste de ma part...

— Oh, non.

— Je n'ai pas pu m'en empêcher. J'ai eu un vertige. J'ai cru que j'allais m'évanouir. Donc je n'avais pas le choix. Au fait, ce vertige n'a rien d'inquiétant. Ils m'ont prévenu que j'en aurais, de temps en temps. Des sueurs nocturnes, aussi. De la fièvre.

J'ai posé la tête sur son épaule.

— Rudy ?

— Oui ?

Il a éteint la lampe de chevet.

— Sache au moins une chose : je les ai interrogés sur le tabagisme passif et, selon eux, ce n'est sans doute pas cela.

— Quoi ?

— Je ne comprenais pas pourquoi ça m'arrivait, alors j'ai cherché d'autres cas dans ma famille. Personne. Pas de prédisposition.

— Pourquoi le tabagisme passif ?

— C'est la seule explication que j'aie trouvée. Selon eux, les chances que je sois malade à cause de ça sont infimes. Donc tu n'as pas à t'en faire.

Il a relevé les couvertures, de sorte que je me suis détournée de lui. Puis il a posé son bras lourd sur ma taille, une main sur mon sein.

— Je vais bien dormir, ce soir, dit-il dans mes cheveux. Merci, Rudy. Je t'aime, chérie.

— Je t'aime, Curtis.

Il s'est vite endormi.

Je suis restée immobile, à attendre qu'il se mette à ronfler. Je me suis alors levée pour me rendre dans la salle de bain sur la pointe des pieds. J'avais un flacon presque entier de Noludar, car je n'en avais pas pris depuis des mois. J'en ai avalé quatre. C'était sans risque, car je ne buvais pas. Pas encore. Toutes sortes de mauvaises habitudes m'interpellaient, désireuses de revenir. Par où commencer ?

23

Isabel

Fin novembre, Terry est venu me voir le temps d'un week-end, seulement, et j'ai dû le partager avec son père. Vendredi après-midi, Gary est allé le chercher à l'aéroport et l'a amené chez moi. J'avais les nerfs à fleur de peau. Pendant plusieurs jours, j'avais fait le ménage à fond, élaboré des menus, choisi des tenues... Cela faisait presque deux ans que je ne l'avais pas vu.

Quand j'ai ouvert la porte, père et fils ont masqué de leur mieux leur désarroi. Terry m'a embrassée, un peu tendu, comme s'il avait peur de me casser. Gary ne pouvait pas rester : il fallait qu'il parte, il était content de m'avoir vue, j'avais l'air bien, a-t-il menti. Je l'ai à peine regardé. J'ai juste remarqué qu'il avait grossi et perdu des cheveux. En revanche, je ne pouvais m'empêcher de toucher, d'admirer Terry, devenu un homme de vingt-sept ans.

— Tu as embelli, dis-je en lui préparant un sandwich au thon.

Il errait dans la cuisine, qui semblait encore plus exiguë, ce qui n'était pas le cas quand Kirby était là. Je me suis rendu compte qu'il était nerveux, lui aussi. Il appréhendait cette visite autant que moi.

— C'est vrai, ai-je insisté quand il a fait la moue. Tu as grandi et tes cheveux sont plus foncés.

— Maman, c'est impossible.

— Mais si. Tes yeux ressemblent encore plus à ceux de Gary. Ton père a des yeux magnifiques.

Toutefois, je lisais la fermeté de mon père dans ses lèvres minces, ce qui m'inquiétait. J'avais envie de lui conseiller d'être plus souple, de lui dire que la vie n'était pas si dure.

Assise en face de lui, je l'ai regardé manger.

— Ils ne t'ont rien donné, dans l'avion ?

— Si. On mange à quelle heure ?

Nous avons ri en nous installant dans une comédie rassurante : nous étions encore mère et fils, assez intimes pour plaisanter. En vérité, une forme de courtoisie chargée de scrupules était apparue entre nous des années plus tôt. Le temps et la distance n'ont fait que l'intensifier. Et maintenant, nous nous comportions comme deux étrangers cordiaux et respectueux, comme la mère d'une famille d'accueil et l'étudiant étranger poli qu'elle héberge.

Allions-nous sortir de ce schéma ? C'était le moment ou jamais.

— Comment se passent tes cours, maman ?

— Très bien. J'adore ça. J'ai pris quelques congés, ces derniers temps, mais j'ai l'intention de reprendre en janvier.

— Des congés ?

Je ne voulais pas entrer dans le vif du sujet aussi vite.

— La chimio m'a un peu prise de court, avouai-je en haussant les épaules. J'ai dû manquer certains cours. Alors j'ai préféré arrêter quelque temps que de risquer d'avoir de mauvaises notes.

Je ne pouvais pas lui décrire mon choc quand j'ai compris que je ne pourrais pas passer mes examens finaux. Mes cours, c'était tout, pour moi, et pas parce qu'ils constituaient la clé de mon avenir professionnel. Ils représentaient la normalité, le bien-être. La routine des cours, les longues heures d'étude, les trajets, l'emploi du temps rythmaient mes journées tandis que le cancer essayait de semer le chaos.

— On te soigne avec quels produits ?

Oh, non... finalement, autant s'en débarrasser tout de suite, pour ne plus avoir à en reparler. Ma maladie est comme un invité importun et trop pénible pour être ignoré. Terry voulait parler de stratégies, de protocoles, de pourcentages, alors que j'avais tant d'autres choses à lui dire...

— Je ne prends rien, pour l'instant.

— Comment ça, rien ?

— On fait une pause.

— Maman...

— Tout va bien, les médecins sont d'accord. J'ai passé onze mois en chimio, Terry. Nous avons considéré que mon corps avait besoin de repos.

— Oui, mais...

Il s'est tu, soudain méfiant. Ses conseils à ce stade tardif lui paraissaient excessifs.

— Je sais que cela ne te plaît pas. C'est ton côté scientifique.

S'il est spécialisé dans les enzymes, les molécules et les substrats, il comprend la gravité d'un cancer du sein avec métastases.

— Tu seras encore plus désolé d'apprendre que j'envisage de renoncer à tout traitement médical.

— Pour le remplacer par quoi ? Une boule de cristal ?

Il a ri, et j'ai ri avec lui. Mieux valait qu'il croie à une plaisanterie.

— Je vais essayer de me soigner moi-même. Tu sais, soigner et guérir, ce n'est pas la même chose.

Il a souri, pensant me faire plaisir.

Kirby est arrivé à temps pour le souper, comme prévu. L'une de mes nombreuses inquiétudes était de savoir ce que Terry penserait de lui. Et ce qu'il penserait en apprenant que sa mère très malade avait un amant. Je les ai épiés toute la soirée. Kirby a une tendance bizarre à se comporter en société comme s'il était seul. D'abord, c'est gênant, puis c'est attirant. Enfin, pour la plupart des gens. Je redoutais néanmoins que Terry ne le trouve un peu sauvage, alors qu'il est simplement réservé, et qu'il prenne ses silences pour de la froideur, voire de l'arrogance. Je m'étais inquiétée pour rien. Kirby l'a ensorcelé tranquillement. À la fin de la soirée, Terry comprenait même ses blagues, qui sont pourtant plus caustiques que de l'acide.

J'avais aussi beaucoup réfléchi aux dispositions à prendre pour la nuit. Mon canapé est confortable mais court, et il n'est pas convertible. Or Terry mesure un mètre quatre-vingt-dix. Il était raisonnable de lui proposer la chambre de Kirby, un appartement pour lui, tandis que Kirby dormirait comme tous les soirs avec moi.

C'était raisonnable. Pourtant, je n'y suis pas arrivée. J'aurais eu l'impression de violer un principe aussi démodé qu'enraciné, un code que je ne défends pas et que je n'approuve pas particulièrement. Le fruit de mon éducation, sans doute. Et je suis consciente de l'hypocrisie de tout ça. Pour ma défense, je dirais que l'hypocrisie fait partie de mon éducation, elle aussi. Bref, Terry a dormi sur le canapé et Kirby chez lui.

Samedi, Terry et moi sommes allés nous promener dans la voiture de Kirby. Il voulait revoir son vieux quartier, son école secondairee, ses lieux favoris.

— Le Hot Shoppe a disparu ?

Il n'en croyait pas ses yeux.

— Et People's ? Et la banque ? Pourquoi ce quartier est aussi chic ?

Autrefois, j'aurais pu le lui dire. Cela faisait presque dix ans qu'il était parti, mais ses meilleurs souvenirs étaient plus anciens.

— Pas étonnant que tu aies déménagé, maman. Il faut être bourré de fric pour habiter ici, maintenant.

Il me désignait les endroits marquants.

— C'est là que tu m'as appris à conduire, le stationnement de l'église, près de la voie rapide. Papa a essayé, une fois. Juste une fois. Tu te rappelles ?

— Très clairement. Il avait l'air d'un zombie. J'ai cru qu'il avait une crise cardiaque.

— Pourquoi tu étais si calme ?

— Rudy me donnait ses calmants.

— Ah bon ?

— Mais non ! En tout cas, tu conduisais bien.

— Papa n'était pas de ton avis. Tiens, la maison des Domsett. Ils habitent toujours là ?

— Je n'en sais rien. Sans doute.

— Je tondais leur pelouse. J'essayais toujours de me faire payer par elle, parce qu'elle était plus généreuse que lui. Tu te souviens quand je fichais le camp de la maison ? Tu me donnais des biscuits aux figues.

— Tu les voulais dans un baluchon, au bout d'un bâton. Tu avais vu ça dans une bande dessinée.

— Tu disais que je pouvais fuguer du moment que je ne traversais aucune rue. Tu m'embrassais et j'effectuais le tour du quartier jusqu'à ce que je me fatigue. Alors je rentrais au bercail.

Il m'a raconté une anecdote terrifiante sur sa cuite, le soir du bal des finissants. Il avait fait la course avec son ami Kevin sur Old Georgetown Road.

— J'aurais pu passer le reste de ma vie sans savoir ça, lui ai-je répondu.

Il m'a parlé de Sharon Waxman, une fille de son école, qui s'était suicidée l'an dernier. Il m'a demandé si j'aimais être mère au foyer.

Je l'ai regardé d'un air curieux. Il avait l'air d'un homme, et non plus d'un enfant, au volant de cette voiture, dans la circulation du samedi, prudent et compétent.

— Oui, j'aimais ça, répondis-je. En général. Tu trouvais ça démodé que je ne travaille pas ?

— Non, fit-il étonné. Tu avais toujours quelque chose à faire. Ce n'est pas comme si tu passais ton temps à manger des bonbons devant la télé. Tu t'occupais de la maison. Tu en étais le cœur.

Je me suis sentie flattée de façon ridicule.

— Tu n'étais pas si épanouie, puisque tu as repris tes études. Tu dois regretter de ne pas avoir passé ce diplôme avant.

Cette conversation était inédite, pour nous. Cela arrive à tout le monde, de voir ses parents devenir des gens normaux, avec des objectifs, des espoirs aussi authentiques que les siens. Je ne pouvais m'empêcher de penser que ma maladie n'était pas étrangère à cette révélation de maturité chez Terry.

— Oui, à certains égards, ai-je répondu sincèrement. J'aurais aimé me sentir plus indépendante, moins tributaire de ton père. Et je suis sûre qu'il serait d'accord.

Le sujet tacite de Gary planait entre nous. Si Terry m'avait interrogée sur notre divorce, je lui aurais révélé ce qu'il voulait savoir. Il fallait que cela vienne de lui. Il ne m'a rien demandé. Le moment était passé, et c'était tant mieux.

Dans l'après-midi, Terry est allé voir son père, puis il a joué au basket avec d'anciens copains. Ensuite, ils sont allés dans un bar. Il est rentré pour le souper en pleine forme.

— Tu n'as pas dit un mot sur Susan, ai-je déclaré au moment du café.

— Il n'y a rien à dire, répondit-il en s'étirant. On a rompu.

— Oh non...

— Tout va bien, maman. C'était d'un commun accord.

D'un commun accord, peut-être, mais tout n'allait pas bien. Je connaissais les techniques de diversion de mon fils, ses étirements, ses faux bâillements, son regard fuyant.

— Que s'est-il passé ? Si je peux poser la question...

— Rien. Ça ne marchait plus. Nous n'avions pas les mêmes attentes.

— Quelles étaient les siennes ?

— Oh, comme les autres... Le mariage, les enfants...

— Ah. Et tu l'aimes encore ?

— Je ne sais pas, maman. Sans doute.

Il avait l'air surpris de mon audace. J'étais vraiment directe, désormais, histoire de gagner du temps, car il passe à un rythme différent, pour moi.

— C'est compliqué. On est restés amis.

J'ai attendu, mais il n'a pas voulu m'en dire davantage. Au cours de ces dix ans, j'ai perdu le droit d'insister. Je ne me suis pas offusquée de son ton cynique quand il a dit « comme les autres ». La plupart des parents se sentent coupables de la moindre imperfection de leurs enfants, et je ne fais pas exception à la règle. Le désintérêt de Terry pour la famille, le mariage, les enfants, il ne pouvait nous l'attribuer, à Gary et moi. Le sujet que j'avais évité, dans la voiture, revenait à la surface. Mais Terry a bâillé, s'est allongé par terre et s'est endormi.

Je l'ai réveillé à dix heures pour l'aider à faire son lit sur le canapé. En proie à une panique maîtrisée, je l'ai embrassé et je suis restée éveillée en écoutant l'horloge égrener les heures de nos moments ensemble qui s'amenuisaient. Je n'arrive pas à avouer l'issue probable de ma maladie à ceux que j'aime. Je n'ai ni le courage ni la volonté d'infliger à quiconque une telle souffrance. Le dernier jour de présence de Terry, avec tant de non-dits entre nous, je ne pouvais plus me défiler.

Kirby et moi devions le conduire à l'aéroport. Je me suis assise au bord du canapé pendant que Terry fourrait ses vêtements sales dans son sac en toile, agenouillé par terre, dans son jean délavé, les manches de son chandail jaune relevées. Machinalement, je lui ai caressé les cheveux. Il m'a souri et s'est remis à l'œuvre. En cet instant, la tête penchée, les yeux pétillants, il ressemblait tant à l'enfant qu'il avait été, le Terry dont je me souviens le mieux, que j'en ai eu le cœur serré.

— Si seulement tu avais un frère ou une sœur, Terry. J'aimerais bien en avoir, moi aussi, parfois, ai-je ajouté sèchement.

— Que veux-tu dire ? Tu as tante Patty.

— Justement.

— Oh, fit-il avec un sourire. C'est vrai que vous n'êtes pas très proches.

— Non. Il y a la différence d'âge, bien sûr, mais ce n'est pas tout. Je n'étais pas proche de mes parents, non plus. Notre maison était si froide. Stricte. À cause de mon père, notamment. Ma mère était une personne très fermée, elle aussi. Je n'ai jamais voulu ça pour ma propre famille. Si j'ai épousé ton père, c'est en partie pour sa passion.

Intéressé, Terry a levé les yeux.

— C'est un homme sensible, ai-je repris. Surtout quand nous étions jeunes. Il était plein de fougue, très chaleureux.

— Sans doute, concéda-t-il, pensif.

— Hélas, ça n'a pas marché comme je le voulais. J'ai incriminé Gary quand nous nous sommes séparés, mais tout n'était pas de sa faute. Loin de là.

Je me suis penchée vers lui, désireuse de bien m'exprimer.

— Si nous t'avons donné envie de partir, Terry, ce n'était pas mon but. Tu n'as rien fait de mal. Tu en es conscient, n'est-ce pas ? Tu es ce qui m'est arrivé de mieux, dans la vie. Je regrette de ne pas avoir su te montrer combien je t'aimais. Je t'aimais et je t'aime plus que je n'ai jamais aimé personne. Et si tu ne le sens pas, je le déplore.

Je n'avais pas vu mon fils pleurer depuis ses douze ans. Il a posé la tête sur mes genoux en se cachant le visage. Ses épaules tressautaient. Je sentais ses larmes tremper mon jean.

— Tout va bien, dis-je en lui caressant les cheveux, avec un baiser furtif, en espérant qu'il n'ait pas honte. C'est bon de pleurer. Je m'en suis rendu compte. Il ne faut surtout pas se retenir. Cela prouve que tu ressens quelque chose.

J'ai chassé les larmes de Terry et je lui ai souri. Il était plus facile de parler, désormais. C'était comme parler à mon petit garçon.

— Je ne t'ai jamais expliqué ce qui nous a séparés, ton père et moi. Tu ne m'as pas confié ce qui vous a séparés, Susan et toi. Les détails n'ont pas d'importance. Terry, sois certain d'avoir de bonnes raisons. Ne pas être parfaitement heureux n'est sans doute pas une bonne raison. Tu l'aimes ? La vie est si courte. Elle paraît éternelle, quand on a vingt-sept ans, je sais...

Je déteste donner des leçons, mais j'ai attendu trop longtemps et j'avais des choses à lui dire.

— Ne rejette pas l'amour, ne le néglige pas. Ne pars pas du principe que tu trouveras un amour meilleur ailleurs. Prends-le partout où tu auras la chance de le trouver et efforce-toi de le rendre en retour.

J'ai posé mes lèvres sur son front.

— Ne crois pas que les choses vont de soi, ai-je murmuré. Ce sera mon ultime parole de sagesse, sans doute la plus importante.

Kirby choisit toujours bien son moment : il a frappé à la porte et est entré. Terry ne s'est pas redressé en sursaut, il ne s'est pas détourné. Il a sorti un mouchoir de sa poche et s'est tapoté les yeux, avant de se moucher.

— Vous êtes prêts ? a demandé Kirby comme si de rien n'était. Il est temps de partir.

Terry a enfilé sa veste, puis il a pris son sac en bandoulière.

— Écoute, j'ai décidé de ne pas venir avec vous. Je vais te dire au revoir ici.

Terry a eu l'air abattu, mais il n'a pas discuté.

— Je t'appellerai à mon retour à la maison, promit-il en me serrant dans ses bras. Et je reviendrai te voir, maman. Dès que possible. Ou alors tu viendras, qu'en penses-tu ? Pour Noël, peut-être ?

— Bonne idée, ai-je répondu en entrant volontiers dans le jeu. Prends soin de toi d'ici là.

— Toi aussi. Occupez-vous bien d'elle, Kirby.

— Promis.

— Je t'aime, ai-je murmuré en embrassant sa joue humide.

— Je t'aime. Je t'aime, maman.

Il n'arrivait pas à rompre le lien. La gorge nouée, j'ai ravalé mes larmes.

— File... Tu risques de rater l'avion.

— Je t'appelle, répéta-t-il en suivant Kirby vers l'ascenseur. Je t'écrirai plus souvent, promis, maman !

Je lui ai souri et je lui ai envoyé des baisers jusqu'à ce que la porte de l'ascenseur se referme.

Ensuite, j'étais tellement épuisée que je n'ai pas réussi à gagner ma chambre. Je me suis écroulée sur le canapé en me couvrant de la couverture toute trouée que j'avais tricotée, autrefois, quand j'étais une femme au foyer éhontée. J'avais vécu des bons moments que j'avais par trop négligés. La nostalgie m'a enveloppée comme un brouillard, atténuant légèrement la douleur exquise du départ de Terry. Le dimanche après-midi, Gary faisait la sieste sous cette couverture. Je restais avec lui, à lire ou à tricoter, la radio allumée. Je voyais son ventre se soulever en rythme sous les carrés de laine aux teintes vives. Le matin, je m'en drapais les épaules, par-dessus ma robe de chambre, pour courir chercher le journal. Terry aimait bien la poser sur deux chaises de la salle à manger pour se construire une cabane.

Gary était-il chez lui ? Je pouvais l'appeler. Juste pour bavarder.

— Salut, comment ça va ? Comment trouves-tu notre fils ? Finalement, on l'a plutôt bien réussi.

Le téléphone était si loin... et j'étais trop fatiguée pour me lever. J'ai fermé les yeux pour sombrer dans un rêve, un rêve doux sur une famille. Un rêve qui finissait bien.

24

Emma

Je suis née trois jours après Noël, ce qui fait de moi une Capricorne. La chèvre : une image très appropriée, à défaut d'être drôle, surtout cette année.

Je m'en vais souvent pour les fêtes. Je vais voir ma mère à Danville. Parfois, je continue vers Durham et Chapel Hill pour rendre visite à d'anciens camarades d'école et passer le Nouvel An avec eux. Cette année, la seule perspective de préparer mes bagages me rendait malade, alors partir, arriver, dire bonjour, sourire et parler... Sourire et parler étaient ce qu'il y avait de plus pénible. Je suis donc restée chez moi.

Ce n'était pas la misère, non, non. Je me suis habillée, j'ai appelé tous les gens qui me sont chers, j'ai même réussi à sortir pour porter son cadeau à Isabel. Côté tristesse, je me réservais pour le vingt-huit, histoire de franchir seule le cap des quarante ans. Et là, je me suis apitoyée sur moi-même de façon héroïque, voire orgiaque.

Ma solitude était un choix. Ce ne sont pas mes amies qui m'ont abandonnée. En toute conscience, je ne pouvais pas leur imposer cela, donc je leur ai demandé de rester à l'écart (Rudy n'était pas là). La journée a commencé normalement, c'est-à-dire dans la frustration et la haine de soi. Ce roman que j'ai commencé au printemps dernier ? Je l'ai abandonné en août. Il valait mieux, je vous l'assure. C'était ce qu'on appelle un roman de maturité : une adolescente d'une éloquence surnaturelle découvre la vie, l'amour, la sexualité et la rédemption entourée de personnages hauts en couleur dans

un environnement Nouveau Sud/ghetto urbain/bourgeoi-
sie juive/Midwest étouffant. Je l'avais situé dans une affreuse
petite ville du sud de la Virginie du nom de Tomstown. Autant
en arrêter le massacre. Écrire sur ce qu'on connaît, tu parles !

À présent, je travaille sur autre chose (enfin, travailler n'est
peut-être pas le terme). Il s'agit d'un polar, un thriller, avec
une intrigue, du suspense, une femme en danger, des cadavres
à la pelle. De la graine de best-seller, voire une adaptation
au cinéma. Dommage qu'il soit si sanglant. Si j'ai appris une
chose, en écrivant ce roman, c'est que j'adore tuer des gens.
Cela m'éclate vraiment. Alors je n'arrête pas. Le danger, c'est
que tous mes personnages soient morts avant la fin.

L'autre enseignement de ce livre, et son précieux prédéces-
seur pourtant si banal, c'est que je suis peut-être une imposture.
Toute ma vie, j'ai voulu écrire des romans, du moins c'est ce
que j'ai toujours affirmé. Le réel ne me suffisait pas. Je voulais
que le récit parte dans une autre direction, que la vérité ne soit
jamais ce qu'elle était vraiment... Résultat : je suis bien meilleure
journaliste que romancière, finalement. C'est à se demander si
je n'ai pas été attirée uniquement par l'idée que j'avais de la
romancière. Je voulais avoir l'air d'une romancière. Dans les
soirées, je voulais répondre « J'écris des romans » à la question :
« Qu'est-ce que vous faites, dans la vie ? »

Si c'est la vérité, j'ignore ce que je vais faire. C'est comme
se prendre une porte vitrée en pleine figure. Je croyais avoir
un avenir, or il n'y a qu'un choc, de la honte et des plaies
sanguinolentes.

Joyeux anniversaire, Emma.

Il me fallait un gâteau, une de ces pâtisseries glacées im-
menses qu'on voit à la télévision. Ces publicités me mettent
toujours l'eau à la bouche. Un jour, j'ai failli en acheter, mais
j'ai lu le nombre de calories, sur l'emballage. Après tout, j'ai
quarante ans, non ? Je peux avoir ce que je veux. Du vin, par

exemple. Du vin et une glace. Un très bon vin, pas la piquette à huit dollars que j'ai au réfrigérateur.

En sortant de chez moi pour prendre ma voiture, j'avais l'impression de poser le pied sur une autre planète. Cela faisait combien de temps que je n'étais pas sortie de chez moi ? Presque quatre jours. Un vrai travail, c'est quand même pas mal... Pas génial, mais pas mal. Le ciel bas de cette fin d'après-midi de décembre était d'un gris délavé, lourd de pluie ou de neige, difficile à dire. Jusqu'à ce que je me gare dans Columbia Street pour marcher vers le magasin d'alcool : alors j'ai compris que c'était de la neige fondue.

Le 24 décembre au matin, j'ai enfilé un vieux pantalon de jogging noir, une chemise noire et mon vieux gilet beige à grandes poches, le plus confortable, qui n'avait plus qu'un seul bouton. J'aimais tant cette tenue que je l'ai remise le lendemain, et le jour suivant, et le suivant. Cela faisait une semaine que je ne m'étais pas lavé les cheveux. À quoi bon ? Et il va sans dire que je n'étais pas maquillée. J'avais quitté la maison en imperméable et en mocassins à perles. Vous imaginez le tableau ?

C'est ce que Mick a vu en ouvrant la porte du magasin d'alcool. Il a failli me bousculer. Il a dit « pardon » et s'est écarté. L'espace d'une seconde, il ne m'a pas reconnue. Plus tard, je me suis demandé si c'était flatteur ou insultant. Ensuite, il m'a toisée. La scène était sans doute cocasse, vue de l'extérieur. Soudain, il s'est figé.

Moi aussi.

— Salut, Mick !

Je pense avoir affiché un air désinvolte alors que, intérieurement, j'étais en arrêt cardiaque. J'ai pâli, puis mes joues se sont empourprées.

— Comment tu vas ? lui ai-je demandé. Qu'est-ce que tu deviens ?

J'étais adossée à l'embrasure, serrant mon sac, avec mes deux bouteilles qui s'entrechoquaient, et lui se tenait de l'autre côté, agrippant la porte ouverte de son bras tendu.

— Emma...

Incapable de sourire, il a posé sur moi un regard fébrile. Son état de choc m'a aidée à surmonter le mien. J'étais prête à dire quelque chose de brillant, voire de véridique, comme « Tu m'as manqué », quand il a désigné la rue.

— Je suis avec ma famille.

Ah... D'accord. Dans la voiture. J'ai reconnu la petite Celica blanche garée un peu plus loin. Je ne distinguais que deux silhouettes floues, derrière la vitre arrière, et sous la neige fondue.

— Tu leur diras bonjour de ma part. C'était chouette de te voir.

Aucun de nous deux n'a bronché.

— Comment tu vas, Emma ?

— Bien. Et toi ?

Je ne mens pas très bien mais, au moins je fais un effort. Mick, lui, n'essaie même pas.

— Très mal, avoua-t-il.

Je me suis sentie rougir de plus belle.

— Ce n'est pas juste, ai-je murmuré. Ce n'est pas juste...

Un client, puis un autre ont mis fin au calvaire. Il a fallu qu'on se sépare. Je suis donc sortie et il est entré. Nous ne nous sommes pas dit au revoir, mais nous avons échangé un signe de la main à travers la vitrine. J'ai remercié le ciel que ma voiture soit garée de l'autre côté, ce qui m'évitait de faire signe à Sally. Sous la neige glacée, je suis rentrée chez moi avec mes bouteilles de vin.

Ce soir-là, quand le téléphone a sonné, j'ai su que c'était Mick. Parfois, on sent qui appelle rien qu'à la sonnerie. J'étais restée assise devant la cheminée si longtemps que le feu était éteint. Je n'étais pas saoule. J'avais bu un verre ou deux de cabernet, puis abandonné par manque d'intérêt.

— Allô ! ai-je lancé d'un ton enjoué et clairement trompeur.

— Joyeux anniversaire !

— Merci.

C'était Lee. Je me suis écroulée sur un tabouret de la cuisine pour permettre à mon cœur de reprendre un rythme normal.

— Comment ça va ? lui ai-je demandé.

— Ça va.

Il y a peu, Lee répondait toujours à cette question par : « Je ne suis pas enceinte », mais elle a arrêté. Cela n'amuse plus personne, surtout pas elle. Pour l'heure, la fécondation in vitro ne fonctionne pas.

— Comment se passe ton anniversaire ?

— Une catastrophe.

— Oh... Tu veux venir à la maison ?

— Non merci.

— On ne fait rien, on ne se dispute même pas. Viens, ça va te remonter le moral.

— Non. Merci quand même. Alors, quoi de neuf ?

— Rien de spécial, répéta-t-elle. Rudy est rentrée des Bahamas.

— Ah oui ? Quand ?

— Aujourd'hui.

— Elle t'a appelée ?

— Oui.

C'était incroyable, ce silence radio de Rudy pour mon anniversaire, alors qu'elle avait appelé Lee pour lui annoncer son retour de sa seconde « lune de miel ». C'est bien ainsi qu'elle a qualifié ce voyage.

— Tu l'as trouvée comment ?

— Comme avant.

— C'est-à-dire ?

— Pas très bien. Je crois qu'elle m'a appelée uniquement pour me prévenir qu'elle ne venait pas souper, demain. On ne sera que toutes les trois, Isabel, toi et moi.

Le groupe était en train de se désintégrer.

— Elle t'a expliqué pourquoi ?

— Elle a un truc à faire avec Curtis, je crois.

J'ai lancé quelques insultes qui m'ont valu un sifflement réprobateur de la part de Lee.

— Elle te parle, ces derniers temps ? lui ai-je demandé. Elle te raconte ce qu'il lui arrive ?

— Non. À toi non plus ?

— Non. Et je sais qu'elle ne confie rien à Isabel car je lui ai posé la question.

Nous avons soupiré en chœur.

— Bon, conclut Lee d'un ton morne, à demain soir. N'oublie pas d'apporter une salade.

— Il m'est déjà arrivé d'oublier ?

— Tu passeras chercher Isabel ?

— Bien sûr.

— Bon anniversaire, Emma.

— Bonsoir, Lee.

Nous avons raccroché.

Avant que je ne puisse me lever, la sonnerie du téléphone a retenti de nouveau.

— Allô ?

— Emma ? C'est Mick.

Plus rien n'existait. Il ne restait plus que le combiné et la voix de Mick, dans mon oreille. J'étais malade du manque de lui, de l'avoir au bout du fil. J'avais été si proche de me convaincre que tout ça n'était pas vrai, que je ne me remettrai jamais de lui...

— Je peux te voir ?

— Tu vas bien ?

— Ça va, a-t-il dit avec un rire étouffé. Sauf que...

Je croyais entendre dans ses silences et son souffle frustré ce qu'il ne pouvait me dire. Je l'ai imaginé dans sa maison, sans doute dans la cuisine, tandis que Sally était en train de coucher Jay.

— Tu es chez toi ?

— Non. Dans la voiture. Sur le portable de Sally.

— Ah...

Quelle intuition...

— On entend bien, ai-je ajouté.

Encore un rire triste.

— C'est sans doute parce que je suis tout près de chez toi, au coin de la rue.

— Oh, non...

Il s'est tu pendant quelques secondes interminables.

— Ne crains rien, je roulais dans le quartier et je me suis retrouvé ici. Je ne...

— Accorde-moi cinq minutes.

— Quoi ?

— J'ai besoin de cinq minutes. Je dois... Je ne suis pas complètement habillée. Mais tu peux venir, ensuite.

— Tu es sûre ?

— Oui. Je raccroche.

Il a ri, un vrai rire, cette fois, ni triste, ni forcé. J'ai attendu qu'il cesse, pour bien en profiter, puis j'ai raccroché.

Cinq minutes. J'aurais dû en demander dix. J'ai foncé dans la salle de bain où je me suis regardée dans le miroir. C'est une heure et demie qu'il m'aurait fallu.

Trop tard pour prendre une douche, me changer, faire le ménage et acheter une nouvelle garde-robe. J'ai enlevé mon vieux gilet et je me suis brossé les dents. J'ai voulu me coiffer, ce qui s'est révélé impossible, alors j'ai relevé mes cheveux en chignon. J'ai mis du mascara, un peu de rouge à lèvres... Aïe... je laisserai la lumière tamisée.

En bas, je n'ai pas eu le temps de rallumer du feu. J'ai ramassé les magazines qui traînaient un peu partout, redressé les coussins du canapé, ôté les miettes de la table... J'ai mis de la musique, puis j'ai changé d'avis. Allait-il aimer ma maison ? Elle n'était pas très artistique. J'avais des photos, des lithographies que j'aimais beaucoup, mais l'ensemble devait être maladroit. Mick allait constater que j'étais une imposture. C'était une très mauvaise idée. Je préférais notre tragédie sans réalité potentielle et complexe. C'était parfait...

Quand la sonnette de la porte a retenti, mon cœur a fait un bond. À ce rythme, je serais morte demain matin. J'ai pris une profonde inspiration, affiché une expression normale, puis j'ai ouvert la porte.

— Salut, avons-nous dit en chœur.

Le froid et l'humidité avaient imprégné son manteau en laine. Il avait le visage pincé, les oreilles livides.

— Débarrasse-toi...

Lorsqu'il m'a tendu son manteau, j'ai senti ses mains glacées.

— Tu es gelé. Tu as marché ?

— Pendant un moment, oui.

Attiré par la cheminée, il est entré au salon, mais il s'est arrêté en voyant qu'il n'y avait plus de feu.

— Il s'est éteint, ai-je dit bêtement. On s'installe ici ?

Il a pris le fauteuil et moi le bord du canapé. Une erreur. Comment discuter ainsi ? C'était bizarre : Mick et moi au salon, face à face, de part et d'autre de mon tapis persan. Nous n'étions pas nous-mêmes, deux acteurs sur scène.

— Tu veux boire quelque chose ? J'ai du vin...

— Non merci.

— Du café ?

— Ce serait bien.

— Viens avec moi, ai-je dit en me levant d'un bond.

Nous étions bien mieux dans la cuisine. Il s'était appuyé sur le comptoir pour me regarder remplir la bouilloire. J'ai dosé le café, versé l'eau petit à petit... Une cafetière à filtre, c'est du boulot. Une excellente façon de s'occuper les mains.

— Aujourd'hui, c'est l'anniversaire de Jay, déclara-t-il pour rompre le silence pesant.

— Vraiment ?

Quelle coïncidence !

— Il a six ans. J'ai pris mon après-midi pour la petite fête qu'il donnait au zoo. Seulement huit enfants. Cela ne semblait pas grand-chose, au moment de l'organisation. Oh...

Il s'est massé les tempes comme s'il avait mal à la tête.

— Tu cherches des excuses pour ta visite au magasin d'alcool.

Nous avons ri, ce qui a un peu apaisé la tension.

Il s'est mis faire les cent pas devant la fenêtre. Du coin de l'œil, je l'ai observé. Il semblait différent, une fois de plus. Il portait un pantalon gris et un blazer, avec une cravate bleue desserrée. Sans doute s'habillait-il comme un homme d'affaires pour son emploi à temps partiel dans son cabinet juridique. S'il l'avait encore... En réalité, je ne le savais même pas. Il pouvait y avoir un tas de nouveautés, dans sa vie, dont je n'avais aucune idée. C'était d'une tristesse...

— Comment va Isabel ? demanda-t-il en tripotant ma salière en forme de coq. Et Rudy ? Sally me parle de Lee, de temps en temps, mais je n'ai plus de nouvelles des autres.

Pas étonnant que je l'aime. Il ne se contentait pas de meubler le silence, il se souciait vraiment de mes amies, et pas seulement à cause de moi.

J'ai servi le café en versant beaucoup de lait dans sa tasse.

— Isabel est très malade. Je ne sais pas ce qui va se passer.

— J'en suis désolé.

— Oui...

Sa compassion a failli me faire craquer. J'étais vraiment limite. Je lui ai donné sa tasse et j'ai tendu la main vers la boîte à biscuits.

— Tu en veux un ? Rudy ne va pas fort non plus. Elle a laissé tomber ses cours. Tu savais qu'elle prenait des cours de paysagisme ? (Il a secoué négativement la tête.) Eh bien, elle a laissé tomber. Dieu sait ce qu'elle fabrique, à présent. Moi, je l'ignore.

Je semblais si froide, si désinvolte.

— Dommage, dit-il.

— Ouais... La vie est dure.

J'étais sur le point de m'humilier en pleurant.

— Pourquoi es-tu venu, Mick ? Pour bavarder ? Tu veux avoir une liaison avec moi ? Tu sais aussi bien que moi comment ça va finir.

Je détestais le ton de ma voix. Pourquoi étais-je si haineuse ?

— Je peux partir...

— Non, reste. Pardon. Je... Je peux être une garce de la pire espèce quand je suis... malheureuse.

— Je ne veux pas que tu sois malheureuse.

— Trop tard. Tu n'y peux rien.

Ou pas ? Pourquoi était-il venu ?

Il a posé délicatement sa tasse.

— Je pensais sans cesse te voir. J'ai été étonné de ne jamais te croiser pendant ces mois.

— Je sais. Moi, je t'ai vu. Dans la rue ou dans ta voiture, en passant. Faisant la queue au cinéma. Sauf que ce n'était jamais toi.

Des sosies de Mick. Parfois, ils ne lui ressemblaient même pas. Je le reconnaissais dans les yeux de quelque beau garçon, ses cheveux, sa bouche. Un mirage.

— Sauf aujourd'hui, dit-il.

— Oui. Une vision de toute beauté.

— Une vision de toute beauté.

Il a souri, même s'il ne plaisantait pas, lui. Mon expression ironique n'avait rien de ridicule, dans sa bouche.

— Je voulais boire juste un verre, fumer juste une cigarette. Bref, j'ai replongé.

Mon Dieu, je suis en train de craquer...

— Il fallait que je te voie. Ne te moque pas ! Je me disais que, si nous étions ensemble rien qu'une fois, nous pourrions nous quitter en paix, ensuite.

— Vraiment ?

J'ai hoché la tête. Je n'étais pas contre. Il se berçait d'illusions, si j'avais bien compris ce qu'il disait, mais j'en avais trop envie pour faire la moindre objection.

— Ne plus jamais te revoir... (il a touché ma main agrippée au comptoir)... c'est pire que d'être ensemble. C'est ce que je ressens. Ce n'est pas naturel, Emma. C'est un... péché.

— Un péché ?

Ce terme a choqué l'ancienne catholique que je suis.

— Coucher avec moi serait un péché, à tes yeux ?

Il a secoué la tête en souriant, désemparé.

— Je n'en ai plus rien à faire. Je me moque de ta conscience, de ton sentiment de culpabilité, de ton âme immortelle. Et je me moque de ta femme, de ton bonheur conjugal ou ton...

Le mot ne sortait pas. J'ai vu déferler toutes les raisons pour lesquelles cette histoire a toujours été une mauvaise idée.

— Ton fils, ai-je terminé, d'un ton qui se voulait assuré, alors que je perdais prise.

Il a agi pour le mieux, au vu de la situation : il m'a prise dans ses bras et m'a serrée contre lui.

J'ai fermé les yeux pour chasser la souffrance et le doute que je lisais sur son visage. Nos paroles ne nous avaient jamais menés nulle part. Il en est toujours ainsi quand la situation est impossible dès le départ. Je l'ai embrassé, pour faire diversion, et ça a marché : il n'existait plus que la bouche brûlante de Mick, sa barbe de trois jours et sa main sur ma nuque. Nous nous sommes embrassés à perdre haleine, en nous caressant, pas pour trouver du réconfort, ni pour prouver nos sentiments. J'ai décidé de lâcher prise, de ne plus réfléchir, d'agir, tout simplement. Les choses allaient peut-être changer, si je les laissais venir. Un événement imprévisible surviendrait. Le plus naturellement du monde, j'ai écarté les cuisses pour que Mick s'y insinue et me pousse contre le rebord pointu du comptoir, quitte à me meurtrir le dos. Peu m'importait d'avoir mal, je voulais la sensation de ses mains sur moi.

— On monte, ai-je bredouillé, sachant que j'en aurais davantage de lui en position horizontale.

Main dans la main, nous avons longé le couloir, puis gravi les marches jusqu'à ma chambre. J'ai failli ne pas allumer la lumière, de peur de revoir son visage, mais la lueur bleutée de la lune me donnait froid. Ayant besoin de chaleur, j'ai fermé les rideaux et allumé la lampe de chevet.

Nous étions de part et d'autre de mon lit défait, à nous observer. J'avais raison de me méfier de son visage, car il affichait une expression tragique.

— Quoi ? ai-je dit en déboutonnant ma chemise.

Ce n'était pas très romantique, mais il fallait bien que l'un de nous deux commence. Mick s'est assis au bord du lit, puis il n'a plus bougé. Il n'a pas débouclé sa ceinture, ni ôté ses chaussures. J'ai deviné la suite.

J'ai eu envie de crier, de lui faire une scène, de laisser libre cours à ma fureur, mon humiliation, pour voir ce que cela donnait. J'ai renoncé. Néanmoins, j'étais suffisamment furieuse et blessée pour avoir envie de lui faire mal. Je me suis postée devant lui sans reboutonner ma chemise. J'ai des seins magnifiques, vingt hommes me l'ont affirmé : c'est ce que j'ai de mieux. Je me suis consolée en les montrant à Mick. Ce fut gratifiant de voir ses yeux s'assombrir. *Tu vois ce que tu perds ?* ai-je pensé méchamment, en les pointant vers lui.

Il a souri et m'a regardée avec tant de tendresse et de compréhension que j'ai fondu en larmes.

— Je suis vraiment un imbécile, dit-il en me prenant la main pour me faire asseoir à côté de lui. Je me trouve méprisable. Toi aussi, sans doute.

— Pas du tout. Que s'est-il passé ?

Entre la cuisine et la chambre, quelque chose avait changé, mais quoi ? Aurions-nous dû finir sur le comptoir ?

— Tu sais ce qui s'est passé : j'ai menti.

— À quel propos ?

— En disant que nous pourrions le faire une seule fois.

— Ah, ce mensonge-là ! Tu penses donc que je t'ai cru ?

Il a souri, et chacun a voulu embrasser la main de l'autre en même temps. J'ai posé la tête sur son épaule.

— En fait, rien n'a changé, ai-je constaté d'un ton morne. Tu es simplement venu me torturer. Une fois de plus. Je m'étais presque remise de toi. Enfin, non...

— Je suis venu parce que je...

Il a soupiré.

— Tout ça paraît stupide. Je pourrais dire que je n'ai pas pu résister, que je n'en pouvais plus de ne pas te voir. J'ignore si quelque chose a changé, Emma. Sans doute. J'ai assez souffert.

— Moi aussi.

Il m'a regardée en face.

— Il n'y a pas eu d'autres femmes. Tu me l'as demandé, sur la plage. Il n'y a que toi.

— Je t'ai demandé autre chose.

En le voyant baisser les yeux, j'ai su qu'il se souvenait. Il n'a pas répondu immédiatement.

— Je couche avec ma femme, oui. Pas souvent. Elle a besoin... de cette illusion, et je cherche à la lui donner quand je ne peux rien faire d'autre.

— Quelle illusion ?

— Que nous sommes un couple.

— Ah... Et tu crois que c'est un cadeau ?

— Je n'espère même pas te le faire comprendre, répondit-il, presque contrarié.

— Essaie quand même.

— Emma... Elle n'a que moi. Même si je pense qu'elle me déteste, j'ai peur de lui donner Jay et j'ai peur de le lui prendre.

Il s'en voulait de trahir Sally, ne serait-ce qu'un peu, et il en souffrait.

— Mick, pourquoi l'as-tu épousée ?

— Parce qu'elle était enceinte.

— Ah...

Silence.

— Elle est le contraire de toi. Elle n'est pas forte, elle s'est toujours définie en fonction des autres, de sa famille, ses amis.

— De toi.

— Surtout de moi.

— Tu l'as aimée ?

— C'est toi que j'aime.

— Oh là là...

Je me suis caché le visage dans mes mains.

— Pourquoi es-tu venu ici ? ai-je répété, submergée d'une grande lassitude.

— Pour... te demander d'attendre, je crois.

— Attendre ? Parce que tu ne peux pas la quitter ? Tu penses toujours que rester avec elle est préférable à une séparation, pour Jay ?

— Je ne sais pas...

Ce qui voulait dire oui.

— Va-t'en, Mick ! dis-je en me levant.

— Emma...

— Je ne suis pas ton psy. Ne viens pas chez moi t'épancher sur tes problèmes. C'est... C'est la première fois que tu te conduis de façon égoïste et je n'aime pas ça. Tu viens de rouvrir une plaie à peine cicatrisée. Et tu ne veux même pas coucher avec moi ! Va-t'en, s'il te plaît, disparais pour six mois de plus. Je ne suis pas masochiste. Je me serai remise, d'ici là, je te le garantis.

Il s'est levé. Il ne se fâche jamais, et cela ne me plaisait plus.

— Je regrette. Je regrette...

Puis il a marmonné quelque chose que je n'ai pas compris, et il est sorti.

Je l'ai rattrapé dans le couloir et je l'ai enlacé par-derrière, la joue contre sa veste. Une position symbolique : je m'accrochais à l'homme qui ne cessait de me quitter.

Il a voulu se retourner, mais je l'en ai empêché. Je préférais parler ainsi.

— Écoute-moi, Mick. Je veux t'épouser, avoir des enfants, être une artiste fauchée avec toi. Je refuse d'être une vieille fille de quarante ans qui a une liaison. Ou qui n'en a pas, ce qui est encore pire.

Je sentais les battements de son cœur sous sa chemise.

— Je ne peux pas t'attendre, dis-je d'une voix bêtement brisée. Tu n'aurais pas dû me le demander. Il faut que je vive. Ne m'appelle plus, ne viens plus, cela ne ferait qu'aggraver les choses.

— Je sais. Je n'en ferai rien, promit-il en baissant la tête. Je t'aime. Je ne dis pas ça pour que tu changes d'avis, mais pour que tu le saches.

L'espace d'une seconde, il a resserré mon étreinte sur lui, puis il est parti.

Cette nuit-là, bien plus tard, j'ai appelé Rudy.

— Oh, tu dormais...

— Emma ?

— Excuse-moi.

— Qu'est-ce qui ne va pas ? Attends...

Elle a posé la main sur le combiné pendant une trentaine de secondes. C'est un téléphone sans fil. Sans doute disait-elle à Curtis de se rendormir avant de gagner le couloir ou la salle de bain.

— Emma ?

— Je n'ai pas réfléchi à l'heure qu'il était, Rudy. Pardon.

— Ce n'est rien.

— Je parie que Curtis est énervé.

— Non, bien sûr que non.

Je n'aurais pas dû dire cela. Je l'ai senti dans sa voix. Elle était tellement susceptible, à son sujet. Je gardais donc pour moi mes réflexions cinglantes. Ces derniers temps, c'était encore pire. Il se passait quelque chose de grave, mais je ne savais pas quoi.

— Alors, Rudy, ces vacances ?

— Super.

— Vraiment ?

— Oui.

— Tu ne sembles pas très enthousiaste. Tu vas bien ?

— Je viens de me réveiller.

— Ah, d'accord.

Elle se tut, attendant que j'en vienne au fait. C'était une conversation étrange, pour nous. Je commençais à me sentir perdue. Je me rappelais à peine pourquoi je l'avais appelée. Puis cela m'est revenu.

— J'ai vu Mick, aujourd'hui.

— Ah bon ?

Ah bon ?

— Oui, au magasin d'alcool de Columbia Road. Si tu avais vu ma dégaine ! On n'a pas... On s'est juste regardés. On ne pouvait pas se raconter grand-chose. J'étais sous le choc, tu vois ce que je veux dire ? En plus, sa famille l'attendait, alors...

— Dommage.

— Oui. Et puis ce soir, il m'a appelée. Il était dans sa voiture. Je lui ai dit de venir chez moi.

— Emma...

— Je sais, mais c'était le seul moyen, enfin... Je ne pouvais pas le voir, tu comprends... Je ne suis pas très claire, là.

— Tu as couché avec lui ?

— Non... Enfin presque.

Elle a soupiré avec compassion.

— Ça s'est passé comme à la plage, sauf que cette fois, on a vraiment... On a enfin parlé de cette situation désespérée. Donc voilà, c'est fini et je...

Je suis mal, au secours !

— Désolée pour toi, Emma, vraiment, mais c'est peut-être mieux ainsi.

— Possible.

J'ai attendu. Je n'ai pas reçu davantage de compassion et de paroles réconfortantes de la part de Rudy. J'aurais mieux fait d'appeler SOS Amitié.

— Bon, fis-je, il est tard...

— Oui, je vais te laisser. Je te rappelle.

— Ah bon ? C'est nouveau, ça.

Là encore, j'aurais mieux fait de me taire. Ce reproche n'aurait pas dû franchir mes lèvres, car je l'avais blessée. Cela se sentait dans le silence pesant.

— Bonsoir, Rudy. Désolée de t'avoir réveillée.

— Bonne nuit. Je t'aime vraiment.

— Ah... C'est...

Clic.

J'ai raccroché lentement, à la fois soucieuse et souriante.

— Je t'aime aussi, ai-je dit.

J'étais folle d'inquiétude. Je ne pouvais lui en vouloir de ne pas être le modèle de soutien et de compréhension qu'elle avait toujours été. J'avais le cœur brisé, mais je survivrais. Rudy, elle, ne se remettrait peut-être jamais de ce qui la préoccupait. Si seulement elle se confiait... Que pouvait-il bien lui arriver ? Cela avait un rapport avec Curtis, c'était certain, mais lequel ?

Pendant toute notre conversation, j'avais pensé à cette nuit où elle avait volé à mon secours, après une autre séparation. C'était avec Peter Dickenson. Peter l'imbécile. J'étais totalement folle de lui, au point de vouloir l'épouser. Serais-je cynique ? Il y a six ans, dans ma période pré-Dickenson, j'étais ingénue, pleine de vie, une vraie adolescente. Peter ressemblait au frère d'Alec Baldwin, le plus mince, avec les cheveux plaqués en arrière. Je vivais seule dans un appartement superbe de Foggy Bottom et j'appréciais ma solitude. J'étais tellement amoureuse de Peter l'imbécile que je l'ai invité à s'installer chez moi. Quatre mois de bonheur.

Puis, un soir, je suis rentrée plus tôt d'une réunion avec les Grâces et, devinez quoi ! Eh oui, vous avez deviné ! Peu importe que mon histoire soit d'une banalité affligeante. Les chansons et les séries à l'eau de rose la déclinent à l'infini. C'est beaucoup moins drôle quand on est concerné. Bref, j'ai pris Peter l'imbécile en flagrant délit, dans mon lit.

Je suis vite ressortie de la chambre, mais l'image était fixée dans ma mémoire. Les amants m'avaient vue, eux aussi. Je me suis réfugiée au salon et j'ai attendu sur le canapé. Ce ne fut pas très long. Peter est apparu le premier, en caleçon. Il s'est agenouillé à mes pieds et a parlé, parlé. Il en était à l'étape « Elle n'est rien pour moi » quand la fille est entrée à son tour. Au moins, je ne la connaissais pas. Elle avait l'air très jeune, tout en jambes, avec de longs cheveux blonds. En apprenant qu'elle n'était rien pour Peter, elle a blêmi. En fait, j'ai eu un peu pitié d'elle. Elle s'en est allée et Peter a continué à me parler. Je m'en souviens clairement. J'ai posé un pied sur son torse nu et je l'ai fait tomber à la renverse, puis je lui ai ordonné de dégager. Devant son refus, j'ai appelé la police. C'était la première fois que je composais le 911. Peter a enfin vu la lumière et a filé avant l'arrivée de la police.

Ensuite, j'ai appelé Rudy. À l'époque, on ne se parlait pas vraiment. C'est une longue histoire. C'était juste après son mariage avec Curtis et nous nous étions disputées à ce propos. Notre pire dispute. Nous faisions comme si de rien n'était en présence des autres Grâces. Bref, je l'ai appelée et je n'ai eu qu'à prononcer : « Oh, Rudy... » pour qu'elle me réponde : « J'arrive. »

Elle est restée toute la nuit avec moi. J'ai beaucoup pleuré. Nous avons bu du gin, fumé un tas de cigarettes... Vers six heures du matin, nous sommes allées chez Howard Johnson sur Virginia Avenue, pour manger des crêpes et du bacon.

J'étais mal, et Rudy m'a soutenue. Qui sait combien de temps j'aurais pleuré sur Peter, sans elle ? Et qui sait ce que Curtis lui a infligé quand elle est rentrée à neuf heures ? Voilà où je voulais en venir. Le fait qu'elle n'ait pas volé à mon secours, ce soir, ne signifie rien, quant à notre amitié. Rudy et moi sommes des amies loyales.

Naguère, j'aurais prétendu que mon problème, c'étaient les hommes. Les hommes gâchent tout, comme dit ma mère. J'ai grandi dans cette idée. Au bout d'un moment, il est difficile d'affirmer le contraire.

Mais je suis désormais amoureuse d'un homme, malheureuse, et je ne peux attribuer ma situation aux raisons habituelles. Je ne peux l'attribuer à rien. Serais-je en train de grandir ? Dans ce cas, je suis contre. Je viens d'atteindre l'âge mûr et je déteste ça. Je me vois promise à la solitude, l'absence de joie et le traitement hormonal.

Bon anniversaire, Emma ! Bienvenue dans le reste de ta vie !

25

Lee

*L*e cabinet du Dr Jergens appelle toujours en fin de
journée. Que les nouvelles soient bonnes ou mauvaises, ses assistantes attendent 16 ou 17 heures pour
informer les patientes de leurs résultats. À 16 h 45, en ce lundi
sombre et froid de janvier, j'ai vite compris. Toute la journée,
j'avais eu un pressentiment. J'ai laissé sonner deux ou trois fois.
Le répondeur a même failli se déclencher.

— Madame Patterson ?

C'était Patti, la plus gentille, la plus compatissante, alors
que ses collègues donnent l'impression de lire les cours de la
Bourse.

— Oui...

— Bonjour, comment allez-vous ?

— Bien. Et vous ?

— Ça va, merci. J'ai le résultat de votre dernière fécondation
in vitro.

— Oui ?

— Je regrette, ce ne sera pas pour cette fois.

Cette fois. En plus, Henry avait fait une faute d'orthographe
sur la liste des courses. Il avait écrit « frommage » ! Il y a beaucoup trop d'aimants, sur ce réfrigérateur ! Quel fouillis ! L'un
d'eux, un cadeau d'Emma, retient une photo des Grâces prise
devant chez Rudy, l'été dernier. Nous sommes bronzées, en
short et en camisole...

— Madame Patterson ?

Henry avait posé un aimant en forme de cuisse de dinde sur son calendrier de l'équipe de basket des Wizards. Ce soir-là, ils jouaient contre les Hornets de Charlotte. À l'extérieur.

— Madame Patterson, vous êtes là ?

— Oui... Merci d'avoir appelé.

— Je vous conseillais de prendre votre prochain rendez-vous avant la fin de la semaine. N'oubliez pas. Je peux vous en donner un tout de suite, si vous voulez. Sauf si vous préférez attendre un peu...

Je possède aussi un « aimant-doseur » qui indique les équivalences entre cuillerées et grammes, grammes et centilitres. Je pensais qu'il me serait utile, or je ne m'en sers que rarement.

— Allô ?

J'ai raccroché lentement.

Je n'arrivais pas à lâcher le combiné. Je n'avais pas envie de sortir dans le jardin. J'ai dû me forcer à ouvrir la porte pour suivre le son de la hache de Henry. Sur une vieille souche d'orme, derrière le garage, il coupait une bûche comme on brise de la glace. J'aimais le regarder soulever de gros blocs de chêne ou de noyer blanc, puis les fendre d'un coup net.

Il ne m'a pas entendue venir. Lorsqu'il s'est retourné pour saisir un morceau de bois, il s'est redressé en esquissant un sourire. Puis il est resté immobile, les bras ballants.

— Ils ont appelé.

Tout est redevenu très clair : la sciure qui maculait les vitres du garage, les briques, une tache de café sur la veste à carreaux de Henry...

— Je ne suis pas enceinte. Ça n'a pas marché.

— Lee... Chérie...

Il a tendu la main vers moi mais n'a effleuré que mon coude. En me voyant sursauter, il s'est aussitôt écarté.

— C'est fini.

— Quoi ?

— Quatre fois, ça suffit. Je ne recommencerai pas.

J'ai attendu qu'il hoche tristement la tête d'un air compré-hensif, puis qu'il me prenne dans ses bras, qu'il me confirme que j'avais pris la bonne décision.

— C'est fini, a-t-il répété pour lui-même.

Le front emperlé de sueur, il a plongé dans mon regard pour s'assurer que j'allais bien. Je ne ressentais qu'une grande lassitude.

— Bon... fit-il, la gorge nouée. Tu es sûre ?

— Oui.

Il s'est remis au travail, jetant des morceaux de bois dans une brouette en me cachant son visage. Soudain, j'ai remarqué qu'il pleurait.

Sous le choc, j'ai enfin commencé à ressentir quelque chose : une chaleur m'envahit la poitrine.

— Henry ?

J'ai saisi la manche de sa veste pour l'obliger à me faire face. Des larmes ruisselaient sur ses joues.

— Tu n'es pas d'accord ? Dans ce cas, je vais continuer. J'y retournerai pour un nouvel essai.

— Non. Ça suffit, Lee. Je veux que tu arrêtes. Je... C'est...

— C'est triste.

Il a déboutonné sa veste et m'a attirée dans ses bras. Bientôt, sa chaleur a apaisé ma souffrance. J'ai posé les mains sur son visage. C'était la première fois que je le voyais pleurer. J'ai craqué...

— Je regrette tellement !

— Ne dis pas ça...

— Vraiment, Henry, je suis désolée.

— Tout va bien, assura-t-il en me serrant plus fort. Je t'aime, Lee.

— Je sais, mais je regrette...

J'ai fondu en larmes à mon tour.

Et ça ne m'a pas fait mal, ça ne m'a pas brûlé les yeux comme un acide, je n'ai pas eu peur, je n'étais pas désemparée... J'ai au contraire eu l'impression que nos larmes mêlées nous aidaient à surmonter notre chagrin. Et ce n'était que le début... Parfois, le désespoir a du bon. C'est Isabel qui me l'avait dit, et elle avait raison.

— Rentrons nous réchauffer, ai-je proposé.

C'est ainsi que Henry et moi avons entamé notre guérison.

Début février, Isabel a enfin pu organiser la réunion des Grâces chez elle. Deux fois de suite, elle avait annulé à la dernière minute : elle était trop fatiguée, puis elle a eu un rendez-vous tardif chez le médecin.

— Oui, oui, venez ! J'ai hâte de vous voir ! m'a-t-elle répondu le jeudi après-midi, lorsque je l'ai appelée pour confirmer.

Sur le trajet, j'ai parcouru Connecticut Avenue, entre Van Ness et le zoo. À chaque feu rouge, deux petites filles me faisaient coucou depuis le siège arrière. Je leur ai adressé quelques signes de la main, je leur ai même envoyé un baiser. Comme elles étaient de plus en plus turbulentes, j'ai dû afficher une expression sévère pour les calmer. Une brune et une blonde de six ou sept ans. Elles n'étaient pas sœurs, mais copines, plutôt. Le nez appuyé sur la vitre, elles me tiraient la langue, se cachaient puis bondissaient en grimaçant... Sans doute criaient-elles trop fort, car elles se sont brusquement retournées sous les réprimandes de la conductrice. Ensuite, elles ne m'ont plus adressé que quelques regards furtifs. Puis la voiture s'est engagée sur Woodley Street. Elles m'ont vite oubliée...

Au bout de quelques centaines de mètres, j'ai réalisé que je n'avais pas pleuré. Il n'y a pas si longtemps, j'aurais fondu en larmes. Aurais-je entouré mon cœur d'une carapace ? Henry et moi n'avons pas d'enfants. Nous n'avons pas d'enfants. Je me le dis à voix haute, parfois. Il faut appeler un chat un chat.

J'ai songé à prendre un rendez-vous avec le Dr Greenburg, le thérapeute de Rudy. Mes amies n'en reviendraient pas ! Lee, la plus normale des quatre, chez un psy ? Mais je ne le ferai sans doute pas. Consulter un psy, c'est dépassé. De plus, je crois en l'idéal de l'indépendance, en la responsabilité de chacun à l'égard de son propre bonheur. Non que je réprouve la psychothérapie pour les autres. Avec de telles convictions, je ne tiendrais pas le coup, dans mon métier. Bref, je ne crois pas que ce soit pour moi. C'est inscrit dans mon héritage familial : les Pavlik ne vont pas chez le psy. De plus, que dirais-je à ma mère ?

Chez Isabel, c'est Emma qui m'a ouvert la porte.

— Où est-elle ? ai-je murmuré. Elle va bien ?

— Oui, elle est dans la cuisine. Entre !

Isabel ne s'est pas levée de sa chaise. Elle m'a tendu les bras et je l'ai serrée longuement contre moi.

— Comment ça va ? Tu te sens bien ? Tu es superbe.

Superbe, oui, mais fragile et fatiguée. Elle nageait dans ses vêtements, et sa perruque était trop grande pour son visage émacié. Si seulement elle arrêtait de la porter... Je préférais ses cheveux à ras.

— Ça va, a-t-elle répondu, comme toujours, en me tapotant le dos.

Elle semblait si contente que j'en ai eu la gorge nouée.

— Qu'est-ce que tu as dans ton sac ? m'a-t-elle demandé.

— Le repas. Tu as fait cuire du riz ?

Elle avait insisté pour nous recevoir chez elle, mais je ne pouvais la laisser préparer que le riz complet qui constituait la base de son régime.

— Kirby s'en est chargé. Il n'est pas là. Il joue dans une pièce, ce soir. Il vous embrasse.

— C'est vraiment quelqu'un, commenta Emma, qui coupait des crudités pour la salade. Peu d'hommes disent ça. Ce n'est pas très viril, à leurs yeux.

— C'est vrai, ai-je admis. Henry se contente de vous envoyer son bonjour. Emma, qu'est-ce que c'est que ça ? Des pousses d'épinards ?

— Oui.

— Isabel ne peut pas en manger !

— Ah bon... C'est vrai, Isabel ?

— En théorie, a-t-elle répondu en haussant les épaules.

— J'ai aussi des endives, déclara Emma, sur la défensive. Tu y as droit : c'est très yang. La rhubarbe, en revanche, c'est complètement yin. Tu le savais ? Laisse tomber !

— Prétentieuse ! railla Isabel.

Nous avions toutes acheté des ouvrages sur l'alimentation macrobiotique et nous portions plusieurs fois par semaine des plats à Isabel, histoire de soulager Kirby.

— Rudy est en retard, annonça-t-elle. Elle vient me voir de temps en temps, mais elle ne reste jamais. Et elle refuse de parler d'elle.

— Ce qui est anormal et troublant en soi, marmonna Emma.

J'ai croisé le regard d'Isabel. Les cachotteries de Rudy blessaient surtout Emma. À ma connaissance, elles n'avaient encore jamais eu de secrets l'une pour l'autre. Selon moi, Rudy laissait tomber le groupe, pas seulement Emma. Elle avait des problèmes, et alors ? Qui n'en a pas ? Quoi qu'il puisse lui arriver, ce ne pouvait être pire que le mal qui frappait Isabel. D'ailleurs, mieux valait partager ses soucis que de se murer dans ses névroses.

Je me suis gardée de l'exprimer à voix haute, car cela allait à l'encontre du règlement du groupe. Cette règle tacite ne venait pas de moi, soit dit en passant. Quand l'une de nous faisait une réflexion désobligeante sur une membre (la remarque d'Emma sur Rudy, par exemple), les autres n'avaient pas le droit de surenchérir afin de ne pas placer la personne visée en position délicate. Cette règle s'était sans doute assouplie quand nous étions cinq. Néanmoins, en y réfléchissant, nous sommes plus solidaires quand le groupe compte cinq membres... Le noyau de quatre envoie un message tacite à la cinquième, la temporaire : ne t'avise pas de dire du mal de l'une d'entre nous.

— Au moins, elle ne boit pas, déclara Emma, comme pour se rattraper. À notre connaissance, du moins. Comment en avoir le cœur net ?

— Elle est malheureuse, Emma, déclara Isabel.

— Je sais, répondit-elle en massacrant un brocoli. Qui ne l'est pas ?

— Et ton travail d'écriture, ça avance ?

Devant son regard noir, j'ai compris que je n'avais pas choisi le bon moment.

— J'ai tout balancé, grommela-t-elle.

— Oh non ! Le polar ?

— Parce que c'était un polar ? Merci de me l'apprendre. Je n'en ai jamais eu l'impression.

— Qu'est-ce que tu vas faire maintenant ? s'enquit Isabel.

— Eh bien... peut-être une histoire d'amour.

— Toi ? (Je me suis mise à rire, mais elle ne plaisantait pas.) Pardon... Je me disais simplement que... peut-être... Tu es trop...

— Trop quoi ?

— Trop cynique, peut-être, pour une histoire d'amour. Après tout, qu'est-ce que j'en sais ?

— C'est vrai ça : qu'est-ce que tu en sais ?

— Je ne trouve pas que tu sois trop cynique, intervint Isabel, pensive. En fait, je ne te trouve pas cynique.

Emma a rougi.

Au bout d'un moment, elle m'a donné un coup de hanche taquin, tandis que nous étions côte à côte.

— À toi, Lee-Lee. Quoi de neuf ?

C'est un petit surnom affectueux qu'Emma n'utilise que rarement, en général quand elle a trop bu, ou quand elle pense m'avoir vexée.

— Oh, ça va, ai-je répondu.

— Vraiment ?

— Vraiment.

Je leur ai parlé des deux fillettes, dans la voiture, en ajoutant que je n'avais pas pleuré.

— Je crois que je suis soulagée.

— Et tu es toujours certaine de ne pas t'être trompée ? Moi, je le pense, s'empressa d'ajouter Emma. Enfin, pour ce que ça vaut, mais je ne voudrais pas que tu aies des regrets.

— J'aurai au moins fait le maximum.

De plus, il y a regret et regrets...

— Il te reste le don d'ovocytes.

— Trop c'est trop.

— C'est ce que nous nous sommes dit. C'était le bon moment pour arrêter.

— Comment va Henry ?

— Il s'en remet, lui aussi. Nous sommes mieux ensemble. (J'ai ri.) Nous commençons à nous souvenir de ce qui nous plaît chez l'autre.

— Ah, tant mieux, commenta Emma avec un coup d'épaule, encore un geste d'affection. Tu lui diras bonjour de ma part.

— On attend Rudy ou on commence à cuisiner ?

J'avais prévu un wok de légumes : courgettes, navets, racines de lotus et pois chiches. J'avais déjà testé ce plat : il est meilleur que ne le laisse supposer la recette.

— On attend, répondit Isabel.

— On commence, dit Emma en même temps.

— Patientons encore quelques minutes, ai-je décrété.

J'ai rejoint Emma et Isabel à table, avec un verre de vin pour moi et du thé vert pour Isabel. Chaque matin, Kirby lui en prépare des litres. Elle nous jure que ça lui fait du bien.

— Et ta vie amoureuse ? ai-je demandé à Emma.

J'étais un peu gênée de lancer un sujet aussi léger. N'aurions-nous pas dû discuter de questions existentielles ? Cela n'arrivait jamais. Les mêmes sujets revenaient sans cesse. Isabel ne semblait pas s'en soucier. Elle ne se montrait pas très bavarde, ces derniers temps, se contentant de sourire en posant un regard paisible sur celle qui s'exprimait. Parfois, je me demandais même si elle prêtait attention à nos paroles, tant elle semblait ailleurs. Peut-être se contentait-elle de nos voix...

— Ma vie amoureuse ? répéta Emma en s'affaissant sur sa chaise. Ça, c'est de la science-fiction.

Elle était tout en noir : jean, chandail, bottes. Espérons que ce soit temporaire, car le noir n'est pas sa couleur.

— Tu ne sortais pas avec cet agent immobilier ?

— Stuart. Non, c'est fini.

— Et l'avocat de chez EPA. Bill, Will...

— Phil. Ça n'a pas marché non plus.

J'ai soupiré.

— Je ne sais plus quoi faire. Depuis un an, je n'ai plus personne avec qui te caser !

— Mon seul espoir dans le bourbier de ma vie.

— Ingrate, va !

— Entremetteuse !

— Donc tu n'as personne ? reprit Isabel d'une voix changée, plus légère, un peu sifflante.

Elle a tapoté la main d'Emma pour l'inviter à être sérieuse un instant. Son poignet osseux semblait si pâle.

— Tu en es sûre, Emma ? Personne ?

Emma l'a regardée avec inquiétude, comme si Isabel avait deviné quelque secret qu'elle aurait préféré cacher. Puis elle a baissé la tête pour observer son verre de vin. Comme elle ne répondait pas, une idée m'est venue.

— Et cet homme marié ?

— Celui dont je n'ai pas envie de parler ? rétorqua-t-elle.

— Pardon...

— Lee, ne m'en veux pas. (Elle m'a souri pour me dérider.) Excuse-moi, c'est juste que ce gars...

Elle a secoué la tête.

— Cette histoire remonte à des mois, au printemps dernier ! Tu ne t'en es toujours pas remise ? Emma, je suis désolée, je ne savais pas... Tu aurais dû en parler.

Elle ne nous avait même pas indiqué son nom.

— J'aurais peut-être dû... admit-elle en se tournant vers Isabel. Il est marié... j'étais gênée.

— Mais vous n'avez rien fait, ai-je précisé. À moins que...

— Non.

Cela ne semblait pas la réjouir.

— Et... Tu l'aimes vraiment ?

Elle a froncé les sourcils.

— Oui, mais n'en parlons plus. Rien ne va changer, alors à quoi bon ? Quoi ? a-t-elle ajouté pour Isabel qui l'observait. Tu n'as pas une parole de sagesse à délivrer ?

Si elle se voulait ironique, j'ai néanmoins décelé une lueur d'espoir dans son regard.

— Quelle histoire, fit doucement Isabel. Enfin, l'amour véritable...

— Oui, admit-elle en s'efforçant de sourire. C'est bien ma veine.

— Cela peut encore marcher.

— Je ne crois pas. On peut affirmer sans crainte que c'est mort.

Nous sommes restées tristes et silencieuses, puis je n'ai pu m'empêcher de demander :

— Pourquoi tout ça nous arrive-t-il en même temps ?

Nous nous sommes tournées vers Isabel comme si elle détenait la réponse.

— C'est le karma ? Une faute collective que nous aurions commise autrefois ?

— Je sais ! C'est à cause de cette fois où nous avons menti à cette fille atroce que tu avais trouvée, Lee. On lui a dit qu'on se séparait pour se débarrasser d'elle.

Isabel s'est mise à rire :

— Nous n'avons commis aucune faute. Quant au karma, s'il existe, précisa-t-elle en s'adressant à Emma, ce n'est pas une punition, c'est une leçon. Il faut en tirer des enseignements. Si ce n'est dans cette vie...

Elle laissa sa phrase en suspens.

— Les cycles karmiques, précisa Emma.

— Exactement.

— Eh bien, ça ne me plaît pas, dis-je. Ce sont des leçons cruelles que je n'ai aucune envie d'apprendre.

Isabel se contenta de sourire.

— Je te suis, déclara Emma, la mine sombre.

Je me suis sentie plus proche d'elle, soudain, plus proche que d'Isabel.

Nous avons décidé de commencer à manger sans Rudy. Je faisais sauter les légumes quand la sonnette a retenti.

— Enfin ! grommela Emma, néanmoins soulagée. Je vais ouvrir.

Je l'ai entendue déclarer :

— Rudy ! Qu'est-ce qui ne va pas ?

Je me suis retournée. Intriguée, Isabel s'est penchée pour regarder vers le salon. J'ai éteint la cuisinière pour me précipiter dans l'entrée.

— Qu'est-ce qui se passe ? Tu as eu un accident ?

— Hein ? fit-elle en me regardant à travers ses larmes. Si j'ai quoi... ?

Emma l'a agrippée par la manche. Quand Isabel a finalement réussi à se lever pour s'approcher d'elle, Rudy a déclaré :

— Je vais bien. Personne n'est mort ou blessé.

Nous n'avons pas masqué notre soulagement.

— Assieds-toi, ordonna Emma.

Elle lui a enlevé son manteau plein de neige fondue avant de l'installer sur une chaise.

— Raconte-nous ce qui s'est passé. Tu n'as pas eu d'accident ?

— Si, à l'instant, devant ta maison.

— Ma maison ? s'exclama Emma.

— J'avais oublié la réunion... J'ai roulé, roulé, et puis je suis allée chez toi. J'ai heurté une borne-fontaine en essayant de me garer. Mais ce n'est pas grave : c'était la BMW de Curtis.

Elle a pris le verre de vin d'Emma et en a bu deux grandes gorgées sous nos yeux ébahis. Était-elle saoule ? J'ai posé une boîte de mouchoirs à côté d'elle. Elle en a pris trois et s'est caché le visage. Avec ses cheveux humides dressés sur sa tête, ses yeux injectés de sang, elle avait une mine déplorable.

— Bon, voilà ce qui s'est passé... Curtis m'a annoncé qu'il avait un cancer et qu'il allait peut-être mourir.

— Non ! me suis-je exclamée.

Emma a retenu son souffle.

— Oh non ! a gémi Isabel avant de s'écrouler sur sa chaise.

— Attendez ! s'est aussitôt exclamée Rudy, le regard embué de larmes, en serrant la main d'Isabel dans la sienne. Il n'a rien, tout va bien ! Tout va bien !

— Dieu merci, souffla Isabel.

Rudy s'est mise à rire nerveusement. Un rire étrange qui m'a donné des frissons.

— Je l'ai quitté. Tu peux m'héberger ?

— Tu as fait quoi ? s'enquit Emma, abasourdie.

— Rudy, pour l'amour du ciel ! déclara Isabel. Explique-nous ce qui s'est passé !

Emma et moi nous sommes accroupies de part et d'autre de Rudy. Devant notre expression captivée, elle a étouffé un petit rire plus naturel, cette fois.

— Les filles...

Elle s'est mouchée, puis nous a conté son histoire :

— Alors voilà : en novembre, Curtis m'a annoncé qu'on lui avait diagnostiqué une leucémie. Selon lui, il n'y avait pas de traitement, mais on n'en mourait pas forcément. Il a précisé que c'était une maladie lente, qu'il ne succomberait sans doute pas avant cinq ou dix ans et que, d'ici là, on aurait trouvé un traitement. Bref, il avait bon espoir.

— Attends... Tu viens de dire qu'il n'est pas malade, ai-je déclaré.

— Il n'a pas de leucémie.

— L'imbécile ! s'exclama Emma.

— J'ai trouvé bizarre qu'il ait si peu de rendez-vous médicaux et qu'il ne me permette jamais de l'accompagner. Il ne voulait pas que je m'inquiète, soi-disant. Il prenait des cachets tous les matins, c'est tout... Je crois que c'étaient des vitamines.

— C'est pas vrai...

— Il semblait en forme, la plupart du temps, et il avait bon moral. J'ai cru qu'ils l'avaient mis sous Prozac pour l'empêcher de déprimer. De temps à autre, il se plaignait d'un vertige, à cause de ses globules blancs. Un jour, au cinéma, il a vu double.

— Il a vu double ? À cause d'une leucémie ?

La stupeur d'Emma nous a amusées alors que cette histoire n'avait rien de drôle.

— Il m'a raconté que, d'après les médecins, ces symptômes étaient normaux, qu'il aurait des crises de temps en temps, que je ne devais pas m'inquiéter. Maintenant, je me rends compte que ces crises ne survenaient que lors de nos querelles. À cause d'une simple discussion, ou bien quand il n'obtenait pas ce qu'il voulait. Ou encore si j'insistais pour le dire au moins à Éric. Et à vous, les filles, ajouta-t-elle en regardant Emma. Il refusait que je vous en parle. Il m'a fait pro... prom...

Elle a fondu en larmes.

— Rudy... fit Emma en l'enlaçant pour la rassurer. Tout va bien, ce n'est rien. Je te pardonne.

Isabel et moi en avions les larmes aux yeux. C'était bizarre de l'entendre dire « je te pardonne ». Pourtant, il était flagrant que c'était ce que Rudy recherchait : le pardon.

— Alors je suis allée voir le Dr Slater, notre médecin de famille. J'avais l'impression que Curtis me cachait des choses et je voulais savoir, même le pire. Je redoutais que ce ne soit plus grave qu'il ne voulait bien me l'avouer et que c'était pour cela qu'il voulait garder le secret. Pour me protéger. (Elle a porté ses mains tremblantes à ses joues.) Vous y croyez, vous ?

— Non. Tiens.

Emma lui servit du vin et lui tendit le verre.

Elle l'ignora et poursuivit son récit :

— Donc je suis allée voir le Dr Slater. Cet après-midi. J'ai l'impression que ça remonte à des semaines. Un jour, je rirai peut-être en pensant à son expression quand je lui ai demandé combien de temps il restait à vivre à Curtis.

Emma a retenu son souffle, puis elle s'est esclaffée. Même Rudy était à la fois horrifiée et amusée.

— Il ignorait de quoi je voulais parler. Je me suis même disputée avec lui. J'ai mis un temps fou à allumer !

— Non... fit Isabel, mais Rudy lui a pris la main.

— Attendez... Il y a pire.

Les yeux pétillants, elle a esquissé un sourire diabolique.

— Vous êtes prêtes ? J'ai déclaré au Dr Slater que je n'essayais plus de tomber enceinte puisque Curtis avait une leucémie. Alors il m'a répondu... il m'a répondu...

— Quoi ?

— Que Curtis avait subi une vasectomie.

— Non !

— L'année dernière. Vous vous souvenez que nous n'avons pas fait l'amour pendant tout le mois de décembre ? C'était pour ça ! Il cicatrisait ! Et juste après, il m'a dit qu'il voulait un enfant !

Elle s'est redressée. Elle ne pleurait plus et semblait émerger de sa torpeur.

Isabel et moi étions sans voix, mais Emma a sacré pour nous trois.

— Qu'est-ce qu'il avait l'intention de raconter, ce gros cave, au bout de cinq ans ? J'aimerais bien le savoir ! Comment pensait-il te cacher cette vasectomie alors que tu consultais le même médecin que lui et que tu risquais de lui parler de ton désir d'enfant ? Quelle arrogance !

— Qu'est-ce qu'il a dit en apprenant que tu étais au courant ? coupa Isabel. Comment s'est-il défendu ?

— Je ne lui ai pas encore parlé. J'aurais dû mettre quelques affaires dans un sac... je n'ai pas réfléchi. J'ai pris sa BMW, ajouta-t-elle riant sous cape.

— Ça va le rendre fou, gloussa Emma.

Nous étions déçues qu'elle n'ait rien dit à son mari, mais nous nous sommes gardées de l'exprimer. Nous sommes revenues sur les détails sordides du mensonge de Curtis et de la crédulité de Rudy, de son calvaire des trois derniers mois. Au bout d'un moment, elle a cessé de trembler. Je lui ai donné un morceau de pain à grignoter. Si elle a vite repris des couleurs, elle avait toujours le regard sombre.

— Rudy, tu devrais rentrer chez toi, déclara Isabel, qui n'était pas très loquace.

D'abord, ce fut le silence, puis tout le monde s'est exprimé en même temps.

— Jamais ! Quitter Curtis est l'acte le plus sain qu'elle a posé depuis des années. Tu es folle ? Elle ne peut pas rentrer !

— Qu'est-ce que tu comptes faire ? insista Isabel. T'installer chez Emma pendant un moment et ensuite ?

— Je trouverai un logement.

— Avec quel argent ?

— Curtis...

Elle s'est interrompue.

— J'ai de l'argent, moi, affirma Emma avec fougue.

— Moi aussi, ai-je ajouté.

Puis j'ai réfléchi. Un long silence s'est installé.

— Ce n'est pas seulement une question financière, déclara Isabel d'un ton patient.

— Il va tout garder, déclara Emma. Il peut obtenir la maison, les cartes de crédit, la totalité de vos biens, ton assurance santé.

— Au minimum, il aura la priorité, ai-je ajouté, furieuse. Sacrament, il est avocat, non ?

Elles en demeurèrent bouche bée. Eh bien oui, j'étais capable de dire « sacrament » mais, au contraire des autres, uniquement à bon escient.

— Merde ! lança Rudy, soudain lucide.

— Et c'est toi qui es partie, lui rappela Emma.

— Ce n'est pas seulement une question d'argent, insista Emma.

— Qu'est-ce que tu veux dire ?

Elle décrivait des cercles de son doigt sur le bord d'une tasse vide.

— J'ai toujours regretté d'avoir quitté Gary. Pas d'avoir divorcé ! précisa-t-elle sous nos protestations. Je regrette de l'avoir quitté. J'étais la victime et j'ai éprouvé une certaine satisfaction à l'abandonner. Il m'avait trahie et ne l'a jamais admis. Ce n'est pas une question de pardon.

— Il n'a pas suivi toutes les leçons du karma.

— C'est vrai, ai-je dit, tandis qu'Isabel adressait un regard vague à Emma. Il t'a lésée, Isabel, et il n'a pas payé.

— Oui, dit Emma. Ce salaud t'a menti, il t'a trompée, il a couché avec d'autres femmes, or il n'a jamais souffert.

— Comme Curtis, ai-je dit.

— Ce n'est pas pareil, a déclaré Rudy.

— Si.

— Ce que Curtis a fait est pire, d'une certaine façon, tu ne trouves pas ? déclara Emma en regardant Isabel. Certes, il est malade, mais aucune psychose ne justifie ce qu'il a infligé à Rudy. Gary réfléchissait avec sa queue. Qu'il aille au diable ! En revanche, il n'est pas vraiment mauvais.

— Mais Curtis...

Rudy s'est interrompue.

— Non, je ne dirai rien, je ne le défendrai pas.

— Tu n'as pas intérêt, prévint Emma.

— Voilà où je voulais en venir, reprit Isabel, attirant tous les regards sur elle. Gary a trahi ma confiance. Je ne veux pas dire qu'il a « fauté »...

— Il n'a pas été à la hauteur de son potentiel humain ? Il n'était pas assez en phase avec lui-même ?

— Merci, dit Isabel. Il n'a jamais été mis face à ses responsabilités. Or il aurait dû payer. Curtis aussi doit payer.

— Tu as raison.

— Pas par vengeance, ajouta Isabel en voyant le regard d'Emma. Par souci d'équité.

— Peu importe.

— Elle a raison, Rudy, ai-je dit. Quelle que soit ta raison, tu mérites de le mettre dehors. Il est à la maison, en ce moment ?

— Non. Il est en déplacement. Il rentre ce soir.

— Quand ?

— Tard.

Nous avons réfléchi.

— J'ai un peu peur de lui, avoua Rudy d'une petite voix.

Il faisait soudain plus froid dans la pièce. Isabel et moi avons échangé un regard noir.

— Pourquoi ? ai-je demandé d'un ton désinvolte.

— Il ne m'a jamais vraiment frappée. Enfin, une seule fois, il y a longtemps. C'est surtout... Ça vient sans doute de moi, mais...

La patience commençait à nous manquer. Rudy a fermé les yeux.

— Je ne sais pas comment il s'y prend, comment il me tient. Il obtient de moi ce qu'il veut. Pas par la violence... J'ai peur de lui quand même. Il me terrorise et j'ai honte de l'admettre devant vous...

J'ai posé une main sur son bras.

— Dis-nous la vérité, Rudy. Tu l'aimes encore ?

— Je ne sais pas. Comment le pourrais-je ? Je crois que c'est la fin. Je le sens. C'est comme une fausse couche.

Emma a rompu le silence morose :

— Je rentre avec toi, si tu veux. Il ne me fait pas peur, à moi, ce salaud.

— Moi non plus, ai-je dit. Je préviendrai Henry.

— Nous irons toutes, décréta Isabel en s'appuyant sur sa canne pour se lever. Nous prendrons deux voitures.

Nous l'avons regardée bizarrement.

— Rudy ne rentrera pas chez Emma, ensuite. Elle va rester chez elle.

26

Rudy

J'ai vécu ma crise d'adolescence sur le tard. Pour une raison inconnue, le poison ingéré pendant mon enfance ne s'est propagé en moi que vers vingt-six ou vingt-sept ans. Le simple fait que je sois toujours en vie relève du miracle. À part Curtis, ceux qui me connaissent aujourd'hui n'ont pas idée de celle que j'étais à l'époque. Je n'avais pas encore rencontré Emma, et je ne le lui ai jamais raconté, enfin presque pas... Le soir où Lee nous a avoué avoir eu une aventure d'un soir, j'ai bien ri ! Elle était tellement mignonne ! Et toute honteuse. Si je devais compter mes aventures d'un soir... voire d'une heure...

Bizarrement, personne ne me considérait comme une guidoune, à l'époque. Du moins je ne crois pas. Je n'ai pas eu « mauvaise réputation », selon l'expression consacrée, peut-être grâce à mon apparence respectable. Je crois surtout que j'ai hérité du don de ma mère, de sa façon d'avoir l'air sage alors que, dans sa tête, c'est le chaos absolu. Ma mère... Imaginez Katharine Hepburn au lieu de Olivia de Havilland dans *La Fosse aux serpents*. C'est impossible ? Justement.

Et je n'ai pas seulement abusé du sexe, mon vice le plus manifeste. J'ai couché avec des hommes brutaux, violents, des hommes mariés, des cinglés. Je m'en servais comme analgésique et j'en étais consciente. Ce terme et son contexte thérapeutique m'étaient familiers. Je le savais, mais je le faisais quand même. Je suscitais le désir et je pouvais avoir n'importe quel homme. Cela m'a aidée. Une quelconque retenue ne m'est jamais venue à l'esprit. Et je le répète, il n'y avait pas que le sexe : n'oublions pas la drogue et l'alcool. J'étais en thérapie à Durham – je le suis depuis l'âge de treize ans – et mon psy de l'époque était particulièrement incompétent. Il me gavait de psychotropes, de sorte que j'ai ingéré un tas de substances licites en plus des illicites.

C'était une fuite en avant. J'avais recours aux médicaments pour le bruit, au sexe pour la distraction, à l'alcool pour l'oubli, le tout pour échapper à ma terreur grandissante de devenir schizophrène ou maniaco-dépressive. Il n'y avait là aucune illusion paranoïaque : j'ai des antécédents familiaux pour ces deux maladies. Aurais-je choisi la folie pour éviter de devenir folle ? Je le crois, et je n'ai pas vraiment changé. Éric affirme que oui, mais j'en doute. Ma pire crainte... Non, je ne veux pas le dire. C'est la même, toujours la même. Rien n'a changé.

C'est ainsi que j'ai rencontré Curtis : je sortais avec Jean-Étienne Leutze, un Suisse censé étudier le théâtre à Duke. En réalité, il était en train de se suicider par l'alcool. Naturellement, il m'a attirée. Nous formions un sacré duo, un couple enflammé, selon nos amis, qui n'en savaient pas la moitié. Un soir, nous nous sommes chicanés dans son studio crasseux. Il vivait dans un quartier étudiant délabré et animé, à l'écart du campus. Jusqu'à ce soir-là, nos disputes nous stimulaient, elles étaient très créatives : échanges d'insultes, jets d'objets... J'avais la sensation exaltante de me libérer, de respirer un air pur et dangereux. Jean-Étienne était l'homme idéal, pour moi, du moins en ce lieu et à cette époque.

Cela ne pouvait pas durer. Il y a toujours une escalade dans la violence. Un soir, il m'a frappée et m'a jetée hors de chez lui. Littéralement : il m'a projetée contre le mur du palier. Je n'ai rien eu de cassé, mais j'étais saoule morte et... détail gênant, presque nue. Je ne portais que ma petite culotte.

Curtis était son voisin. Je l'avais croisé une fois ou deux, assez longtemps pour comprendre qu'il n'était pas à sa place. Il était trop propre de sa personne, trop sain. Blond, les yeux bleus, l'air sérieux, toujours chargé de livres. Il m'avait remarquée, lui aussi. Je pensais que c'était parce qu'il avait entendu notre vacarme, soit nos ébats, soit nos engueulades, et que j'attisais sa curiosité.

Il est sorti de chez lui et m'a trouvée recroquevillée dans l'escalier, à moitié nue, totalement perdue. Il était bien après minuit, mais Curtis était encore habillé : pantalon en toile, polo et mocassins. Il était en train de réviser. Il m'a regardée, m'a touchée, m'a aidée à me lever pour m'emmener dans son appartement. À aucun moment, il n'a semblé me considérer comme un objet sexuel. C'était nouveau, pour moi, et cela m'a plu. Il possède ce pouvoir dont il est bien conscient et qu'il a exploité tant de fois, depuis. Ce soir-là, c'était inédit, et je me suis laissé ensorceler sans réfléchir.

Il m'a prêté son peignoir et m'a servi un café. Il voulait appeler la police... J'ai trouvé ça touchant. J'ai vu en lui un preux chevalier venu me sauver. Nous avons discuté pendant des heures. Enfin, je parlais et il buvait mes paroles. Cela aussi, ça m'a plu. Il était plus mince, à l'époque, moins expérimenté, moins sûr de lui. En revanche, il affichait déjà une certaine réserve qui m'attirait beaucoup. J'en avais si peu moi-même...

Quand vint le moment d'aller se coucher, j'étais persuadée que nous allions coucher ensemble. À ma grande surprise, il m'a apporté des draps, une couverture et un oreiller, puis il m'a bordée sur le canapé, sans même m'embrasser.

Le lendemain, je me suis réveillée la première. J'ai pris une douche dans sa salle de bain immaculée – quel contraste avec la porcherie de Jean-Étienne – puis je suis allée me glisser dans son lit. C'était une façon de le remercier, un échange équitable, en quelque sorte.

Il m'a repoussée. Pourtant, il avait envie de moi – il dormait nu et c'était manifeste – mais il a refusé mes avances. Il m'a écartée sans un mot, rien qu'un petit sourire contrit, de ses mains douces et fermes... j'ai eu honte... Et je me suis sentie sous son pouvoir.

Un schéma s'est mis en place. C'est tellement évident, maintenant. J'offensais Curtis et il me pardonnait. J'étais audacieuse et il me réprouvait, puis il se détendait. Nous ne sommes devenus amants qu'au bout de plusieurs semaines. Il me rendait folle de désir. C'était délibéré de sa part, mais j'aimais ça. Je suis entrée dans son jeu de mon plein gré. Je me surveillais, je m'oubliais pour lui faire plaisir. Très vite, je suis devenue accro. Il était différent de tous les hommes que j'avais connus. Il était concentré et, contrairement à moi, il savait ce qu'il voulait : une carrière politique. Ses études de droit n'étaient qu'une étape.

Nos relations n'ont jamais été sereines, même au début. De l'extérieur, elles semblaient être à sens unique : Curtis était le maître et moi l'esclave. Les apparences sont souvent trompeuses, et rien n'est jamais aussi simple.

Juste avant notre départ de Durham, je lui ai annoncé que je ne voulais plus vivre avec lui, que je comptais me chercher un logement, à Washington. Je ne souhaitais pas rompre : j'avais simplement besoin d'espace. Je voulais lever le pied. Dans mes rares moments de conscience, je comprenais que sa possessivité me faisait du mal et que ma complaisance était pathologique.

Je n'étais pas prête pour un engagement total. J'avais encore besoin de place pour agir, de liberté pour m'autodétruire, et je ne voulais pas de la stabilité que représentait le bon côté de Curtis. Enfin, je la voulais, mais j'avais peur de revenir en arrière et de tout gâcher.

J'ai peine à croire à ce qui s'est passé ensuite. Il a tenté de me convaincre de changer d'avis, bien sûr. Seul Curtis peut se montrer aussi raisonnable et méthodique. Or j'ai tenu bon. Alors il s'est moqué de moi, m'a ridiculisée, ce qui fut plus dur à supporter. Là encore, j'ai résisté. Pas question de céder.

Alors il s'est mis à boire.

C'est le vice de la famille Lloyd. C'est mal, assurément, mais quel luxe d'être issu d'une famille qui n'a qu'un seul défaut ! Curtis, lui, ne buvait pas, ou très peu, une bière le samedi après-midi ou un verre de vin au restaurant, que je finissais pour lui. Il révisait depuis des mois pour passer le concours du barreau de Washington trois semaines plus tard. Le lendemain de notre dispute, en rentrant de mes cours (je faisais encore une maîtrise en histoire de l'art), je l'ai trouvé inconscient sur le canapé. J'ai cru qu'il était malade. En voyant la bouteille de whisky, entre les coussins, je n'ai pas compris. Quand j'ai enfin allumé, j'ai trouvé ce comportement aberrant. Je l'ai réprimandé, je lui ai fait la morale tout en le forçant à avaler du café, avant de le pousser dans la douche. Il n'a pas prononcé un mot. Même saoul mort, il parvenait à se contrôler.

Quand il a un peu retrouvé ses esprits, il a enfilé des vêtements propres et est sorti, toujours terré dans son mutisme. Le silence est une arme redoutable. Il est rentré avec quatre bouteilles de vodka, puis a passé six jours dans sa chambre à les boire.

J'étais affolée. Nous avions peu d'amis et je n'osais appeler personne. J'ai contacté ses parents à Savannah. La conversation fut surréaliste : autant annoncer à un poisson que son petit est en train de se noyer. Un jour, j'ai profité du fait que Curtis était dans la salle de bain pour lui voler son alcool. Je croyais qu'il allait mourir, qu'il s'empoisonnait, ce qui était le cas. Il avait une mine atroce, sentait mauvais, se négligeait, ce qui est choquant chez un homme aussi soigné. Il m'a prise la main dans le sac avant que je ne puisse emporter ses bouteilles et, pour la première fois de notre vie, il m'a frappée. Pas fort, car il était saoul. J'ai perdu l'équilibre et je me suis coupé le front sur le cadre de la porte.

En me voyant saigner, Curtis a fondu en larmes. Il est retourné dans la salle de bain et a vomi. J'ai cru que c'était terminé, mais, à son retour dans la chambre, il s'est remis à boire.

Alors j'ai cédé.

— Je ne te quitterai pas, lui ai-je promis, tandis que nous pleurions tous les deux comme des enfants. On trouvera un logement à Washington, un superbe appartement à Capitol Hill. On sera riches et heureux, tu deviendras célèbre. Tu seras président et moi première dame, et nous resterons toujours ensemble.

Il tremblait, incapable de maîtriser ses sanglots. Je n'oublierai jamais cette scène, de loin la plus intense. Une fois remis, il a repris sa vie normale et est redevenu sérieux, sobre, concentré.

J'étais à la fois terrifiée et exaltée. J'avais peut-être du pouvoir sur lui ! Et j'étais capable de briser sa vie simplement en le quittant. Quelle responsabilité ! Je devrais me montrer aimante, attentive, délicate avec lui.

J'ai mis des années à comprendre, à coup de flashs, que ce n'était qu'une illusion, que c'était toujours lui qui avait le pouvoir, et non moi. Il était comme un enfant qui retient son souffle pour avoir un bonbon.

Cette analogie est encore plus valable aujourd'hui. Curtis avait brandi sa propre mort pour obtenir gain de cause. Cette fois, il est allé trop loin. Malgré mon aveuglement, je vois clair dans son jeu. C'est fini. Je crois que c'est fini. Comment rester avec un homme tellement plus fou que moi ?

— Tu devrais balancer ses affaires dans la rue.

J'observais Lee tandis qu'elle engageait la BMW dans la circulation de la voie rapide de Rock Creek. Je n'aurais peut-être pas dû la laisser conduire, finalement. Elle me l'avait suggéré, appuyée par Isabel. Sur le moment, cela m'avait semblé raisonnable. J'étais bouleversée, j'avais le hoquet... Jamais je n'avais vu Lee dans un tel état de fureur. Elle prenait de tels risques que je m'accrochais à la portière en regrettant l'absence d'*airbags*. J'aurais dû monter avec Emma, qui nous suivait dans sa petite Mazda rouge.

— Et appeler un serrurier, ajouta Lee. Il faut en contacter un tout de suite, changer les serrures. J'ai mon téléphone. Tu peux me l'attraper ? Il est dans mon sac.

J'ai sorti le téléphone, mais appeler un serrurier était au-dessus de mes forces. Je me suis tournée vers Isabel pour voir ce qu'elle en pensait.

— Ce n'est peut-être pas une mauvaise idée, a-t-elle déclaré depuis le siège arrière. Cela peut attendre que nous soyons arrivées.

— D'accord, dit Lee sur un ton qui signifiait « Je vous aurai prévenues ». Ils risquent de ne pas pouvoir venir avant demain. Autre chose : dès ton arrivée, commence à appeler les orga-nismes de cartes de crédit. Pour se venger, Curtis tentera peut-être de te couper les vivres. Il faut frapper la première. Tu as l'avantage, parce que tu sais quelque chose qu'il ignore. Dès qu'il sera au courant, les choses peuvent devenir délicates. Tu connais un bon avocat ? J'appellerai ma mère. Elle a des rela-tions. Isabel, tu conseillerais celui que tu as pris pour Gary ? Franchement, je pense que Rudy a besoin de quelqu'un de plus carré. Un requin, voilà ce qu'il nous faut.

Elle a montré les dents. Je l'entendais encore dire « sacra-ment ». Jusqu'à ce soir, elle n'allait jamais plus loin que « zut ». Elle m'a fait peur. Je n'aimerais pas l'avoir comme ennemie...

— Passe-moi le téléphone, dit-elle. Il faut que j'appelle Henry.

— Je compose le numéro.

Elle prenait ses virages à toute vitesse. Mieux valait qu'elle garde les deux mains sur le volant.

— N'appelle pas à la maison, il est chez sa mère.

Elle m'indiqua le numéro. Mes doigts tremblaient tellement que j'ai dû recommencer. Était-ce de la peur ou de l'exalta-tion, de la crainte ou de l'impatience ? J'avais aussi un peu mal au cœur, après ce que mon mari m'avait infligé. Mon meilleur ami, celui en qui j'avais le plus confiance...

— C'est occupé, ai-je dit à Lee. J'appelle Éric.

Désemparée, j'ai entendu son répondeur :

— Éric, c'est Rudy, ai-je déclaré dans un hoquet, avant de m'esclaffer. J'ai le hoquet et je suis dans une voiture à pleine vitesse avec Lee et Isabel. Emma nous suit. Nous rentrons chez moi pour mettre Curtis à la porte... Hic...

Isabel et Lee hurlaient de rire, nous étions hystériques.

— Vous n'allez pas le croire. Curtis m'a dit qu'il avait une leucémie. C'est ce que je ne pouvais pas vous révéler. Et aujourd'hui, j'ai découvert que c'était un mensonge !

— Parle-lui de la vasectomie, fit Lee en tournant dans Independence Avenue.

— Et il a subi une vasectomie il y a plus d'un an. Je ne suis pas saoule, je n'ai rien pris, c'est la vérité ! Alors je le quitte. Enfin, je voulais le quitter, mais je vais le mettre dehors, finalement. Je suis avec les Grâces. Si seulement vous étiez là. Si vous rentrez tôt, appelez-moi chez moi. Quand vous rentrerez. À n'importe quelle heure. Appelez-moi, s'il vous plaît. J'ai vraiment besoin de vous parler !

— Raccroche ! ordonna Lee. Il faut que j'appelle Henry.

— D'accord. Je raccroche. Souhaitez-moi bonne chance !

Le téléphone est tombé par terre.

— Oh non ! Je suis vraiment nulle ! J'ai vraiment fait ça ?

— Oui.

Isabel s'est penchée et m'a pris le téléphone des mains.

— Lee, répète-moi le numéro de ta belle-mère.

Henry n'était pas là-bas non plus. Il avait reçu un appel d'urgence et avait pris le chantier à la place de Jenny. Lee lui exposa la situation en quelques phrases. Jenny promit d'essayer de transmettre le message à Henry.

— C'est important, précisa Lee. Où se trouve cette urgence ? Oh merde !

Isabel et moi avons échangé un regard sidéré. Lee battait des records, ce soir.

— Il est à Burke, nous expliqua-t-elle. Jenny, dites-lui d'aller chez Rudy dès que possible. Oui, il connaît son adresse... à Capitol Hill. Il connaît. D'accord, Jenny, merci !

Elle a raccroché.

— Elle nous conseille de faire attention. Mais... J'espère qu'il fera quelque chose. Enfin non ! s'empressa-t-elle d'ajouter, en s'engageant dans ma rue. Il faut que je cache la voiture ?

— Tu crois qu'il faut cacher la voiture ?

— S'il la voit, il la prendra. Tu préfères qu'il prenne la voiture ou la jeep ?

— Aïe... (J'avais du mal à réfléchir.) C'est quand même sa voiture. Je crois que les deux sont à lui.

— Les deux sont au nom de Curtis ?

— Je crois... Je ne sais pas. La jeep est peut-être aux deux noms.

Lee marmonna quelques mots pas catholiques.

— Bon, eh bien tant pis.

Elle trouva une place devant la maison.

— J'espère que tu aimes prendre le métro.

En sortant de la voiture, nous avons remarqué que la lumière du balcon était allumée.

— Oh non, non, non...

— Il est là ? m'a demandé Isabel en me prenant le bras.

J'ai opiné. Il était rentré, donc il avait lu mon message : « J'ai vu le Dr Slater, je sais tout, je te quitte. »

Emma est arrivée en courant. Elle s'était garée en face.

— Rudy, tu as laissé la lumière allumée ?

— Non.

— Oh là là...

— Il est là, confirma Lee.

À la lueur du réverbère, j'ai lu de l'impatience dans son regard.

Emma a pris mes deux mains dans les siennes.

— Tu es frigorifiée et tu as les mains moites.

Elle a tenté de me les réchauffer.

— Écoute-moi bien, Rudy. Si tu veux, nous resterons dehors.

— Quoi ? fit Lee.

Emma l'a ignorée.

— C'est à toi de décider. Si tu veux lui parler seule, cela te regarde. De toute façon, nous sommes avec toi.

— Non, je préfère que vous veniez.

Elles ont eu l'air soulagées.

— Tu vas y arriver, tu es forte, affirma Emma en me regardant dans les yeux. Dans quelques minutes, le plus difficile sera derrière toi.

— Et nous sommes là, renchérit Isabel. Ce sera plus facile, ensemble.

— C'est vrai, dit Lee. Quatre fois plus facile.

— D'accord ? fit Emma.

L'espace d'un instant, j'ai cru qu'elle allait vouloir faire un cri de guerre.

— Allez, on y va ! C'est parti !

Bras dessus, bras dessous, nous avons remonté l'entrée de garage, tels des soldats en marche, mais lentement, à cause de la canne d'Isabel. Au bas de l'escalier, nous avons dû nous séparer, car il était trop étroit pour quatre. Pleines de courage, nous allions au combat contre un ennemi dangereux et intelligent, un homme aux réactions imprévisibles et dont j'étais encore en partie amoureuse.

J'ai tourné la clé dans la serrure. La lumière était allumée dans l'entrée. Curtis descendait l'escalier. En me voyant, il s'est arrêté net. Son visage pâle et fermé s'est soudain illuminé d'un sourire étonné.

Je me suis sentie fondre comme neige au soleil. Quand j'ai ouvert la porte toute grande, il a vu qui se trouvait derrière moi. Le soulagement a fait place à de l'hostilité et j'ai retrouvé ma détermination. Je l'avais échappé belle...

— Qu'est-ce qui se passe ? Une soirée entre amies ?

C'est ça, ai-je pensé, joue les malins, tu me rends service. Lee, la dernière à entrer, a fermé la porte. Entre la voiture et la maison, mon hoquet avait cessé.

— Curtis ? ai-je dit d'une voix stridente. Curtis, je veux que tu quittes cet endroit.

Je semblais posée. Je jouais la comédie, bien sûr. Intérieurement, j'oscillais entre la panique et un détachement étrange. J'étais désorientée de le voir égal à lui-même, malgré la triste vérité.

— Rudy, reprit Curtis comme si je n'avais rien dit. Il faut qu'on parle.

— Oh non, c'est moi qui te parle ! Je veux que tu partes. Va à l'hôtel ou ailleurs, chez ton ami Teeter.

— Rudy, maugréa-t-il entre ses dents. Demande à tes amies de partir, s'il te plaît. J'ai beaucoup de choses à te raconter, mais pas en public.

Il a tendu une main vers moi : une capitulation subtile. Et il avait dit « s'il te plaît ».

Les autres m'ont regardée. Si je le leur demandais, elles s'en iraient de mauvaise grâce. Enfin, Lee et Isabel. Emma, je n'en étais pas certaine.

— Non, ai-je répondu fermement. Elles ne partiront pas.

Je lus dans leur expression et leur posture qu'elles étaient fières de moi.

— Le seul à partir, c'est toi, ai-je repris, pleine d'audace.

Un muscle a tressauté sous son œil gauche.

— Tu te méprends. On en parlera plus tard.

Sur ces mots, il s'est retourné et a gravi les marches.

Emma, Lee et Isabel me regardaient.

— Curtis ! Je veux que tu partes !

Pas de réponse. Il a disparu en haut.

Comment avais-je pu croire que ce serait facile ?

— Et maintenant ? ai-je demandé, au désespoir.

— Tu as été géniale, a dit Emma.

— C'est vrai, admit Isabel.

— Tu dois encore le faire partir, renchérit Lee.

— Comment ?

— Il va falloir lui parler.

Oh, Isabel, ai-je pensé, *je ne m'attendais pas à tant de naïveté de ta part.*

— Et nous irons avec toi, ajouta-t-elle.

— Vraiment ? On y va toutes ensemble ?

Elles hochèrent la tête.

C'était bizarre, mais je n'avais pas envie d'y réfléchir trop longtemps.

— D'accord, allons-y.

Quand il nous a vues, Curtis a affiché une mine indescriptible. Il était penché devant son armoire ouverte. Il avait enlevé sa cravate et dénouait ses lacets.

— Qu'est-ce qui se passe ? fit-il en essayant de rire, le visage tendu.

J'ai désigné d'un doigt tremblant sa valise, qu'il avait jetée sur le lit.

— Cela tombe bien que tu n'aies pas encore défait tes bagages. Tu n'auras qu'à l'emmener en partant.

Il m'a regardée comme s'il ne me reconnaissait plus, puis il a poussé un long soupir plein de patience. Il a pris cet air clément qui a si bien fonctionné pendant longtemps.

— Rudy, le moment est mal choisi pour en discuter.

— Je suis d'accord. Je ne discute pas. Je veux que tu quittes cette maison. Je sais ce que tu as fait et tu ne nies même pas. Ce n'est pas à moi de partir, c'est à toi.

Isabel se tenait à ma droite, Lee à ma gauche, et Emma s'était assise sur le lit, la pire des offenses, car elle pénétrait le territoire ennemi. La possession, c'est l'essentiel.

Curtis a essayé de passer pour l'homme rationnel devant des femmes irrationnelles.

— Isabel, pourrais-tu mettre du plomb dans la tête de tes amies ?

Elle a fait deux pas dans sa direction, sa canne dans une main, son sac dans l'autre. Elle avait encore son manteau, comme nous.

— Rudy ne demande que justice. Un peu de générosité. Tu lui dois bien ça, non ? Histoire de rétablir un peu l'équilibre.

Je l'aimais tant, en cet instant. Elle était la meilleure des alliées, des amies. Sa décence ne pouvait que parler à Curtis, l'aider à prendre conscience de son côté sournois.

Il a souri, puis soufflé longuement par le nez, sans prendre la peine de lui répondre.

Lee s'est raclé la gorge.

— Tu ne penses quand même pas t'en sortir, cette fois ? demanda-t-elle. Après ce que tu as fait, tu ne crois pas que Rudy va te pardonner et que tout rentrera dans l'ordre ?

— Dégagez ! a grommelé Curtis.

Elle ne s'en montra que plus digne.

— Personne ne va dégager. Tu es le seul responsable. Rudy n'aurait pas besoin de notre soutien si tu n'étais pas un tel tyran.

— Un tyran ?

— Oui. Un tyran affectif.

— Curtis, ai-je dit.

Il m'a regardée, plein d'espoir. Il avait laissé tomber mes amies.

— Il n'y a rien à dire, aucune explication possible. Je sais ce que tu as fait, je sais même pourquoi tu as agi de la sorte, alors il n'y a rien à dire. Je te demande simplement de partir. Je ne te demande rien de plus.

Il a croisé Isabel et s'est posté devant moi, si proche que j'ai failli reculer.

— On en reparlera plus tard, déclara-t-il avec douceur et fermeté à la fois, rien qu'à moi. Je vais partir, si c'est ce que tu veux, mais je reviendrai après le départ de tes gardes du corps et nous en discuterons. Rudy, tu sais qu'il faut qu'on parle.

Était-ce trop demander ? Après cinq ans de vie commune et six ans de mariage ? Il fallait qu'on parle, non ? Le silence pesant s'est prolongé. Dans le miroir de l'armoire, j'ai vu Emma baisser la tête, ses épaules se voûter. Elle savait que j'allais céder. S'il me prenait seule, elle savait qu'il l'emporterait.

— Non.

Tout le monde a retenu son souffle.

— Désolée, Curtis. La prochaine fois que nous parlerons, ce sera dans le bureau d'un avocat.

— Tu ne le penses pas ! fit-il en secouant la tête. Après réflexion, tu retrouveras tes esprits. Seule. Je te connais, Rudy.

— J'ai retrouvé mes esprits. C'est très... rafraîchissant. Curtis, veux-tu bien partir, s'il te plaît ?

— Écoute-moi, répondit-il vivement. J'allais te le dire, ce soir. Je n'en pouvais plus de vivre ainsi. Je n'ai fait ça que pour te garder. Je sais que c'était injuste, que c'était mal. J'allais t'avouer la vérité, vraiment, et te proposer une thérapie de couple. Avec Greenburg, si tu veux.

— Curtis...

Je n'ai pas pu m'empêcher de rire, ce qui a déclenché l'hilarité d'Emma et Lee. Même Isabel a souri tristement. S'il n'avait pas cité Éric, je l'aurais peut-être cru.

— Alors va te faire voir ! conclut-il avec un regard plein d'une haine enfin révélée.

Il a quitté la pièce, bousculant Lee au passage, et a descendu les marches.

Nous avons dressé l'oreille, mais nous n'avons pas entendu la porte d'entrée s'ouvrir et se refermer.

— Alors ? fit Lee.

— À toi de jouer, dit Emma. Je peux continuer toute la nuit.

Isabel hocha la tête.

J'avais du mal à définir ce que je ressentais.

— C'est drôle ? ai-je demandé à Emma, en me tordant nerveusement les mains.

— Pas encore. Ne t'inquiète pas, ça va le devenir.

— Tu es sûre ?

— Oui.

— D'accord.

Nous sommes sorties. Emma a saisi la valise de Curtis.

Nous l'avons trouvé dans la cuisine, à essayer de préparer du café. Nous nous sommes faufilées dans la pièce, trois d'un côté, dos au comptoir, moi au milieu. La lumière jaune nous donnait un teint terreux. Quatre chasseuses et une proie. Curtis avait retrouvé sa maîtrise de soi, une arme bien plus mortelle que sa colère.

— C'est sans espoir, Curtis.

J'ai éprouvé le besoin de nous le rappeler à tous les deux :

— Tu m'as dit que tu avais une leucémie.

Il a fini de verser du décaféiné dans la cafetière et a appuyé sur la touche. Puis il s'est retourné, les mains sur le visage, comme des œillères, pour ne voir que moi.

— Ne me fais pas honte, implora-t-il, sincère pour la première fois, sans doute. Si seulement tu m'accordais une chance de t'expliquer pourquoi j'ai agi de la sorte...

Au plus profond de moi, j'ai senti poindre un attendrissement dangereux.

Heureusement, Isabel est venue à la rescousse :

— Ce n'est pas ton seul mensonge.

Comment avais-je pu oublier ? L'incrédulité et l'indignation ont ressurgi en moi, si fort qu'elles résonnaient dans mes oreilles. Enfin, Curtis eut la décence de baisser les yeux.

— Cela suffit déjà pour un divorce, déclara Lee. Dire à ta femme que tu veux un enfant juste après avoir subi une vasectomie en secret...

Il eut l'air abasourdi, incrédule.

— Tu voulais être pris ? Pour l'amour du ciel, Rudy et toi avez le même médecin !

Il a ouvert la bouche, puis l'a refermée. Sous mes yeux, il se transformait peu à peu en un homme non seulement que je n'aimais pas, mais que je n'appréciais même pas. Au moins, il a trouvé quelque chose à dire à Lee.

— Cela ne te regarde en rien.

Pathétique... Il me donnait l'impression d'être une imbécile.

— Qu'est-ce que j'ai fait ? ai-je demandé. Comment ai-je pu t'aimer aussi longtemps ?

— Il est très fort dans son domaine, commenta Lee. Le contrôle, la manipulation des autres. Tu es méprisable, ajouta-t-elle à l'adresse de Curtis.

— Va te faire foutre ! lança-t-il, de la bave au coin des lèvres. Rudy, dégage-les de là !

— Non. C'est toi qui pars.

Il a bondi et m'a poussée par les épaules, pas fort, mais Emma s'est mise à crier. Elles nous ont encerclés toutes les trois.

Quelqu'un a sonné à la porte.

Cela n'arrêtait pas. Cette personne appuyait sans cesse sur la sonnette. Le petit groupe s'est désintégré. Lorsque Curtis a voulu se diriger vers la porte, Lee l'a dépassé. Je me suis souvenue qu'elle avait appelé Henry.

Emma m'a adressé un regard inquisiteur tandis que nous allions au salon. D'un air de me demander si j'allais bien. Si je tremblais de tous mes membres, je me sentais mieux. En me bousculant, Curtis avait déclenché en moi une poussée d'adrénaline. J'étais pompée. Le danger m'excitait.

Ce n'était pas Henry, c'était sa mère.

Je n'avais jamais vu Jenny en tenue de plombier. La description de Lee ne lui faisait pas justice. Elle portait un uniforme sur une chemise en flanelle, un ceinturon en cuir sur les hanches et des bottes en caoutchouc jusqu'aux genoux, avec une casquette sur son chignon. Patterson & fils était inscrit sur son uniforme, puis Jenny en jaune fluo.

En nous voyant, elle a interrompu sa conversation à voix basse avec Lee.

— Il paraît que nous avez des petits problèmes, ici, ce soir, dit-elle avec son accent traînant.

— Ha, ha !

Curtis essayait de rire, mais cela sonnait si faux que j'ai eu pitié de lui.

— Il ne manquait plus que ça ! railla-t-il. Quel cirque ! Les lesbiennes à la rescousse, maintenant !

— Prends garde à ce que tu dis, le beau gosse ! prévint Jenny.

Elle fit l'effet d'une bouffée d'air frais. Curtis s'en rendit compte. Sous le vernis de son mépris, il semblait traqué. J'ai su ce qu'il allait faire une fraction de seconde avant qu'il n'agisse.

— Non ! ai-je eu le temps de crier.

Il avait empoigné la lourde étagère en bronze et en verre, près de la fenêtre.

— Curtis, non !

Incapable de la soulever, il l'a poussée. Un mètre quatre-vingts de verre et de céramique sur le parquet, toutes mes poteries, mes vases, étaient en mille morceaux parmi les bris de verre. Disparus.

Personne n'a bougé. Curtis haletait, me défiant de réagir. Emma a étouffé une plainte de rage. Du coin de l'œil, j'ai vu qu'Isabel la retenait par le bras.

Le bruit, la rage d'Emma m'ont dynamisée. J'ai quitté le cercle protecteur des Grâces pour m'approcher de Curtis, entrer dans son espace. Je n'avais absolument pas peur. J'étais contente qu'il ait brisé mes poteries. Comme lorsqu'il m'a bousculée, il m'avait éclairci les idées.

Je n'ai pas reconnu ma voix stridente :

— Sors d'ici ! Sinon, j'appelle la police.

Il s'est mis à rire.

— Et je le dirai à Teeter. Je lui raconterai ce que tu as fait.

Il s'est figé, très pâle. Enfin, j'avais trouvé la faille. Je lui portais le coup de grâce.

— Si tu essaies de me nuire, ta carrière est fichue, tu ne seras jamais élu. Jamais !

Il n'en croyait pas ses oreilles.

— À aucun poste, ai-je insisté.

Quelqu'un a ri. Emma, je crois.

Curtis a fait volte-face. Nous nous sommes regroupées. Je crois qu'il aurait pu se montrer violent envers nous, envers moi, mais nous étions en surnombre. L'une d'entre nous avait une canne, et une autre une énorme clé anglaise.

— Va-t'en, ai-je dit.

Il est parti.

Jenny a allumé du feu dans la cheminée. Lee a servi le café que Curtis avait préparé. Emma ne cessait de répéter :

— Vous pourriez me féliciter de ne pas l'avoir ramenée !

J'avais cessé de trembler, de sorte que j'ai pu appeler Éric, qui n'était toujours pas là. Je lui ai laissé un message incohérent qui se terminait par :

— Je me réjouis de votre absence, car j'ai dû agir moi-même.

C'était faux. Sans mes amies, je n'étais rien.

— Tiens, en voici un qui n'est pas cassé.

Isabel m'a tendu un petit vase pourpre en forme d'aubergine, l'une de mes premières créations. Elle n'est pas très réussie... Je l'ai toujours aimée. Sans doute avait-elle survécu grâce à son poids.

— Je pense que plusieurs autres sont réparables, Rudy.

— Attention aux bris de verre, prévint Lee, depuis le canapé. Viens près du feu, Isabel.

— Je savais qu'un seul mot de moi suffirait à le faire partir en vrille, alors je me suis tue.

— Emma, tu as été formidable, assura Lee.

— Non, mais ce n'était pas comme le jour où vous avez sauvé Grace et que je suis restée léthargique. Cette fois, mon silence était délibéré. Franchement, il m'en a fallu de la volonté !

Je l'ai embrassée et elle a enfin souri, rassurée.

— Tu as été géniale, vraiment.

— Non, tu as tout le mérite, dit-elle. Rudy, quel moment ! Tu as été sublime !

— J'ai adoré quand tu as parlé des élections, se souvint Lee.

— Comment as-tu pu fréquenter un tel con ? demanda Jenny.

Elle avait ôté ses bottes et son ceinturon et repoussa sa casquette en arrière. On aurait dit une héroïne de western des années cinquante.

— Je revois sa tête quand nous sommes entrées dans la chambre, dit Lee en se frottant les mains. C'était impayable !

— Toi aussi, tu étais en contrôle, lui dit Emma. Je te trouve méprisable... fit-elle en imitant la voix de Lee.

— C'est vrai. Et il n'avait rien à dire, aucune excuse. Rudy, tu ne te sens pas bien, là ? Ne culpabilise pas, tu devrais être fière de toi.

— Je le suis.

J'avais encore quelques frissons de temps en temps. Au plus profond de moi, j'avais froid. Un verre, peut-être ?

— Il ne fera rien, maintenant, déclara Emma. Il ne risque pas de te harceler. Tu as su le frapper là où ça fait mal en lui parlant des élections.

— Oui, admit Lee. Et en menaçant de tout dire à ses associés. Quelle idée brillante ! Désormais, tu as les atouts en main pour obtenir ce que tu veux.

— Je ne veux rien.

— Tu dis ça maintenant...

— Non, vraiment. Je veux de quoi m'en sortir en attendant de voir venir.

Je me suis blottie sous la couverture en tremblant.

— Rudy, si tu n'emportes pas cette horreur chez le nettoyeur, je ne t'adresse plus jamais la parole, gronda Emma, qui ne plaisantait qu'à moitié.

Elles ont commencé à parler de serrures à changer, de la banque, des compagnies d'assurances, d'un avocat... Lee était de bon conseil. Elle est comme ça : elle sait tout. Peu à peu, j'ai commencé à me détendre. Allais-je m'en sortir ? Possible. Mais même cela m'effrayait : la perspective de réussir. Je n'en étais qu'au début, c'était déjà une consolation. La situation pouvait encore m'exploser à la figure. Soudain, j'ai eu l'impulsion bizarre d'appeler ma mère. Comment était-ce possible ? Je me suis levée pour rappeler Éric.

— Il faut que j'y aille, annonça Lee. Qui nous reconduit ? Emma ? Jenny habite trop loin.

Henry avait appelé de sa voiture une heure plus tôt et était rentré à la maison, car nous n'avions pas besoin de lui.

— Isabel, tu es prête ?

Pas de réponse.

— Elle s'est endormie, dit Emma. Elle s'est endormie par terre.

Lee s'est approchée doucement d'Isabel, qui était allongée sur le côté, à moitié sur le tapis, à moitié sur le parquet.

— Isabel, tu es réveillée ? On s'en va... (Elle s'agenouilla.) Isabel ?

Emma et moi nous sommes figées. Alarmées par le ton de Lee, nous nous sommes approchées. Enfin, Isabel a ouvert les yeux et a souri. La peur qui m'étreignait s'est envolée. Je n'avais pas eu le temps de l'identifier...

— Debout, paresseuse ! railla Lee.

Isabel a posé une main blanche sur le genou de Lee.

— Je n'y arriverai pas, je crois.

— Pourquoi ? Tu te sens mal ? Qu'est-ce qui ne va pas ?

Elle s'est tournée vers moi.

— Rudy, appelle une ambulance !

— Non, non, fit Isabel en s'humectant les lèvres. Appelez Kirby. Lee ? Appelle Kirby.

27

Isabel

*F*évrier.

En parcourant de vieilles lettres et documents, j'ai trouvé un carnet d'adresses que j'ai utilisé pendant quinze ans, avant de le réactualiser. J'ai parcouru les noms que j'avais notés avec soin, avec les noms de jeune fille, les dates d'anniversaire des enfants. Un certain nombre d'entre eux, environ un tiers, ne figurent pas dans mon nouvel agenda. Que dois-je en penser ? Est-ce un pourcentage de pertes normal ? Ce sont les petites tragédies de la vie. Les gens déménagent, s'éloignent... Quand Gary et moi nous nous sommes séparés, un tas de connaissances ont carrément disparu de la circulation. Pour d'autres, en revanche, les raisons sont plus mystérieuses.

Fay Kemper, par exemple. Elle vivait dans Thornapple Street. Nous nous sommes connues au parc où j'ai rencontré Lee. Nous aimions le jardinage. Elle avait une fille de l'âge de Terry. Nous discutions au téléphone pendant des heures, à propos des enfants. Et pourtant, elle s'est éloignée peu à peu. Nos maris ne se sont jamais vraiment entendus, ce qui a certainement joué, mais cela n'explique pas tout. J'aimais beaucoup Fay, or je n'ai pas lutté pour la garder, et inversement. Nous nous sommes lâchées. Des femmes comme elle, il y en a des dizaines, elles vont et viennent au gré des circonstances, des affinités, du hasard. Et pourtant, cela m'attriste.

J'ai toujours eu envie de dire aux gens que je les aimais. En général, c'est la peur qui m'en empêchait. Peur qu'ils s'en moquent, qu'ils ne veuillent pas l'entendre ou bien qu'ils m'en prennent trop, ensuite.

C'était différent, à présent. Les années s'accumulent et je n'ai plus un instant à perdre.

J'appréhende ce moment de la journée. Je ne veux pas mourir en hiver, je ne veux pas que mon dernier regard se pose sur un coucher de soleil froid, des branches nues, derrière la fenêtre de ma chambre. Le vent est si glacial et cruel. Je m'imagine qu'il m'appelle...

Je veux partir par beau temps, sous un ciel bleu sans nuage. J'aimerais entendre le vol des mouches, le moteur d'un avion, une conversation dans la pièce voisine, des rires. Je veux humer l'odeur de l'herbe...

Mon corps m'a trahie. Je suis ma propre meilleure amie et je me suis laissée tomber. En qui puis-je désormais avoir confiance ? C'est bête, je sais, mais j'ai toujours en moi l'illusion de l'immortalité, même si elle commence à s'effriter sur les bords. Elle cède la place à des crises de panique. Je vais mourir. Cela me revient toujours en pleine face, après un moment d'oubli inexplicable. Alors mes veines s'embrasent de terreur. Mon estomac se noue, je verse des larmes douloureuses. Ensuite viennent les respirations profondes, je redresse les épaules. Ce fardeau de tristesse, je ne peux le partager. C'est mieux pour moi et pour les autres. Quel poids que l'ombre de la mort...

Pourquoi la mort est-elle si mystérieuse et taboue, comme le sexe pour une vierge, un secret bien enfoui ? Depuis toujours, je suis persuadée que tout le monde va mourir sauf moi.

C'est notre seul moyen de survivre, je suppose. Nous croyons que nous sommes notre corps. Il n'est pas naturel de considérer la chair, le sang et l'os comme un logement provisoire dont on sera vite expulsé. Ces derniers temps, toutefois, je suis de plus en plus près de découvrir ce secret : la mort n'a rien de bizarre ou de détestable. Ce n'est pas une catastrophe indicible. La vie est un cercle, et non une ligne droite. Or un cercle n'a pas de fin : il s'élargit.

Mars.

Emma vient me voir presque tous les jours. Elle me fait toujours rire. Elle m'a raconté que les ultimes paroles d'un chrétien sont « Mon Dieu ! » et celles d'un athée, « Oh, merde ! ».

Elle n'a jamais prononcé le nom de Mick Draco. Lors de sa dernière visite, j'ai abordé le sujet, car je n'ai plus le luxe d'attendre « le moment propice ». Elle était impressionnée et soulagée, mais pas particulièrement étonnée que je sois au courant.

— Je me doutais que tu avais deviné, admit-elle. Tant de fois, j'ai eu envie de t'en parler...

— Tu croyais que je réprouverais parce qu'il est marié ?

— Non, tu ne réprouverais pas mes actes ou ceux des gens que tu aimes.

— Que je ne serais pas contente, alors ?

— C'est ça, j'avais peur que tu ne sois pas contente.

— C'est vrai, avouai-je. En théorie, l'adultère est quelque chose que je n'aime pas. Que je déteste, même.

— On est deux.

— Dans la pratique, c'est plus compliqué.

— On n'a rien fait, Mick et moi.

— Et c'est terminé, maintenant ?

— Oui. J'ai rompu. Il m'a demandé d'attendre. Il essaie de se sortir de son couple sans blesser Sally.

Elle a froncé les sourcils.

— Cela me paraît peu probable, reprit-elle. Surtout que, d'après Lee, ils sont en thérapie de couple depuis cinq ans. Bref, je n'attends pas au coin du feu qu'il se passe quelque chose.

— Et tu es heureuse, à présent ?

— Non. Je suis malheureuse.

— Tu aurais peut-être dû lui dire que tu l'attendrais.

Ces derniers temps, je distribue des conseils à la volée.

— L'attente est une souffrance, Isabel. Je souffre assez comme ça.

Elle parlait de moi. Elle souffrait à cause de moi. Je me retrouve à réconforter les gens que j'aime plus que je ne me plains moi-même. Je n'arrête pas de consoler les gens. C'est épuisant. Mais c'est aussi une bonne chose : en les persuadant que ce qui m'arrive n'est pas une tragédie, je m'en persuade presque moi-même.

Lee n'est pas facile à consoler et impossible à convaincre. Elle est tellement malheureuse. La solution à l'un de ses problèmes me paraît pourtant évidente. Même moi, je n'ai pas la prétention de le résoudre pour elle.

Elle m'a emmenée faire un tour en voiture. Je n'étais pas sortie de chez moi depuis des semaines, sauf pour aller chez le médecin, à mes séances d'acupuncture ou de massage. En général, j'y vais en taxi avec Kirby. Ce jour-là, je me sentais particulièrement forte. Ce fut un pur plaisir ! Nous avons emmené Grace. L'hiver est enfin terminé : me voilà débarrassée de ma peur de mourir en hiver. C'était merveilleux de filer à toute vitesse, la vitre baissée, cheveux au vent. Nous sommes allées en Virginie, sur les jolies petites routes, vers Purcellville et Philomont. Grace avait le museau à la fenêtre et les oreilles en arrière, tel un chien volant.

— Tu t'occuperas d'elle ?

Lee fit mine de ne pas m'entendre.

— Kirby la prendrait si je le lui demandais, mais je préfère que ce soit toi.

J'ai cru qu'elle ne répondrait pas. Au bout d'un moment, elle a déclaré :

— Oui, je m'en occuperai.

Puis nous avons fait comme si c'était le vent qui nous faisait monter les larmes aux yeux.

Cette bonne vieille Grace... notre complicité est si naturelle, presque primitive... Nous sommes unies dans cette épreuve et ma colère s'est presque complètement muée en une sensation de fusion avec tout le monde.

Un cadeau de la vie.

Néanmoins... Ce serait tellement plus facile si on pouvait partir avec quelqu'un, un partenaire, un compagnon. Si on pouvait emmener un ami. On se sentirait tellement moins seul...

J'ai désormais de l'aide deux jours par semaine. Depuis qu'une dame des services sociaux est venue me voir, j'ai la visite d'une infirmière le mardi et le jeudi après-midi. Elle s'appelle Roxanne Kilmer. Elle n'a que vingt-sept ans et je crains qu'elle ne se soit trompée de métier. Ou bien qu'elle n'ait commencé trop tôt. Une femme doit avoir plus d'expérience pour être confrontée à ce que voit Roxanne.

Mais je l'aime bien et je suis assez égoïste pour avoir envie de la garder. Elle m'aide à prendre mon bain, change les draps, prévoit mes repas, gère mes médicaments. J'apprécie sa compétence et son dynamisme, sa façon d'être gentille sans avoir pitié de moi. J'ai de la chance d'avoir Roxanne. Il y a aussi Mme Skazafava qui promène le chien tous les jours à quatre heures, et il y a les Grâces... Dans ma situation, le plus insupportable, c'est la peur de n'avoir personne qui prenne soin de soi, quand vient le moment le plus difficile. Je n'ai plus cette angoisse.

Et puis il y a Kirby. L'assistante sociale l'a noté comme étant ma « personne de confiance », une évidence que je n'avais pas encore tout à fait réalisée ou acceptée. À cause de son effacement, je suppose, et parce qu'il s'est glissé doucement dans ma vie. Comme une jeune pousse que l'on plante au printemps et qui s'épanouit un an plus tard, si bien que l'on a l'impression qu'il a toujours été là. Je crains seulement qu'il ne prenne trop de jours de congé pour s'occuper de moi. Il refuse d'en parler et m'interdit de le harceler sur ce sujet.

Ces derniers temps, parler me fatigue. L'équilibre s'est donc inversé entre nous. Pour une fois, Kirby est plus bavard que moi. Au départ, il a eu du mal à s'exprimer, et il n'est toujours pas volubile, loin de là. Mais il persévère car il sait que j'adore écouter. Il me parle de son père, l'un des officiers les plus gradés à mourir au Vietnam. Et de sa mère, qui a dansé dans des comédies musicales, à New York. Je décèle ces deux influences contradictoires en lui : il masque son côté créatif et original sous une apparence calme et conformiste.

Je lui ai demandé pourquoi il restait avec moi.

— Parce que je t'aime, a-t-il répondu gravement. C'est simple.

Quelle importance ? Dois-je me demander s'il reste avec moi parce que c'est une façon de me dire au revoir ? Un adieu humain et digne qu'il n'a pas pu avoir avec sa femme et ses enfants parce qu'ils lui ont été volés ? De toute façon, la seule raison, c'est l'amour. Alors quelle importance ?

Il m'aide à rédiger une lettre destinée aux Grâces. Je dicte et il tape sur son ordinateur portable. Le soir, il me fait la lecture. Je me couche sur le canapé, sous ma couverture, avec Grace à côté de moi. Kirby s'installe dans le fauteuil, sous la lampe, les jambes croisées, la tête en arrière à cause de ses lunettes de lecture. Sa voix théâtrale est particulièrement expressive. Je pourrais l'écouter pendant des heures. Il me lit des pièces classiques. Les comédies de Shakespeare, Ibsen, Molière, Oscar Wilde. Et les romans que j'adorais quand j'étais jeune : *Le Jardin secret* ou *Les Quatre Filles du docteur March*, sans oublier la Bible, le Coran, des recueils de poèmes. Ces autres voix, ces autres mondes me réconfortent. Je leur suis reconnaissante de me sortir du mien.

Il m'aide aussi avec mon courrier. Je reçois tant de cartes, de messages gentils, angoissés, délicats, ineptes, maladroits, élégants, parfois de la part de personnes que je n'ai pas vues, ou très peu, depuis des années... Tout aussi intéressant, le nombre de gens qui n'écrivent pas, n'appellent pas, ne reconnaissent en aucune façon ma maladie. Je leur pardonne. Ces derniers temps, je leur griffonne des petits mots pour le leur dire, mais pas en ces termes. Je comprends que, pour certains, ce qui m'arrive est indicible. Ils n'y peuvent rien. Je ne le prends pas personnellement. Je l'ai fait à un moment. Plus maintenant, car je n'ai plus le temps.

Gary est de ceux qui n'arrivent pas à parler. Je lui ai téléphoné, espérant obtenir quelque chose, un mot de la fin, une reconnaissance, mon propre pardon, peut-être. Ce fut pénible. Non, ce fut impossible. Gary et moi allons donc mourir loin l'un de l'autre. J'en ai désormais la certitude et cela m'attriste. Finalement, nos vœux de mariage n'auront abouti à rien...

Avril.
Kirby et moi n'avons plus de relations sexuelles. C'est tout bonnement impossible. Mais nous faisons l'amour à notre façon. Il existe une cérémonie indienne qui comporte un lavage de pieds et l'application d'huiles parfumées sur le corps. Il scande un air de méditation. J'ai alors l'impression que mon corps affaibli est un sanctuaire.

La nuit, allongés côte à côte, nous évoquons ce que nos vies auraient pu être. Nous envisagions des voyages. Plus maintenant. Nous avons abandonné ce fantasme, cette vanité. Je suis moins gourmande. Je ne demande plus cinq ans de vie supplémentaires, ni trois, ni deux. J'ai revu mes ambitions à la baisse. Je ne veux pas mourir en hiver, et pas à l'hôpital. Je suis modeste, non ?

Je songe à lui écrire un mot sur ce que nous avons partagé. Je ne sais pas encore quoi. Kirby pourrait l'ouvrir après mon départ. Ce serait un bon moyen de rester en vie.

Une surprise. Quand il n'y a plus d'espoir, il reste quelque chose à créer. L'acceptation recèle une forme de joie. Et de la joie à la célébration, il n'y a qu'un pas. J'ai envie d'être avec mes amis les plus chers. Je passe une bonne journée, aujourd'hui. Demain le sera peut-être aussi. J'ai envie d'appeler Lee, Emma et Rudy pour organiser notre souper ici, demain soir. Cela fait longtemps... et j'ai tant de choses à dire. Le plus difficile, c'est de dire au revoir, mais je m'en sens presque capable.

Que dire de mieux ? Que j'ai aimé et été aimée. Tout le reste ne compte pas. Je suis satisfaite.

28

Emma

*J*sabel est morte dans son sommeil, après minuit, le 10 avril. Elle a succombé à une embolie, un caillot de sang qui a bouché une artère du poumon, la tuant sur le coup. Enfin, j'espère. Kirby n'était pas à côté d'elle. Il dormait sur le canapé du salon parce qu'elle était agitée et qu'il ne voulait pas la déranger.

Il l'a trouvée au matin, couchée sur le côté, les yeux fermés. Cette idée me plaît : elle est partie en dormant. Elle n'avait pas rejeté ses couvertures et semblait paisible. Je crois qu'elle rêvait de ses amies, de tous ceux qu'elle aimait, et qu'elle s'est éloignée...

Elle ne voulait pas d'enterrement, ni même de cérémonie. Elle avait spécifié dans son testament qu'elle souhaitait être incinérée et que son fils Terry disposerait de ses cendres à sa guise.

Nul n'appréciait cette perspective, surtout pas Terry, qui ne savait pas quoi faire. Trois semaines après sa mort, frustrée par l'absence de veillée funèbre, j'ai convié amis, parents et connaissances, tous ceux avec qui j'ai pu communiquer, à une petite cérémonie du souvenir organisée chez moi.

La maison était envahie de gens qui se déversaient dans la salle à manger, l'entrée, le salon, dans l'escalier. Il n'y avait aucun homme d'Église. Isabel avait adhéré à la plupart des grandes religions, y compris les plus minoritaires. Laquelle aurions-nous choisie ? Mais nous avions Kirby, ce qui était encore mieux. Il a quelque chose d'austère, de clérical : le maître de cérémonie idéal. Je l'ai toujours trouvé mystérieux, notamment au début, avant de le découvrir. En fait, ce n'était rien d'autre que son amour sincère pour Isabel.

Je regrette de ne pas avoir cherché à mieux le connaître du vivant d'Isabel. Je n'ai jamais été méchante... Sans doute étais-je jalouse de lui. C'était un étranger, un intrus. Un homme. Les Grâces ont du mal à intégrer les nouveaux venus. Isabel l'aimait, et je sais que cela n'enlevait rien à l'affection qu'elle nous portait. À moi. Car Isabel avait assez d'amour pour tout le monde.

Elle avait tant d'amis... Beaucoup d'entre eux ont dû s'asseoir par terre, dans le salon, car il n'y avait pas assez de sièges. J'ai préparé du café et des biscuits, du gâteau. Quand il y aurait moins de monde, j'avais l'intention de sortir les bouteilles et d'improviser une veillée pour les proches. Isabel aurait apprécié.

Kirby avait apporté certains de ses CD préférés. Entre deux oraisons, nous avons écouté du New Age, du Mozart et Emmylou Harris. Il y avait des allées et venues incessantes, une véritable opération portes ouvertes. Il y avait des personnes de son ancien quartier, des camarades de cours, des professeurs, des membres de son club de bridge, du groupe de soutien des malades du cancer, du cercle de guérison, des voisins d'Adams-Morgan. J'ai été étonnée de voir beaucoup d'entre eux se lever et prendre la parole avec émotion et sincérité pour dire ce qu'Isabel représentait pour eux.

En voyant entrer Mick, j'ai eu un moment de panique. Sally n'était pas avec lui. Il a fendu la foule pour me rejoindre entre le salon et la salle à manger. Il a hésité une fraction de seconde, qui m'a paru une éternité, avant de m'embrasser sur la joue. Il avait beau être le cinquantième à me présenter ses condoléances, ses paroles me sont allées droit au cœur.

— Merci beaucoup d'être venu, ai-je répété pour la énième fois.

Il s'est éloigné pour aller s'asseoir par terre.

J'ai croisé le regard de Rudy par hasard. Elle a levé un sourcil sans rien dire, puis elle a continué à écouter Mme Skazafava raconter combien Isabel avait la main verte, combien son petit jardin faisait de l'ombre à ceux des voisins. Grace, la chienne, était couchée aux pieds de Rudy, sa nouvelle maîtresse. Elle devait être recueillie par Lee, mais sa présence contrariait la très délicate Lettice. Rudy a fini par quitter sa maison (eh oui...) pour emménager dans un appartement où les animaux de compagnie sont autorisés. Rudy et Grace s'entendent à merveille. Chacune apporte à l'autre ce dont elle a besoin.

Lee a pleuré pendant toute la cérémonie. Henry lui tenait les mains, lui tendait son mouchoir, la prenait dans ses bras pour qu'elle sanglote sur son épaule.

Quelqu'un a lu un poème, une femme du cercle de guérison s'est levée pour chanter a capella une chanson qu'elle avait écrite pour Isabel. Après nous avoir appris le refrain, elle nous a invités à chanter en chœur. J'ai de nouveau croisé le regard de Rudy. Grossière erreur. J'ai dû me retourner et me cacher le visage dans les mains, comme submergée d'émotion, alors que j'étais prise d'un fou rire. J'ai fini en larmes, puis je me suis ressaisie.

Terry était arrivé de Montréal le lendemain de la mort d'Isabel, et il n'était pas encore reparti. Sa petite amie, une ravissante jeune femme du nom de Susan, l'avait rejoint depuis quelques jours. Ils étaient là tous les deux. J'ai cru qu'il prononcerait quelques mots sur sa mère, mais non. Il avait sans doute peur de pleurer. C'était la raison pour laquelle je ne disais rien. Il avait apporté l'urne en nacre contenant les cendres d'Isabel et l'avait posée sur la cheminée. Cela peut sembler bizarre, or ce ne l'était pas le moins du monde. J'avais disposé des lys tout autour et les gens la regardaient, digne, paisible, douce, comme Isabel.

Gary n'est pas venu. Il a envoyé des fleurs et écrit un message très gentil que Kirby a lu à voix haute. Si je n'avais aucune envie de le revoir, je me demandais ce qu'il ressentait. Je lui souhaitais de souffrir, ne serait-ce que dix fois moins que moi, ce serait déjà beaucoup.

Quand les discours impromptus se sont espacés, Kirby s'est levé à son tour. C'était la première fois que je le voyais en costume, un trois pièces gris, avec une chemise blanche, sans cravate. Malgré sa belle allure, il semblait perdu. La beauté d'Isabel, la pureté de ses traits s'étaient accentuées avec la maladie et, étrangement, il arrivait la même chose à Kirby. La maladie avait révélé leur caractère.

— Je n'ai pas grand-chose à ajouter, dit-il, les mains dans le dos, comme un militaire. Isabel n'a jamais perdu espoir, même si elle connaissait l'issue depuis le départ. Elle aimait particulièrement un poème de Walt Whitman qui dit : tout entre, tout sort, rien ne s'écroule. Mourir est différent de ce que l'on croit : c'est une chance. Elle s'efforçait d'y croire, ce qui la réconfortait. Très courageuse, elle masquait son angoisse et son chagrin. Pourtant, elle était triste, car elle ne perdait pas un seul être cher, comme nous, elle les perdait tous.

Kirby a sorti son mouchoir.

— Isabel considérait la mort comme un processus, et non une fin. Elle considérait de son devoir de s'accrocher à la vie. Son devoir karmique. Elle croyait aussi qu'il y avait quelque chose après la mort, quelque chose de meilleur. Même si elle n'était pas impatiente d'y arriver, ajouta-t-il avec l'esquisse d'un sourire. Elle parlait de ses peurs, de son chagrin. Sa conviction que la mort n'était pas une fin l'a empêchée de perdre espoir. Elle regrettait simplement... d'être obligée de partir seule.

Il semblait impuissant, les yeux humides, comme s'il s'en voulait de terminer sur cette note triste.

— Bon, je vous remercie d'être venus. Isabel aurait été touchée par vos paroles. Merci encore.

Aucune des Grâces n'a pris la parole. Kirby annonçait la fin de la cérémonie, et aucune d'entre nous n'avait prononcé un mot sur Isabel.

Lee avait posé le mouchoir de Henry sur sa bouche, la tête contre son torse, affligée. J'ai envoyé un regard affolé à Rudy : *Lève-toi et dis quelque chose !* Mais elle m'a souri tristement en secouant la tête. J'aurais pu la tuer.

— J'aimerais dire quelques mots.

Ma voix était étrangement nasillarde, comme si j'étais enrhumée. Les gens qui avaient commencé à se lever se sont rassis. Leurs visages austères se sont tournés vers moi. Mon cœur s'est emballé.

— Je tenais juste à dire... merci à tous. Et aussi combien mon amie va me manquer, combien je l'aimais. Par où commencer ?

Mon esprit ne cessait de vagabonder.

— Je remercie également Lee, Lee Patterson, qui a eu l'idée de fonder notre groupe, il y a onze ans, ce qui m'a permis de rencontrer Isabel. Je t'ai connu ce soir-là, aussi, Terry. Tu te souviens ? (Il m'a souri en opinant.) Tu avais seize ans et tu étais un vrai rebelle !

Quelques rires ont fusé.

— À l'époque, le groupe comptait cinq membres, puis nous nous sommes retrouvées à quatre : Isabel, Lee, Rudy Lloyd, enfin Rudy Surratt, désormais, et moi. Si seulement je... je... Si seulement je pouvais exprimer ce que ce groupe m'a apporté... Il me faudrait la journée, et encore... Isabel était plus âgée que nous, mais elle était différente, aussi. Pas à cause de son âge : elle était unique. Je n'ai jamais eu l'impression d'être digne d'elle. Il n'y avait pas de personne plus douce. Elle savait écouter et observer les gens sans les juger.

Oh non, j'allais tout gâcher en pleurnichant... J'ai poursuivi avec courage :

— Notre amitié m'a fait grandir. Les Grâces se sont appris un tas de choses. Le fonctionnement d'un couple uni, par exemple, les besoins spirituels, un humour un peu douteux, parfois, une ironie un peu poussée, l'affection... tant d'autres choses. Si Isabel n'était pas à proprement parler notre chef, elle était notre esprit. Elle était à l'origine de tous nos actes altruistes. Je ne sais pas comment l'expliquer, au juste, mais Isabel était notre mère dans le meilleur sens du terme. Sans elle, je suis perdue, je me sens orpheline.

Je n'osais regarder Lee ou Rudy, de peur de craquer.

— Je n'arrive pas à croire qu'elle n'est plus là. Depuis sa mort, j'ai eu envie de l'appeler mille fois pour lui confier quelque chose qu'elle seule pouvait comprendre, dont elle seule pouvait se soucier avant de réagir en conséquence. J'ai même décroché le téléphone pour composer son numéro, avant de me rappeler... Cela arrive également à Lee. Nous avons perdu notre amie la plus chère, la plus aimante, la plus généreuse. J'essaie d'avoir des pensées positives, en vain. Elle est morte avant de subir des souffrances atroces, c'est tout ce que je trouve. C'est déjà pas mal.

Vers la fin, il m'était difficile de venir la voir. Je ne savais pas quoi lui dire. Pas au revoir, c'était impossible, parce que, alors, il n'y a plus d'espoir. Avant de dire au revoir, il y a toujours d'autres choses à régler. Je crois que nous vivons ainsi. Nous repoussons le moment de régler certains problèmes en nous disant : « La prochaine fois, peut-être. » Quand il n'y a pas de prochaine fois, c'est insupportable.

Donc je n'ai pas pu dire au revoir à Isabel. J'ignore si elle le souhaitait ou pas. Elle s'adaptait à nous. Je pense qu'elle a attendu la mort de la façon qu'elle jugeait la plus supportable pour ses proches. Elle était comme ça.

Et elle était si facile à satisfaire. Quand j'ai accepté de ne pas pouvoir la guérir, quand j'ai su que j'allais vraiment la perdre, c'est devenu plus simple. Comme il n'y avait pas d'avenir, il fallait vivre dans l'instant présent. J'ai vu son visage s'illuminer en me voyant, j'ai su l'amuser, lui dire que je l'aimais. Ce n'était pas grand-chose, or cela lui suffisait. Nous vivons dans l'illusion que le temps est infini, que nous sommes immortels et que nous avons bien le temps d'agir. Si Isabel m'a appris un tas de leçons, celle-ci est la plus importante.

Je suis désolée, je ne voulais pas m'épancher ainsi, je voulais parler d'elle, et non de moi. Elle doit sourire, là où elle se trouve, en se disant : « Et elle n'a même pas bu. » Pour elle, je devenais bavarde dès que j'avais consommé plus d'un verre de vin. C'est vrai. Alors je vais m'arrêter là. Je dirai simplement : je t'aime Isabel, tu vas beaucoup me manquer. Rudy s'occupe très bien de ton chien et nous veillerons sur Terry. Et Kirby... Nous nous occuperons de lui, aussi, car il va se sentir seul. Nous espérons que tu es dans un endroit merveilleux, digne de toi, et que tu reposes en paix. Nous ne t'oublierons jamais.

J'ai baissé la tête pour murmurer :

— Au revoir, Isabel.

Comme c'était insupportable, j'ai ajouté pour moi-même :

— À plus tard.

Rudy et Lee se sont levées pour venir m'embrasser. Nous étions groupées au milieu de la pièce, en larmes. Ce fut sans doute le signal que les gens attendaient pour savoir que la cérémonie était terminée.

Si certains sont partis, beaucoup sont restés pour boire et manger... Je suis toujours étonnée de voir ce dont les gens sont capables lors d'une veillée funèbre. Je ne dis pas que c'est mal, car je ne me prive pas non plus, mais c'est incroyable. J'ai participé à des veillées funèbres où famille et amis festoyaient autour du cercueil ouvert. Une façon un peu primitive de gérer un chagrin ou un contact étroit avec la mort, je suppose. Si quelqu'un était capable de le comprendre et de le pardonner, c'était bien Isabel.

Je me suis donc transformée en hôtesse, à servir à boire, à distribuer des petits-fours, à remercier encore et encore des gens qui saluaient mon discours. Ils me disaient que c'était bien d'avoir organisé cette cérémonie, qu'Isabel l'aurait adorée. Je sentais la présence de Mick en permanence. Il a bavardé avec Lee et Rudy, puis un moment avec Henry. Chaque fois que je me risquais à le regarder, il m'observait aussi. Notre rupture remontait à quatre mois, et je ne l'avais plus revu. Lee ne fréquentait plus beaucoup Sally, de sorte que j'avais moins de nouvelles. Il n'avait pas changé. Toujours aussi beau, plus sain que l'hiver dernier, moins pâle... Sa coupe ratée avait disparu et il grisonnait un peu. C'était très séduisant. J'avais les jambes molles. Rien n'avait changé... C'était peut-être un réflexe pavlovien. Quelle histoire pathétique. *Arrête de poser les yeux sur moi !*

Il a dû m'entendre, car il m'a tourné le dos.

Terry m'a entraînée dans le jardin pour me parler. Élancé, charmant, il a les yeux bleus de Gary et la douceur d'Isabel. J'aime le taquiner en déplorant qu'il n'ait pas quinze ans de plus.

— Merci encore, me dit-il. C'était très important, pour moi.

— C'est bien, mais je n'ai aucun mérite.

— Si seulement elle avait eu des funérailles normales...

— Ce n'est pas ce qu'elle souhaitait.

— Je sais. Écoute, Emma...

— Quoi ?

— Je ne sais pas quoi faire des cendres, m'avoua-t-il, gêné.

— Ah...

— Les enterrer ? Il existe des jardins du souvenir, pour ça. Maman n'aurait pas aimé.

Nous avons secoué la tête. C'était hors de question.

— Tu sais si elle avait un endroit favori ? J'ai posé la question à mon père et il n'a pas pu me répondre. Qu'en penses-tu ? J'ai songé à les remettre à Kirby, mais... Je ne sais pas.

— Hum...

C'était un problème. Terry allait retourner à Montréal, sans doute épouser Susan, et revenir de temps en temps pour voir son père. Or les cendres d'Isabel n'avaient rien à faire au Canada.

— Je me demandais... reprit-il en me regardant avec espoir. Les Grâces... accepteraient-elles cette responsabilité ?

J'avais eu la même idée.

— Terry, c'est à toi qu'elle les a données. Elle avait sans doute ses raisons.

— Elle voulait que j'en dispose comme je le jugeais bon.

— Hum...

Manifestement, il avait réfléchi.

— Tu en as parlé à Lee ?

En général, c'était elle qui prenait les décisions pour le groupe.

— Elle est trop affligée. J'ai préféré m'adresser à toi.

— Ah...

J'étais flattée. Pour une fois, c'était moi l'adulte.

— Eh bien, d'accord. Je crois pouvoir affirmer au nom de toutes que ce serait un honneur. Mais je t'écrirai ou je t'appellerai avant que nous ne fassions quoi que ce soit.

— Ce serait formidable, répondit-il avec un sourire.

Il était soulagé. Quel terrible fardeau, pour lui ! Les Grâces connaissaient sans doute mieux Isabel que son propre fils et Terry était assez mûr pour s'en rendre compte. De plus, il confiait ces cendres aux personnes les plus dignes de confiance. Était-ce triste ou réconfortant ? Il y avait là matière à réflexion... plus tard.

En larmes, Terry et moi nous sommes embrassés. Je lui ai répété combien Isabel l'adorait, combien elle était fière de lui. Il regrettait qu'elle n'ait jamais rencontré Susan, car elle l'aurait aimée.

À l'intérieur, il ne restait guère que le noyau dur des amis. Tandis que les gens me remerciaient, j'ai cherché Mick des yeux, machinalement : il se trouvait juste derrière moi.

— Emma, il faut que j'y aille.

Je l'ai raccompagné sous l'auvent. Le soleil se couchait derrière les maisons de la 19e rue, dans une lumière dorée. C'était le printemps, mais le mois d'avril était le plus cruel. Les azalées qui bordaient mon allée frémissaient dans la brise et ma pelouse était encore un bourbier. J'ai croisé les bras en remerciant Mick d'être venu.

— Je tenais à être présent, répondit-il.

L'absence de Sally planait entre nous. J'avais envie de lui demander où était sa femme. Savait-elle qu'il était là ? Si Mick aimait bien Isabel, il ne la connaissait pas vraiment. Il était venu pour moi.

— J'ai aimé ton discours.

— Oh... J'ai trop parlé.

— Pas du tout.

— Si. Je me suis ridiculisée. Je suis auteur, pas oratrice.

— Au fait, et ton ro...

— Ne me pose même pas la question !

Il a souri. Bêtement, mon cœur s'est emballé.

Un couple, Stan ou Sam et Hilda, est apparu. Le mari était membre du groupe de soutien d'Isabel. Il semblait en forme, pour un malade, ai-je remarqué avec une pointe d'amertume.

— Il faut vraiment que vous nous quittiez ?

— Oui, il est tard, merci de nous avoir invités.

— Bonne continuation...

Etc. Etc. Gêné, Mick attendait que nous soyons de nouveau seuls. C'était une habitude.

Stan et Hilda ont fini par s'éclipser. Mick et moi sommes restés côte à côte à regarder dans le vague.

— Isabel va te manquer...

— Je croyais être préparée, mais je me trompais. Elle me manque déjà tellement.

— Au moins tu as tes amies.

— Oui...

J'ai soupiré.

— Je t'ai toujours enviée pour ça.

— Quoi ? Les Grâces ?

— Chaque printemps, je vais pêcher la truite avec un pote, dans les Catoctins. Le reste de l'année, je le vois trois ou quatre fois maximum, or je le considère comme mon meilleur ami.

— C'est parce que tu es un homme. Ce n'est pas le même genre d'amitié. Vos meilleures amies sont vos femmes, vos petites amies...

Continue, Emma, mets-toi les pieds dans les plats ! Il devait penser que je lui tendais une perche à propos de Sally, alors que je débitais simplement ce qui me passait par la tête.

— Emma...

Cela m'avait manqué, de l'entendre prononcer mon prénom.

— Je peux t'appeler ? demanda-t-il.

— Pour quoi faire ?

Il s'est mis à rire, puis a baissé les yeux vers la balustrade. Il portait une veste en velours côtelé marron et une chemise bleue. J'ai observé son profil, sa barbe naissante. Sa question ne me mettait pas en joie. Je ne ressentais que de la lassitude.

— Quelque chose a changé ?

Je m'en voulais de lui poser cette question, dont je lisais la réponse sur son visage.

— Non, ne m'appelle pas. Je ne veux pas te voir. Mick, je suis déjà mal... alors si en plus...

— D'accord. D'accord, Emma.

Jamais je n'ai eu autant envie de me blottir dans les bras de quelqu'un, or nous ne nous sommes même pas touchés. Au bout d'un moment, j'ai jugé que c'était préférable. Isabel était partie, laissant un grand vide que je n'avais aucun espoir de combler.

Le désarroi de Mick m'a tellement émue que je me suis écartée un peu vivement. Il a levé les yeux. Ses cils, ses narines, la forme de sa bouche, tout en lui m'attirait. J'ai dû m'accrocher pour ne pas me noyer.

Par chance, d'autres invités sont venus me saluer.

— Au revoir, ai-je dit à Mick, avec sincérité.

Nous savions tous les deux que c'était fini. J'ai échangé quelques mots avec une enseignante d'Isabel et son mari. Quand je me suis retournée, Mick avait disparu.

En rentrant, j'ai récité les paroles d'usage à une vingtaine de personnes, surtout « au revoir » même si ce mot restait coincé dans ma gorge.

Rudy s'en est rendu compte. *Au secours !* disait mon regard. Mais elle avait compris. Après s'être chargée des derniers visiteurs, elle a passé la nuit chez moi.

— Je devrais peut-être adopter un chat, dis-je en la voyant avec Grace.

Leur complicité était touchante et admirable.

— C'est ça, répondit-elle gentiment, en m'allumant une cigarette. Excellente idée. On va te trouver un chat.

29

Rudy

Jusqu'au moment de disperser les cendres, nous avions négligé l'aspect logistique de l'événement. Sans réfléchir, nous avions décidé de les jeter à la mer. Cela semblait facile, voire romantique. Isabel aurait aimé, elle qui adorait l'océan, surtout les Outer Banks et Cape Hatteras, notre endroit privilégié. De plus, elle était Verseau, un signe d'eau, et férue d'astrologie. Bref, c'était une excellente idée.

Hélas, c'était infaisable, du moins depuis la terre, car le vent renvoie les cendres, ce qui n'est pas l'objectif. Par chance, nous l'avons compris – enfin, Lee l'a compris – avant d'ouvrir l'urne, ce qui nous a évité de voir les restes d'Isabel voler vers les dunes, ce qui n'aurait pas été si terrible, d'ailleurs. Toutefois, nous voulions qu'elles aillent vers la mer.

Lee a suggéré de louer un bateau pour partir au large. Elle avait vu ça dans un film. Emma a proposé de marcher jusqu'au bout de la jetée de Frisco. Nous avons rejeté ces deux idées à cause de la présence d'autres personnes. Un peu d'intimité s'imposait pour nos adieux à Isabel.

Nous avons opté pour une solution bien meilleure en théorie qu'en pratique. Nous avons nagé aussi loin que possible. Chacune devait prononcer quelques mots avant que le vent n'emporte les cendres. Malheureusement, nous n'avons pas eu le temps de dire grand-chose : Emma a failli se noyer. Nous nous étions trop éloignées du bord en oubliant qu'elle n'est pas très bonne nageuse.

— Il faut que je fasse demi-tour ! a-t-elle crié en buvant la tasse. Je n'en peux plus ! Allez, Lee ! Vas-y ! Vite !

Lee, qui nage comme un dauphin, avait parcouru tout le chemin les bras en l'air pour maintenir l'urne hors de l'eau.

— D'accord, dit-elle. On va le faire ici.

— Dépêche-toi ! Je n'en peux plus !

— D'accord, d'accord... Nous confions à l'océan les cendres de notre chère Isabel qui l'aimait tant...

— Au secours !

J'ai rattrapé Emma par les cheveux juste avant qu'elle ne coule à pic.

— Dépêche-toi, Lee ! ai-je hurlé en essayant d'attirer Emma vers moi. Ne bouge pas, je te tiens. Vite, dis quelque chose !

— Quoi ? fit-elle en crachant de l'eau.

— Sur Isabel.

— Au revoir, Isabel...

Lee l'a foudroyée du regard.

— Nous remettons ses cendres à la mer. Bon, j'ouvre l'urne. Rudy ?

— Tu vas me manquer, Isabel. Je t'aime. Repose en paix.

J'avais prévu mieux, mais Emma commençait à nous entraîner toutes les deux. Dès que Lee a ouvert l'urne, le vent a emporté les cendres dans un tourbillon. Elles ont flotté un instant, puis ont fondu comme des flocons de neige, avant de disparaître sous une vague.

— Je jette aussi l'urne.

— Oh non ! ai-je imploré. Bon, d'accord... Je ne sais pas. Emma, tu crois qu'elle...

— Nom de Dieu !

Tandis que Lee lâchait l'urne, j'ai commencé à ramener Emma vers la plage tel un maître-nageur. Je ne m'en savais même pas capable ! Lee s'est attardée quelques minutes, puis nous a suivies.

Avec le recul, on peut s'amuser de telles anecdotes. D'ailleurs, nous avons essayé d'en rire, sur le moment. En vérité, nous étions bouleversées. Si nous avions attendu plus longtemps, un an au lieu de deux mois après la mort d'Isabel, notre sentiment d'échec aurait été moins fort. Nous sommes restées assises tristement sur le sable, au soleil couchant. Lee était furieuse. Ce qui aurait dû être un moment touchant, voire cathartique, s'était transformé en un fiasco indigne d'Isabel. Nous avions l'impression de ne pas avoir été à la hauteur.

Nous devions passer deux nuits à Neap Tide. N'ayant pas eu le temps de faire les courses, nous sommes allées chez Brother's, comme d'habitude. Même les spécialités tonifiantes de la Caroline du Nord n'ont pas réussi à nous remonter le moral. Trop de souvenirs planaient. Je ne pouvais même pas me noyer dans l'alcool car j'avais arrêté de boire depuis trois mois.

De retour à la maison, ce ne fut guère plus joyeux. Nous pensions toutes à la même chose : comment avons-nous pu nous plaire, ici ? Quel plaisir y avait-il à jouer aux cartes ou à regarder des programmes stupides à la télévision ? Chez nous, nous n'aurions pas mangé autant, ni lu distraitement à cause des conversations incessantes et ineptes. D'ailleurs, nous n'avions plus rien à raconter car tout avait été dit lors du trajet interminable en voiture.

Naguère, ces bavardages ne me semblaient en rien futiles. Ils n'étaient pas profonds, certes, mais jamais dénués de sens car Isabel était là. Sans elle, nous étions perdues. Le groupe était-il fichu ?

Nos réunions allaient-elles s'espacer peu à peu, tandis que nous ferions comme si tout allait bien, jusqu'à ce qu'elles s'arrêtent ?

J'ai toujours cru que c'était Lee qui faisait la loi chez les Grâces. Et si c'était Isabel, en réalité ? Elle était si discrète, pourtant. Selon Emma, elle était notre « esprit ».

— Bon, je vais me coucher, dis-je à dix heures.

Emma et Lee m'ont dévisagée avec stupeur, avant de se détourner sans le moindre commentaire.

Maussades, nous nous sommes souhaité bonne nuit, puis je suis descendue.

Cette fois, j'avais la chambre pour moi toute seule. Grace me manquait. J'avais dû la confier à Kirby pour le week-end. Avec ses pattes arrière fourbues d'arthrite, elle n'aurait jamais pu gravir les marches.

Allongée dans mon lit, j'ai trouvé cette nostalgie de bon présage, quand on pense que je n'ai même pas de chez-moi. J'avais laissé la maison à Curtis. Oui, je sais... Je vis désormais dans un grand deux pièces ensoleillé, dans l'ouest de Georgetown. Curtis ne me pose pas de problème. Certes, je ne lui demande pas grand-chose : de quoi m'en sortir financièrement jusqu'à ce que je gagne ma vie (à quoi ?). Ensuite, ce sera réglé.

Lee et Emma ne comprennent pas cette magnanimité. Même Éric considère que je vais trop vite. Le jeu en vaut la chandelle. Je suis prête à tout pour que le divorce se déroule sans heurt. J'ai toujours peur du retour de balancier. Cela se passe trop bien, je ne crois pas à ma chance. Je traverse un champ de mines, redoutant une explosion. J'ai consommé tant d'énergie à quitter Curtis que je suis épuisée. Peu à peu, je me redresse... J'ai besoin de temps.

Je n'ai pas encore repris mes cours de paysagisme, par exemple. Je m'y remettrai à l'automne. À quoi je consacre mes journées ? Eh bien, j'ai repris la poterie, que je n'aurais jamais dû abandonner. Je tiens un journal. Je vais voir Éric. Je ne bois pas, je fais de longues promenades avec Grace, un peu de bénévolat...

Presque chaque jour, je découvre un nouvel argument contre le comportement de Curtis. Nous n'aimions pas les mêmes émissions de télévision, par exemple. Il ne jurait que par les chaînes d'informations. Moi, j'adorais les histoires, les pièces, les films, les séries, les *sitcoms*. Il le savait mais n'en tenait aucun compte. Les gens intelligents aiment voir le ministre de l'Intérieur prononcer un discours au Sénat ou la conférence de presse de quelque secrétaire d'État. Ensuite, les gens intelligents éteignent le poste.

Curtis a obtenu ma complicité passive en dénigrant mes programmes préférés : il les jugeait superficiels, sentimentaux, mélo, mal joués, lourds, factices, louches. Et je faisais semblant d'être d'accord avec lui. Nous étions au-dessus de ces inepties, si vulgaires de surcroît ! J'étais lâche devant son mépris cassant. Je mentais. Je ne m'explique pas comment il a réussi cet exploit. En tout cas, il m'a réduite à l'impuissance et m'a fait croire ce qu'il voulait. Quand j'étais sous son emprise.

Désormais, je regarde *Urgences*, de vieux films, des rediffusions de *Seinfeld*. Je suis devenue une vraie téléphage. Ce ne sont pas tant les programmes eux-mêmes qui me font du bien, c'est l'absence de culpabilité que je ressens à les regarder. J'ai l'impression d'être une délinquante qui sort d'un centre pour mineurs. Je suis en liberté surveillée, mais je dois encore faire attention, ne pas trop me lâcher. Je possède désormais quelque chose qui m'a manqué pendant longtemps, peut-être depuis toujours : l'espoir.

— Bonne nuit, Emma.

— Bonne nuit, Lee.

Elles ont fermé leurs portes doucement pour ne pas me réveiller. Allaient-elles rester comme moi, à ressasser leurs problèmes en se demandant pourquoi nous n'étions plus aussi « synchros » qu'avant ? Il nous fallait sans doute un temps d'adaptation, comme après une amputation.

La dernière fois que j'ai dormi dans ce lit, Emma et moi avions bavardé longuement... Déjà, je me sentais plus forte. Emma m'avait qualifiée de rebelle lorsque je lui avais raconté que je fumais devant Curtis. C'est alors que j'ai perçu un changement en moi. Pendant six mois, il a donc eu peur de me perdre, moi, la femme dépendante, dont la vie tournait autour de lui. Et il a attendu six mois pour me raconter qu'il était malade.

Quelle comédie ! Je ne m'en remets toujours pas. Éric affirme que c'est pathologique, que Curtis a bien plus besoin d'une thérapie que moi.

Je l'ai toujours su, je crois. Nous étions tous deux en quête de quelque chose. Son côté rassurant n'était qu'une illusion : nous nous soutenions mutuellement. Notre relation était malsaine, mais un tas de gens font des choses plus étranges pour survivre. Au moins, nous n'avons nui que l'un à l'autre. Je ne le déteste pas. Si Éric et moi travaillons encore sur mes sentiments, ce n'est pas de la haine que je ressens. Je n'ai même plus de colère. Je ne comprends que trop bien Curtis : je lui ressemble. Aussi ne saurais-je salir ce qu'il m'a fait.

Je ne peux plus vivre avec lui, ce qui prouve la réalité du changement. Pendant longtemps, j'ai cru que cela n'existait pas. Le pire, c'est de ne pas croire au changement.

Or non seulement je l'ai connu, mais je l'ai provoqué. Je suis bien une rebelle ! Si j'oscille entre euphorie et terreur, je ne suis pas maniaco-dépressive pour autant. Mon insanité est normale. Une névrose ordinaire, pour ainsi dire. C'est plutôt rafraîchissant, en théorie.

Cependant, j'ai peur et j'ai besoin d'aide. Et si les Grâces ne pouvaient pas me l'apporter ? Nous sommes toutes en deuil, enfermées dans notre propre chagrin. Si Isabel est notre douleur partagée, elle n'est pas la seule. La mienne, c'est Curtis, celle d'Emma, c'est Mick, et Lee, c'est un enfant.

Il nous faudra peut-être du temps pour nous adapter à cette amputation. Tous les changements ne sont pas bons. Si seulement tu étais là, Isabel ! Tu nous dirais quoi faire. Mais si tu étais là, nous saurions quoi faire.

30

Lee

A Neap Tide, les Grâces préparent toujours de la bisque de palourdes. Enfin, c'est arrivé deux fois au cours des quatre dernières années. En cette cinquième année, le moment était bien choisi pour lancer une tradition. J'ai donc insisté.

— Commencez à peler les pommes de terre, ai-je ordonné à Rudy et Emma.

J'en avais apporté deux kilos de chez moi. Pourquoi en acheter quand on en a à la maison ?

— Je vais chercher des palourdes fraîches. J'en ai pour vingt minutes.

Il m'en a fallu quarante. À mon retour, les filles étaient encore à l'œuvre. Attablées dans la cuisine, penchées l'une vers l'autre, elles faisaient tomber les pelures dans un sac en papier. Combien de repas avons-nous préparés chez les unes et les autres, en onze ans ? Combien de verres de vin avonsnous bus ? Combien de secrets échangés ? Elles ont levé la tête et m'ont souri. Entre elles, le silence était naturel, complice, comme chez un vieux couple. Je les enviais d'avoir encore une meilleure amie. Rudy a perdu du poids, et Emma est plus taciturne. Et moi ? Je suis triste.

— Tu as les palourdes ? m'a demandé Rudy, car je n'avais pas bronché.

— Oui. (J'ai posé le sac sur le comptoir.) Je suis passée à la poste. Parfois, je trouve une facture dans la boîte postale, ou un courrier que je transmets à ma mère.

— Et ça, c'est quoi ? m'a demandé Emma, perplexe.

— Une lettre, ai-je répondu en retournant l'enveloppe. Une lettre d'Isabel.

Abasourdies, elles se sont levées.

— Quoi ?

— Ce n'est pas son écriture !

— C'est pourtant son adresse.

— Fais voir le cachet de la poste !

J'ai gardé la lettre et je me suis assise.

— C'est l'écriture de Kirby. Elle est datée du 8 mai.

— Le 8 mai, mais elle...

— C'est Kirby qui l'a postée. Après. Elle est pour toutes les trois. Isabel devait savoir qu'on viendrait à Neap Tide. Elle voulait sans doute qu'on la lise ici.

J'ai posé l'enveloppe sur la table. Nous avons regardé fixement nos noms en colonne, puis l'adresse d'Isabel, dans le coin supérieur.

— On l'ouvre ? demanda Rudy, les mains crispées.

— Non, on la jette à la poubelle. On a des pommes de terre à éplucher, railla-t-elle en tirant la langue à Emma. Je voulais dire maintenant. On devrait peut-être attendre après le souper.

— Pourquoi ?

— Je ne sais pas. C'est plus...

— Ce serait plus cérémonieux, dis-je. On sera tranquilles. On pourra l'emporter sur la terrasse.

— Il pleut, et il fera nuit, répliqua Emma.

— La pluie va s'arrêter. Et on allumera des bougies.

Emma eut un geste d'impuissance :

— *Vous voulez manger avant de lire la lettre d'Isabel ?*

Nous l'avons lue avant. Rudy est descendue chercher un paquet de cigarettes. Emma a débouché la meilleure bouteille de vin, le chardonnay que nous comptions boire avec la bisque. Elle a servi un verre pour moi et un autre pour elle. Rudy s'est préparé un thé glacé. Je me suis munie de kleenex.

— Qui la lit ?

— Moi ! fis-je.

Emma a arqué les sourcils, mais elle n'a rien dit.

Comme il pleuvait toujours, nous nous sommes assises par terre, dans le salon, avec nos cendriers, nos verres et les mouchoirs. Au moment où j'allais ouvrir l'enveloppe, Rudy m'a interrompue.

— Attends ! s'est-elle exclamée. Je vais aux toilettes.

Emma s'est renfrognée et a bu une gorgée de vin sans me regarder. Elle se préparait. Elle qui déteste exprimer ses émotions en public... Pourvu qu'elle ne pleure pas. Ce serait la fin du monde.

À son retour, Rudy a allumé une cigarette.

— Bon, dit-elle en secouant son allumette. Je suis prête.

L'enveloppe contenait trois feuilles dactylographiées, avec une quatrième sur le dessus.

— Celle-ci est de Kirby.

— Lis-la.

— Chères Emma, Lee et Rudy.

— Dans l'ordre alphabétique, nota Emma.

— Au cours des dernières semaines de sa vie, Isabel s'est peu à peu détachée des choses et même des gens qu'elle aimait. Selon elle, c'était un cadeau que la mort accordait aux vivants, et dont elle n'aurait pu se passer. Elle disait aussi qu'il était dur de se souvenir de l'ancienne Isabel, et elle trouvait particulièrement difficile de parler de sujets qui avaient pourtant été essentiels. Toutefois, elle tenait à écrire une lettre aux Grâces. Pour cela, elle a dû revenir en arrière, ce dont elle n'avait pas forcément envie. Un trajet d'amour, affirmait-elle en se calant sur les coussins du canapé, sur le côté gauche, la seule position confortable. Elle m'a dicté cette lettre que j'ai tapée sur mon ordinateur. Il a fallu plusieurs séances. Comme vous le savez, elle était à bout de forces. Elle voulait simplement s'en aller, et une partie d'elle n'était déjà plus là. Elle passait de longs moments sans parler, sans dormir, à rêver, peut-être, à se détacher de cette vie. Je crois que son déclin physique rapide l'a prise par surprise. Elle pensait avoir plus de temps. Quand elle a compris, elle a dû se résoudre à se servir de moi pour exprimer ce qu'il lui restait à dire. J'espère que vous ne m'en voudrez pas. Isabel m'a confié le rôle d'intermédiaire : j'en suis fier et heureux. Vous avez eu le privilège de la connaître plus longtemps, mais vous n'avez pu l'aimer plus que moi, je crois.

Bien à vous, Goodloe Kirby.

— Hein ?

— Goodloe Kirby.

— Goodloe ?

Nous avons souri de ce prénom étrange.

— Bon, fit Rudy.

J'ai commencé ma lecture :

> « Mes chères Grâces. Si je ne me suis pas trompée, vous êtes à Neap Tide toutes les trois. Je tiens à ce que vous soyez ensemble pour entendre ceci. Lee, tu liras. Est-ce une belle journée ? Je vous imagine sur la terrasse, en fin d'après-midi, tandis que le soleil se couche sur l'océan. Emma, qui ne risque plus de brûler, a mis son short en jean et son sweat-shirt rouge délavé. Elle a passé la journée plongée dans un bouquin et s'apprête à boire un verre en bavardant. Et toi, Rudy, élancée comme un chat noir, qu'as-tu fait ? Tu as dessiné sur la plage, à mon avis. Et tu t'es promenée seule. Tu dois être en train de siroter un Coca, disposée à te montrer sociable. Et toi Lee, tu as préparé des amuse-bouche sophistiqués, ou alors un cocktail très chic. Tu es superbe dans cette tenue sobre et pleine de goût qui vient de chez Saks, une couleur à la mode qui te va à merveille. »

— Tu vas pleurer, prévint Emma.

« *Je pensais écrire trois lettres séparées, plus personnelles. J'ai vite changé d'avis. Au fil des années, nous avons chacune eu nos secrets, ou nous ne les avons partagés qu'avec une seule personne... La plupart du temps, nous étions solidaires, donc je vous écris à toutes. De plus, les secrets consomment trop d'énergie.*

Rudy, tu es mon héroïne ! Je n'ai jamais été aussi fière que le soir où tu as chassé Curtis. Quel courage ! Tu es forte. Tu prétends que tu ne l'aurais pas fait sans nous : je n'en crois pas un mot. Et même si c'était vrai, les amies sont là pour ça, non ? Regarde-toi : tu vis dans l'honneur. Je sais, tu ne me crois pas. Emma, Lee, essayez de la convaincre ! Rudy, tu es si gentille, si dénuée de méchanceté. J'admire ta force et ta bravoure malgré une enfance qui aurait eu raison d'une femme moins courageuse. Cet héritage ne te facilitera pas la vie, enfin, pas cette vie, mais je sais que tu seras heureuse. N'oublie jamais tes vraies amies, qui seront toujours là et qui t'aimeront toujours.

Côté cœur... Tu sauras de nouveau faire confiance à un homme, j'en suis persuadée. J'espère cependant que tu ne mettras pas trop longtemps, car tu as beaucoup à donner. La prochaine fois, choisis quelqu'un qui te mérite. Et sois prudente. Prends un peu du scepticisme d'Emma, rien qu'un petit peu. Et prie pour avoir autant de chance que Lee.

J'ai un dernier conseil à te donner. J'en ai bien le droit, non, dans ma situation ? Essaie de faire la paix avec ta mère, de refermer cette blessure. Éric te le dira mieux que moi, mais tu ne pourras pas avancer tant que tu n'auras pas essayé. Je te le recommande en tant que mère et en tant que fille, aussi. Cela ne marchera peut-être pas, mais l'important, c'est d'essayer. Tu ne maîtriseras jamais les fêlures de ta famille. L'essentiel, c'est de ne pas les reproduire. Heureusement, tu es immunisée. C'est vrai, Rudy : tu n'es plus cette petite fille qui est restée avec sa mère, dans la salle de bain, sur le carrelage ensanglanté. Tu es Rudy Surratt, une adulte intelligente, créative, et belle, avec un cœur énorme.

Je t'aime, Rudy. Je crois en toi. Je vais te surveiller, car ta nouvelle vie sera passionnante. Prends soin de toi. Donne-toi un peu de la gentillesse que tu offres aux autres, et tu t'épanouiras. »

J'ai marqué une pause.

— C'est tout, ai-je dit. La suite concerne Emma.

Rudy s'est allongée sur le dos et s'est couvert les yeux de ses mains.

— Continue. Qu'est-ce qu'elle dit à Emma ?

« *Emma, tu sais ce qui va me manquer le plus, chez toi ? Ta façon de ne pas dire que tu considères le Nouvel Âge comme une super-niaiserie. Quelle patience ! J'adore te voir tourner la tête en levant les yeux au ciel, mais sans un mot. La tolérance est l'essence de l'amitié, tu sais. Ta tolérance, elle vient de l'amour, et non de l'indifférence. Tu m'es si chère...*

J'ai des conseils à te donner, à toi aussi. Un tas de conseils. C'est drôle, ils me viennent par petites phrases toutes faites :

La peur n'évite pas le danger. L'échec n'est pas un échec, c'est une étape. Et la vie n'est rien qu'une suite d'étapes ou d'échecs avec des succès occasionnels. Si on n'échoue pas régulièrement, on tourne en rond. Et aussi : la souffrance, ce n'est pas ce qu'on dit. Je parle d'expérience. Enfin : vivre dans la crainte de souffrir n'est pas vivre.

Tu as saisi ?

Autrement dit : comment peux-tu te demander quoi écrire ? Tu affirmes ne pas avoir trouvé ton sujet. Et quand tu me parles de certaines de tes expériences, je ne peux qu'être d'accord avec toi. Voilà ton problème : tu t'es toujours cachée derrière des histoires. Elles sont peut-être excellentes, mais elles ne sont pas vraies, alors tu les détestes et tu te détestes toi-même. Arrête !

La vérité fait peur, je sais, mais tu as du courage. Emma, je vais te dire sur quel thème écrire : sur nous, ma chérie ! Tu ne crois pas ? Écris un livre sur nous !

Pour ce qui est de l'homme dont tu es amoureuse, mon conseil te surprendra peut-être. Vu mon passé conjugal, tu crois sans doute que je n'ai guère de sympathie pour « l'autre femme ». Certes, il est important de bien se comporter, d'être honnête. Tout le monde peut faire du mal malgré les meilleures intentions du monde. Hélas, le mal reste le mal. Vous ne rendez pas service à l'enfant que vous protégez. Il est temps d'avancer, Emma, de laisser ta vie se dérouler. Elle est si courte, si courte... Prends ce que tu veux dès maintenant.

Efforce-toi de maîtriser ta peur. Tu m'as dit que tu n'avais plus de place pour la souffrance. Eh bien, je suis partie ! Je t'ai libéré un peu de place. Je ne nie pas que l'amour fait parfois souffrir, mais si cet homme est le bon, il en vaut la peine.

D'ailleurs, faut-il vraiment que je l'appelle « cet homme » ? Pour l'amour du ciel, révèle à Lee de qui il s'agit. Je te promets qu'elle n'en sera pas choquée.

Merci pour tout ce que tu m'as donné, pour tes rires, tes adorables défauts, ta loyauté. Tu es unique. Ce fut un privilège de t'aimer. Courage ! Suis l'exemple de Rudy et tu seras heureuse. »

J'ai levé les yeux.

— C'est fini. Bon, c'est qui, cet homme ?

Voyant Emma au bord des larmes, j'ai voulu plaisanter, histoire de détendre l'atmosphère :

— Pas Henry, quand même ?

Elle est restée bouche bée. Elle m'avait prise au sérieux ! C'était merveilleux. Cela n'arrive jamais ! Puis elle a compris et elle a éclaté de rire. Elle s'est écroulée sur le dos, à côté de

Rudy. Elles riaient à en pleurer. Donc Rudy était au courant, elle aussi.

— Je suis la seule à ignorer qui c'est ?

Emma s'est enfin redressée.

— Ne m'en veux pas, Lee. C'était un peu délicat. Je ne pouvais pas te le dire.

— Parle !

Elle a haussé les épaules d'un air qui se voulait désinvolte, mais je voyais bien qu'elle était tendue.

— D'accord. C'est Mick.

— Mick ? Mick Draco ?

Je n'en croyais pas mes oreilles.

— Je croyais que tu ne l'aimais pas...

Même si je brûlais d'obtenir des détails, je voulais lire la lettre qu'Isabel m'adressait.

— Pourquoi ne me l'as-tu pas dit ? Je ne vois presque plus Sally, si c'est ce qui t'inquiétait.

— Eh bien... oui... en partie.

— Henry voit Mick, ai-je ajouté. Tu sais que Sally est repartie dans le Delaware.

L'expression éberluée d'Emma m'indiquait que non.

— Qu'est-ce que tu racontes ? demanda Rudy en se redressant à son tour.

— Ils se sont séparés. Tu n'étais pas au courant ? Mick va sans doute s'installer à Baltimore pour étudier la peinture au Maryland Institute.

— Et Jay...

Emma avait perdu l'usage de la parole. Elle a pâli, puis rougi.

— Ils sont en train de régler le problème. Il est avec Sally, pour l'instant. Ils envisagent une garde partagée. D'après Henry, c'est très récent. Environ une semaine.

— Pourquoi ne me l'as-tu pas dit ?

Elle a pâli de plus belle. Avant que je puisse répondre à cette question ridicule, elle a murmuré :

— Pourquoi ne me l'a-t-il pas dit ?

Elle a porté ses mains à sa bouche.

— Je lui ai dit que je n'attendrais pas, marmonna-t-elle. Et s'il s'en moquait, désormais ? À la cérémonie, il était telle-ment... Mais pourquoi ne me l'a-t-il pas dit, d'après vous ? Vous croyez que je devrais l'appeler ? J'aurais l'air de m'imposer ? Et s'il n'était plus intéressé, s'il était passé à autre chose ? Et s'il avait trouvé quelqu'un d'autre ?

— En une semaine ?

— C'est possible !

— Dans ce cas, tu vas souffrir, déclara Rudy.

— Isabel affirme que ça vaut la peine de souffrir, dis-je.

Emma a baissé les mains.

— Bon, d'accord, je vais l'appeler, dit-elle en se levant.

— Hé !

— Oh...

Elle s'est vite rassise en riant, honteuse.

— Pardon... Vas-y, finis la lettre.

— Si ça ne te dérange pas. Je ne voudrais surtout pas t'en-nuyer... Arrête ! Ça suffit, je te dis !

Je n'ai pas pu m'empêcher de rire quand elle m'a enlacée pour me couvrir de baisers. Rudy a ri à son tour. Je déteste qu'Emma fasse cela. C'est justement pour cela qu'elle le fait.

Mais ça a fonctionné. Nous étions à nouveau normales, à l'aise. C'était notre meilleur moment depuis la mort d'Isabel.

— Bon, je vais lire la suite. Je peux ? Concentrez-vous.

— D'accord, dit Rudy.

— Bon, on est sérieuses. Lis.

Emma s'est recroquevillée sur elle-même. Même son visage avait changé, plus acéré que cinq minutes plus tôt. Elle sem-blait tendue comme un ressort.

J'ai repris ma lecture. J'aurais voulu rester seule, ce qui aurait été injuste vis-à-vis des autres.

« *Lee, très chère Lee, que puis-je te dire ? Nous avons tellement parlé ces derniers jours qu'il ne reste plus grand-chose
à raconter. Sauf que tu vas me manquer. Rudy et Emma
t'ont-elles remerciée d'avoir créé notre groupe, récemment ?
Elles devraient. Au moins une fois par semaine, je trouve.* »

Rudy et Emma ont gloussé, les yeux humides.

« *Nous avons toujours dit que tu étais la plus équilibrée
d'entre nous. C'est pourquoi nous avons parfois oublié de te
ménager, pensant que tu étais forte et que tu n'en avais pas
besoin. Tu es forte, mais fragile, au fond de toi. Je n'imagine
pas les douze dernières années de ma vie sans toi. Tu as été
mon amie et ma fille, ma joie.* »

J'ai marqué une longue pause.

« *Il s'est écoulé un peu de temps depuis que Henry et toi
avez cessé vos tentatives pour avoir un enfant. Le temps du
deuil. Et puis je suis partie. Tu confondras moins ces deux
deuils, désormais. Tu y verras plus clair. Lee, j'ai une bonne
nouvelle : savais-tu qu'il y a un enfant qui te cherche ? J'ai
déjà essayé de t'en parler. J'y ai beaucoup réfléchi. Emma
ne voudra pas savoir comment je le sais, alors je ne le dirai
pas. Quoi qu'il en soit, je sais avec certitude qu'il y a un
enfant quelque part qui vous cherche, Henry et toi. Il faut
que vous le ou la trouviez (même moi je ne sais pas si c'est
un garçon ou une fille, Emma). Quand vous l'aurez trouvé,
car ce jour viendra, il faudra l'aimer de tout votre cœur. Et
ce sera le cas.*

*Je suis heureuse pour toi. C'est pour moi un grand récon-
fort. Et ce bébé, il aura une mère merveilleuse ! Quelle chance
pour lui !*

J'aurais tant de choses à dire... Mes chères Grâces, Lee, Rudy, Emma, mes amies de cœur. Que pourrais-je ajouter, tant je me sens proche de vous ? Il y a quelque chose que vous pourriez faire pour moi. En fait, j'y tiens. Et on ne discute pas ! Trouvez une membre temporaire qui reste. Une permanente. Faites un effort, pas de demi-mesures, pas de fausses bienvenues ou de faux bons sentiments. Deux nouvelles, ce serait encore mieux. Il ne faut pas que notre groupe se désintègre. Faites-le pour moi, je vous en prie. Car ce ne sera pas vraiment pour moi, ce sera pour vous. Je le veux pour vous.

Merci pour tout ce que je vous m'avez donné. Lee, Emma, Rudy, je vous aime. Merci de m'avoir accompagnée jusqu'au bout. Vous savez ce que je regrette ? De ne pas être là quand il vous arrivera la même chose, pour vous rendre un peu de votre amour et vous consoler à mon tour.

Mais – attention, Emma – je serai peut-être là. Oui, j'y crois. À la réflexion, j'y compte bien. Ce n'est pas pour tout de suite.

Affectueusement,

Isabel »

31

Emma

J'ai fait sortir Rudy et Lee sur la terrasse le temps d'appeler Mick. L'unique téléphone se trouvant dans la cuisine, elles m'auraient entendue. Il ne pleuvait plus, l'atmosphère était juste un peu humide.

Devinez quoi : la ligne n'était pas libre. À qui parlait-il ? Un tas d'idées terribles me traversèrent l'esprit.

— C'est occupé. Vous pouvez revenir !

Ensemble, nous avons mis la table et fini de préparer la bisque.

— Bon, sortez, je le rappelle.

Sentant couver une mutinerie, j'ai tendu un paquet de bretzels à Rudy.

— Mange ça si tu as faim !

Dès qu'elles sont sorties en marmonnant, j'ai composé le numéro de Mick.

— Allô ?

Dorénavant, j'associerai les grandes émotions, la peur, la crainte, le soulagement, au fumet des palourdes.

— Mick ? C'est...

— Emma ?

— Oui. Salut... euh... Je discutais avec Lee, et elle m'a dit...

— Tu es chez toi ?

— Non. À Hatteras.

— Tu es partie aujourd'hui ?

— Hier. On est là depuis hier.

Il a émis un rire bizarre.

— Je comprends mieux, à présent...

— Quoi ?

— Hier, je t'ai appelée toute la nuit. J'étais certain que tu avais un rendez-vous avec un de ces hommes omniprésents.

Mes jambes se sont mises à trembler. Peu à peu, j'ai glissé vers le sol.

— Un de ces hommes omniprésents ?

J'étais euphorique. Je n'étais plus moi-même.

— Je viens de t'appeler, mais ta ligne était occupée. Tu parlais à ta nouvelle copine ?

Ivre de joie, il a ri de plus belle.

— Non ! C'était Jay.

— Ah. (J'ai retrouvé mon sérieux.) Où est-il ?

— Avec sa mère. Sally s'est installée chez ses parents à Wilmington, le temps de trouver un logement pour elle et Jay.

— Ah, alors...

— Nous sommes séparés depuis dix jours. J'ai beaucoup de choses à te raconter.

Il se tut un instant, puis reprit vivement :

— Emma, pourquoi diable es-tu si loin ?

— Je sais ! Oh, Mick... Pourquoi avoir attendu dix jours pour m'appeler ?

— Eh bien, d'abord, je n'étais pas certain que cela fasse une différence.

— Comment as-tu pu penser une chose pareille ?

— La dernière fois que nous avons parlé, tu as été très claire, à propos de nous deux, tu te souviens ?

— Bien sûr ! Mais tu ne me donnais aucun espoir. Tu ne voyais aucun changement.

— Je sais. C'est arrivé soudainement. L'autre raison, c'était que je n'étais pas certain qu'elle partirait pour de bon. Maintenant, j'en suis sûr. Si elle était revenue, cela aurait été dur pour toi.

— Pourquoi ? ai-je demandé, inquiète.

— Je ne serais pas resté avec elle, rassure-toi !

— Ah...

— Si elle était revenue, je serais parti, Emma, parce que c'est terminé.

— Ah.

— Je ne voulais pas que tu te retrouves au cœur de tout ça. C'est pourquoi je ne t'ai pas appelée.

— Ah.

C'était une bonne raison. J'ai affiché un sourire carnassier, puis j'ai frappé doucement de mon poing sur le sol.

— Comment est-ce arrivé ? Si tu veux bien me raconter. Je sais que tu as toujours...

— J'ai envie de te le dire. J'ai envie de te voir. Et si je venais te rejoindre, ce soir ?

Je commençais vraiment à craquer.

— Tu pourrais, mais je rentre demain.

— Demain. Je ne sais pas. C'est loin.

— Je sais.

— Je pourrais te retrouver à Richmond, dit-il, ce qui nous a fait glousser comme des adolescents. Ou à Norfolk.

— Cela ne rimerait à rien.

— Sans doute.

— Fredericksburg (encore des rires). Oh, Mick. C'est...

Exactement ce que je voulais. Raconter des bêtises au téléphone.

— Quoi ?

— Bien. C'est bien.

— Oui.

Long silence.

— Qu'est-ce que tu fais ? demanda-t-il. Où sont les autres ?

— Je suis assise sur le sol de la cuisine. Rudy et Lee sont sur la terrasse. Je les ai chassées. Elles sont bien, il a cessé de pleuvoir. Et toi, où es-tu ?

— Dans la cuisine, aussi. Tu n'es jamais venue chez moi ?

— Non. C'est bien ?

— Viens voir.

— Je viendrai.

Je n'arrivais pas à m'arrêter de sourire.

— Alors tu vas bien ? ai-je demandé. Avec cette séparation ? Comment va Jay ?

— Bien mieux que je ne le pensais, à moins que je ne me fasse des idées. Mais il me manque. C'est ça le pire. Écoute, je risque de partir pour Baltimore pour essayer d'entrer au Maryland Institute. C'est l'une des meilleures écoles de Beaux-Arts du pays.

— Tu iras. Tu ferais quoi ? Une maîtrise ?

— Oui. Et je serais plus proche de Jay. Sally m'a étonné. Elle ne me dispute pas la garde, elle veut que nous l'ayons tous les deux.

— Heureusement. C'est le principal.

— Alors quand je te verrai, tu pourras me sermonner que j'aurais dû agir depuis des années, sauf que ce ne serait jamais arrivé avant. Je ne crois pas.

— Je ne dirai pas un mot. Je suis un modèle de retenue.

Je le sentais sourire entre ses phrases.

— Alors... Qu'en penses-tu, pour Baltimore ?

— Je trouve ça génial. Ce n'est qu'à une heure de route. On va s'arranger...

— C'est ce que j'espérais. Tu sais, c'est...

— Quoi ?

— Difficile de passer du rêve à la réalité.

— Que veux-tu dire ?

Je le savais, mais j'avais envie qu'il le dise.

— Les choses qui semblent se passer en ce moment. Ce qui est sur le point de se passer. Je les imagine depuis longtemps, presque depuis notre rencontre.

— Ah bon ?

— J'avais peur d'espérer.

— Je sais. Moi aussi.

— Maintenant, cela semble fonctionner.

— C'est effrayant. Parce que c'est trop bien.

— Ou alors...

Il ne termina pas sa phrase, mais je savais où il voulait en venir. Ou alors ça ne fonctionnera pas. C'est une possibilité. Mick n'avait guère d'expérience des relations avortées. Une seule, à ma connaissance. Moi si. Et nous nous languissions l'un de l'autre depuis un an et demi. Si ce n'est pas une catastrophe, je ne sais pas ce que c'est.

— Comment se fait-il que nous n'ayons plus peur ? me suis-je demandé. Je devrais être paralysée. Au lieu de ça, j'y crois. Je me sens stupide rien que de le dire. Mais j'y crois. Parce qu'il ne m'est jamais rien arrivé de tel. Mick, je ne peux pas dire tout ça au téléphone.

— Je sais. Demain.

— Demain. D'accord. Je me sens très... pleine de désir, soudain.

— Pleine de désir, a-t-il répété, étonné et heureux.

— Pleine de désir, ai-je répété.

— Appelle-moi dès que tu seras rentrée chez toi.

— Ne t'inquiète pas.

— Tu veux venir ici ?

— Je ne sais pas (ah, le délice de la logistique). Non, viens chez moi. D'accord ?

— Oui.

Nous avons bavardé encore un peu. Ce n'était pas très gratifiant : trop de choses à dire et trop de désir. Et nous ne pouvions même pas tenir des propos lubriques car nous n'étions pas seuls. Il m'a décrit les grandes lignes de sa séparation avec Sally. Lors d'un repas au Yenching Palace, elle lui avait demandé à brûle-pourpoint s'il l'aimait. Il aurait pu dire oui par charité, par principe. Il l'avait fait assez souvent. Au lieu de cela, il lui avait avoué la dure vérité. Il a dit non.

Elle a pleuré, mais ne s'est pas écroulée. Il pense qu'elle était peut-être même soulagée.

— Ou alors je me fais des illusions, dit-il.

De toute façon, c'est elle qui a décidé de retourner dans le Delaware. Jay serait plus souvent avec elle, au début, et il s'y était presque fait.

— Il adore ses grands-parents et ils sont adorables avec lui. Je pense qu'il sera bien. Je le verrai souvent. Je réfléchis, je sais.

— C'est vrai, tu le verras souvent.

— Ce ne sera pas pareil.

— Non, je sais. Au bout d'un moment, ce sera sans doute mieux.

Avais-je vraiment dit ça ? J'avais envie de me lever pour regarder dans un miroir, voir si mon apparence avait changé, aussi.

— Bon, dis-je enfin, je vais te laisser. Elles veulent sans doute manger. Lee et Rudy.

Je voyais leurs silhouettes par la fenêtre, dans leurs chaises longues, l'extrémité rougeoyante de la cigarette de Rudy, dans la pénombre.

— D'accord, fit Mick à contrecœur.

Quel plaisir juvénile. Il nous a fallu dix minutes pour raccrocher. Voilà comment ce serait, me dis-je. Cela ne fonctionnera peut-être pas (mais je crois que oui), en attendant, nous serons heureux.

— Je t'aime, ai-je murmuré.

Quel courage. Tu m'entends, Isabel ?

Il m'a répondu la même chose, en ajoutant mon prénom. J'adore quand Mick dit « Emma ». Si ça continue, je vais griffonner son nom dans mon manuel de géographie.

— À demain, dis-je.

— Bonne nuit, Emma.

— Bonne nuit.

— À demain.

— Oui. Ou alors appelle-moi plus tard.

— D'accord.

Il y eut un silence étonné, puis nous avons ri de la simplicité de la solution. Il était plus facile de se dire au revoir.

— Alors ?

— Alors ?

— On a discuté.

Je suis allée m'appuyer à la balustrade, trop rêveuse et romantique pour m'asseoir.

Rudy est venue me rejoindre.

— Vous avez discuté ?

— On a tendu l'oreille, fit Lee en l'imitant.

— Juste là, ai-je repris en me penchant. On ne voit pas d'ici. C'est plus loin.

— Quoi ?

— C'est là qu'on s'est embrassés pour la première fois.

Rudy a soupiré.

— Ce week-end-là ? demanda Lee, abasourdie.

— Oui.

— Je veux tout savoir dans les moindres détails.

— D'accord.

Pas de problème. Je ne m'étais jamais sentie aussi généreuse.

— Mais d'abord, tu vas aller le chercher ?

— Aller le chercher ?

— C'est ce qu'Isabel t'a conseillé, non ?

— Sans doute.

— Alors ? Tu vas y aller ?

J'ai souri. Cela ne se voyait donc pas sur mon visage. Lee peut être si directe.

— Et toi, tu vas adopter un enfant ? ai-je répliqué.

— Emma...

Elle a croisé les bras.

— Il viendra me chercher, murmura-t-elle en levant les yeux vers le ciel, vers les étoiles scintillantes.

— Je prends ça pour un oui.

Elle a hoché la tête, l'air rêveur.

— Pourquoi ai-je attendu aussi longtemps ?

Rudy et moi avons échangé un regard.

— Oui, pourquoi ?

— C'est... Je ne sais pas. Maintenant, c'est évident, mais avant... Nous avons éliminé cette solution sans même y réfléchir vraiment. Henry disait qu'il voulait un enfant à lui, et je m'en suis servie pour justifier mes raisons. J'avais un tas de raisons de vouloir un enfant biologique, et elles ne rimaient à rien. Isabel a essayé de me le dire, mais je ne voulais pas l'entendre.

— Tu étais déterminée.

— Et ils n'en parlent pas dans les cliniques. J'ai passé deux ans dans les cabinets médicaux, et pas une fois le mot adoption n'a été prononcé. Pas une fois. C'est fou, non ? Pas même par une infirmière. Alors je n'y pensais pas.

— Et Henry n'y verra pas d'inconvénient ?

— Oh non.

Je regrettais de ne pas avoir eu le courage de lui en parler plus tôt. Ou Rudy. Nous avons eu trop de tact, nous voulions être complices de son obsession, nous cherchions trop à la soutenir pour envisager une alternative.

— Rudy pense que nous devrions essayer avec un enfant étranger, ce sera plus rapide, dit Lee. Un orphelin russe, peut-être. Je pensais à un petit juif ukrainien.

Elle a cessé de regarder le ciel pour redescendre sur terre.

— Après le souper, j'appellerai Henry.

— Si c'est une fille, elle l'appellera Isabel, dit Rudy.

— Bien sûr, ai-je répondu. Et si c'est un garçon, Isidore.

Nous avons souri dans le noir.

— Vous croyez vraiment que nous devrions prendre une remplaçante ?

— Une permanente, corrigea Lee. Nous l'avons dit.

Nous avons soupiré.

— Il y a une fille du boulot... fit Lee.

Nous avons grommelé.

— Je crois que je vais appeler ma mère, ce soir, fit Rudy en jetant son mégot. Tiens, c'est bizarre qu'elle ne m'ait pas dit d'arrêter de fumer.

Je ne sais pas pourquoi, mais je l'ai prise dans mes bras.

— Ouah, dit-elle, ravie. Tu commences à y prendre goût.

— Ah oui ?

— Je l'ai remarqué aussi, dit Lee.

— Quelqu'un a faim ? ai-je demandé.

Personne n'a bougé. Nous ne voulions pas manger tout de suite.

— Vous savez ce qui serait bien ? fit Rudy. De vieillir ensemble.

— Pourquoi pas ?

— Non, je veux dire ensemble.

— Oui, dis-je, dans une maison de retraite pour vieilles dames.

J'en rêvais depuis des années.

— Nous serions sur la véranda dans nos fauteuils à bascule, dans une maison de campagne.

— Nous aurions toujours nos facultés, déclara Rudy. Nous serions juste vieilles.

— Et tu seras toujours superbe. Je serai grosse, mais Lee me poussera dans mon fauteuil roulant, parce qu'elle sera encore ferme et nerveuse.

— Peut-être ou peut-être pas. Si tu veux que je te pousse, il faudra être bien plus gentille avec moi.

— Et on s'aimera toujours, renchérit Rudy.

— On jouera aux cartes.

— Au bridge, corrigea Lee.

— Et quand l'une de nous mourra, elle se fera incinérer. On ne répandra les cendres qu'à la mort de la dernière.

— D'accord, mais qui s'en chargera, alors ?

— Isidore. Là-bas.

J'ai désigné l'endroit où nous avions répandu les cendres d'Isabel.

— Isidore ?

— Ton fils. Il aura une soixantaine d'années. J'espère qu'il sera assez en forme pour nager.

— Au contraire de certaines.

La lune luisait sur l'eau. Les criquets chantaient de plus en plus fort, couvrant le bruit des vagues. Dans la rue, deux petits garçons et leur père sortirent jouer au ballon.

— Écris un livre sur nous, a dit Isabel. Tu crois que c'est un bon sujet ? Je ne vois pas trop. La vraie vie est si chaotique. Elle ne se traduit pas bien. La fiction, c'est plus simple. J'ai pensé à un polar avec de l'amour, du danger, un peu d'amnésie. J'aime bien les histoires d'amnésie. Il pourrait y avoir quatre femmes qui font partie d'un club, et l'une d'elles se fait tuer. Non, c'est trop triste. La sœur de l'une d'elles se fait tuer et elles se réunissent pour résoudre le mystère. Si ça marche, ça pourrait devenir une série. Les Quatre Femmes, Les Quatre Yuppies.

Un titre, ça se travaille.

— Écrire un livre sur nous, dit-elle. Oh, Isabel, je ne sais pas. (Je lui parle ainsi, désormais, comme si elle était à côté de moi, comme nous toutes.) Cela semble si adulte, si mûr. Laissez-moi creuser encore un peu. Oui, je sais, le facteur temps. La vie est courte, et on ne sait jamais, je sais, je sais.

Bon, je vais y réfléchir, mais si je suis coincée, je mets de l'amnésie.

— Et si on mangeait ?

Nous sommes rentrées. La table était jolie. Nous avons allumé des bougies, pris des serviettes en tissu. Trois, c'est tellement moins que quatre. Isabel a absolument raison. Il nous fallait une nouvelle.

Ensuite, nous avons voulu téléphoner. Lee pour appeler Henry, Rudy pour appeler sa mère, et moi... j'attendais juste que la ligne se libère pour parler à Mick.

Nous n'étions pas prêtes pour cela. Nous étions venues ici pour une raison précise, une fin, et nous repartions avec des commencements. Cela te plaît, Isabel ? Tu nous souris en te frottant les mains ? Tu es satisfaite, là-haut ? Où que tu sois. Tant mieux. Je ne t'envie rien, pas même la suffisance. Si seulement tu étais là. Tu sais quoi ? Tu me manques.

Extrait de

La Villa Rose

de Debbie Macomber

(parution octobre 2013)

1

La première nuit, je rêvai de Kevin.

Il n'était jamais loin de mes pensées – pas un jour ne s'écoulait sans qu'il soit avec moi – mais il ne m'était pas encore apparu en rêve. C'était ironique, d'ailleurs, puisque, avant de fermer les yeux, je songeais au bonheur que j'éprouverais si j'étais dans ses bras, la tête nichée au creux de son épaule. Malheureusement, mon mari ne serait plus jamais à mes côtés, du moins pas dans cette vie.

D'ordinaire, au réveil, j'ai tout oublié de mes rêves. Celui-ci, cependant, resta avec moi, s'attarda dans mon esprit, m'emplissant à parts égales de joie et de tristesse.

Quand j'ai appris la mort de Kevin, j'ai été submergée de chagrin, à tel point que je doutais d'y survivre. Mais la vie continua et je fis de même, me traînant d'une semaine à l'autre jusqu'au jour où je m'aperçus que je pouvais respirer normalement.

À présent, j'étais dans mon nouveau chez-moi, le gîte que j'avais acheté à peine un mois plus tôt sur la péninsule de Kitsap, plus précisément à Cedar Cove, une bourgade tranquille au bord de la mer. J'ai décidé de l'appeler la Villa Rose, en hommage à Kevin Rose, l'homme qui a été mon mari pendant moins d'un an ; l'homme que j'aimerais et que je pleurerais jusqu'à la fin de mes jours. C'est là que j'ai jeté l'ancre, après avoir été ballottée par la tempête du deuil.

Tout cela paraît bien mélodramatique, mais comment l'exprimer autrement ? J'étais vivante, j'accomplissais les gestes du quotidien, pourtant j'avais parfois l'impression d'être à moitié morte. Kevin aurait détesté m'entendre dire cela, mais c'est la vérité : j'étais morte avec lui au mois d'avril précédent, sur un flanc de montagne à l'autre bout du monde.

En une fraction de seconde, ma vie a volé en éclats. L'avenir dont je rêvais m'a été arraché.

On conseille souvent à ceux qui subissent un deuil d'attendre un an avant de prendre des décisions importantes. Mes amis me prédirent que je regretterais d'avoir quitté mon travail et Seattle pour m'installer dans une ville inconnue. Ce qu'ils ne comprenaient pas, c'était que le familier ne m'apportait aucun réconfort, que je ne puisais aucune satisfaction dans la routine. Cependant, je respectais leur opinion, aussi ai-je attendu six mois. Durant ce temps rien ne m'aida, rien ne changea. J'éprouvais un désir de plus en plus fort de m'en aller, de recommencer ailleurs, certaine qu'alors et seulement alors je trouverais la paix, et que la blessure affreuse que je portais en moi finirait par s'atténuer.

Je me lançai dans des recherches sur Internet, m'intéressant à diverses régions aux quatre coins des États-Unis. Étonnamment, c'est à deux pas de chez moi que j'ai trouvé exactement ce qu'il me fallait.

Séparée de Seattle par la baie de Puget Sound, Cedar Cove est une ville de garnison qui fait face aux chantiers navals de Bremerton. Dès que j'ai lu l'annonce décrivant ce charmant gîte à vendre, mon cœur s'est mis à battre plus vite. Je n'avais pas envisagé de travailler à mon propre compte, mais je compris instinctivement que j'aurais besoin d'une occupation. D'ailleurs, j'ai toujours aimé recevoir, c'était un plus, et le signe que je faisais le bon choix.

La propriété était splendide, dotée d'une véranda ouverte et d'un point de vue extraordinaire sur la baie. Dans une autre vie, Kevin et moi aurions pu nous asseoir dehors après souper, et nous raconter notre journée en dégustant un café bien chaud. Je tentai de modérer mon excitation, en me disant que la photographie postée sur Internet était sans doute l'œuvre d'un professionnel qui avait habilement masqué les défauts. Rien ne pouvait être aussi parfait.

Et pourtant, oui. Dès l'instant où je vis l'endroit, je fus séduite par la lumière éclatante des lieux, les grandes fenêtres qui dominaient le port de plaisance. C'était l'endroit rêvé où commencer ma nouvelle vie.

Je suivis consciencieusement Jody McNeal, l'agent immobilier, mais ma décision était déjà prise. Je me sentais destinée à devenir la propriétaire de cette maison ; elle était restée en vente des mois durant, comme si elle m'attendait. Construite dans les années 1900, elle abritait huit chambres d'invités réparties sur deux étages, ainsi qu'une grande cuisine moderne et une salle à manger spacieuse au rez-de-chaussée. Cedar Cove se déployait de part et d'autre de Harbor Street, qui serpentait en son centre, bordée de magasins. J'étais conquise avant même d'avoir exploré la ville.

Une sensation de paix m'a immédiatement envahie quand j'ai pénétré dans cette demeure. La douleur et la tristesse qui étaient mes compagnes de tous les instants depuis des mois ont semblé refluer, cédant la place à une sérénité difficile à décrire.

Malheureusement, ce sentiment de bien-être fut de courte durée. Quand la visite s'acheva, j'avais les larmes aux yeux : Kevin aurait adoré cette maison lui aussi, mais c'était seule que j'y viendrais. Dieu merci, l'agent a feint de ne pas remarquer l'émotion que je tentais de dissimuler.

— Eh bien, qu'en dites-vous ? me demanda-t-elle avec curiosité alors que nous ressortions.

Je n'avais pas encore prononcé un seul mot, ni posé une seule question.

— Je la prends.

Jody s'est penchée vers moi, comme si elle avait mal entendu.

— Pardon ?

— J'aimerais faire une offre.

Je n'ai pas hésité : je n'avais plus aucun doute. Le prix demandé était plus que correct et j'étais prête à aller de l'avant.

Jody faillit lâcher le dossier qu'elle tenait à la main.

— Vous ne voulez pas réfléchir ? C'est une décision majeure, Jo Marie. Ne vous méprenez pas, je serais ravie de vous la vendre ; c'est juste que… je n'ai jamais vu personne se décider aussi vite.

— Je m'accorderai une nuit de réflexion, si vous y tenez, mais c'est inutile. J'ai tout de suite su que c'était l'endroit que je cherchais.

Dès que les miens apprirent que j'avais l'intention de quitter mon poste à la banque pour acheter un gîte, ils tentèrent de me faire changer d'avis, surtout mon frère Todd, qui est ingénieur. J'avais donné quinze ans à la Columbia, j'avais été une employée modèle, m'élevant dans la hiérarchie jusqu'à devenir directrice adjointe de la succursale de Denny Way. J'allais probablement être nommée directrice un jour ou l'autre, il ne comprenait pas que je renonce à une carrière aussi prometteuse.

Autour de moi, personne ne parvenait à saisir que ma vie telle que je la connaissais, telle que je l'avais désirée, rêvée, était terminée. Que ma seule chance de m'épanouir un jour était de repartir de zéro.

Le lendemain matin, ma résolution n'avait pas faibli. Les propriétaires de la demeure, les Frelinger, acceptèrent mon offre avec reconnaissance et, en l'espace de quelques semaines – juste avant les fêtes –, nous nous retrouvâmes chez le notaire afin de signer tous les documents nécessaires. Ils me remirent les clés en m'informant qu'ils n'avaient pris aucune réservation pour les deux dernières semaines de décembre car ils avaient prévu de rendre visite à leur famille.

En repartant, je fis un rapide crochet par le palais de justice, où je déposai une demande de changement de nom pour la maison, que je souhaitais désormais appeler Villa Rose.

De retour à Seattle, je donnai mon préavis à la banque et passai les vacances de Noël à faire mes bagages avant de quitter mon appartement. Je ne m'éloignais que de quelques kilomètres, mais j'aurais aussi bien pu traverser la moitié du pays. Cedar Cove était un autre monde, une bourgade pittoresque sur la péninsule, loin de l'agitation frénétique de la grande ville.

Mes parents furent déçus que je ne les accompagne pas à Hawaï pour les fêtes, selon la tradition familiale. Cependant, j'avais trop à faire avec les préparatifs du déménagement, le tri de mes affaires et de celles de Kevin, la vente de mes meubles. Et j'avais besoin de rester occupée – pour éviter de songer que c'était mon premier Noël sans Kevin.

J'entrai officiellement en possession de la maison le lundi suivant le jour de l'An. Par chance, les Frelinger l'avaient cédée entièrement meublée. Je n'apportai donc que deux fauteuils, une lampe héritée de ma grand-mère et mes effets personnels. Il ne me fallut pas plus de deux heures pour m'installer dans la suite que les anciens propriétaires réservaient à leur usage personnel au rez-de-chaussée : elle était dotée d'une cheminée et d'une petite alcôve où une banquette placée sous la fenêtre offrait une vue de la baie. Le papier peint, à motifs d'hortensias blancs et mauves, me plaisait particulièrement.

Quand la nuit tomba, j'étais néanmoins épuisée. À huit heures, alors que la pluie cinglait les vitres et que le vent soufflait dans les sapins élancés qui se dressaient en bordure de la propriété, je me réfugiai dans ma chambre. Le feu pétillait dans l'âtre, la tempête rendait la pièce encore plus chaleureuse et je n'éprouvais pas le moindre dépaysement. Au contraire, je m'étais sentie accueillie par cette maison dès que j'en avais franchi le seuil.

Je me glissai entre les draps propres et bien amidonnés. Je ne me souviens pas de m'être endormie, mais le rêve que j'ai fait s'est gravé dans ma mémoire.

Huit mois s'étaient écoulés depuis que Kevin avait péri lors d'un accident d'hélicoptère dans le Hindu Kush, la chaîne de montagnes qui s'étend du centre de l'Afghanistan au nord du Pakistan. L'appareil avait été abattu par Al-Qaïda ou leurs alliés talibans ; Kevin et cinq autres militaires avaient été tués sur le coup. Il avait été impossible de retrouver leurs corps. La nouvelle de sa mort avait été terrible, mais l'impossibilité d'enterrer sa dépouille avait encore ajouté à ma détresse.

Pendant plusieurs jours, j'ai continué à espérer que Kevin ait miraculeusement survécu. J'étais convaincue que, d'une manière ou d'une autre, mon mari finirait par retrouver son chemin jusqu'à moi. Il n'en était rien. Des photographies aériennes du lieu de l'accident ne tardèrent pas à me confirmer que personne n'avait pu en réchapper. En fin de compte, la seule chose qui importait, c'était que l'homme que j'aimais et que j'avais épousé n'était plus là et qu'il ne me reviendrait jamais. Au fil des semaines, puis des mois, j'ai fini par l'accepter.

Il m'avait fallu longtemps pour tomber amoureuse. La plupart de mes amies s'étaient mariées avant moi. À trente-cinq ans, elles étaient mères de famille, tandis que, pour ma part, j'étais six fois marraine.

À trente ans passés, j'étais encore célibataire. J'avais une vie bien remplie, j'étais heureuse, je consacrais mon temps à ma carrière et à ma famille. Jamais je n'avais éprouvé le besoin de me jeter tête baissée dans le mariage ou d'écouter ma mère qui m'exhortait à être moins difficile. Je sortais souvent mais je n'avais jamais été attirée par un homme au point de penser que je pourrais l'aimer toute ma vie.

Et puis j'ai rencontré Kevin Rose.

J'avais obtenu par le biais de la banque des places pour assister à un match des Seahawk et j'accompagnais un de nos plus gros clients et son épouse. Deux hommes aux cheveux courts, que j'avais supposé être des militaires, étaient assis près de moi. Au cours de la partie, Kevin engagea la conversation et fit les présentations, expliquant que son camarade et lui étaient cantonnés à Fort Lewis. Comme moi, il aimait le football. Originaires de Spokane, mes parents étaient des supporters enthousiastes des Seahawk et j'avais grandi en regardant les matchs à la télévision avec eux et Todd, mon jeune frère.

À la fin du match, Kevin m'invita à boire un verre, et nous nous revîmes presque chaque jour par la suite. Il s'avéra que nous avions beaucoup plus en commun que l'amour du football : nous partagions les mêmes opinions politiques, lisions souvent les mêmes auteurs, et nous adorions la cuisine italienne. Nous étions même tous les deux accros au sudoku ! Nous pouvions bavarder pendant des heures. Deux mois plus tard, il s'embarqua pour l'Allemagne, mais notre relation continua à s'épanouir. Nous restions constamment en contact d'une manière ou d'une autre – par courriel, texto, Skype, Twitter et tous les autres moyens possibles et imaginables pour communiquer, y compris par lettre. Avant, quand j'entendais des gens affirmer qu'ils avaient eu « le coup de foudre », cela me faisait sourire. Je ne peux prétendre qu'il en ait été ainsi pour Kevin et moi, mais presque. Au bout d'une semaine, je savais que je voulais l'épouser. Kevin m'avoua qu'il avait ressenti la même chose, mais qu'une seule rencontre lui avait suffi pour arriver à cette conclusion !

L'amour m'avait changée, je dois l'admettre. Je nageais dans le bonheur. Et tout le monde le remarquait.

À Noël, Kevin rentra à Seattle en permission et me demanda en mariage. Il avait même parlé à mes parents d'abord. Nous étions fous amoureux.

En janvier, immédiatement après notre mariage, il partait pour l'Afghanistan. Le 27 avril, son hélicoptère s'écrasait.

Mon univers s'est effondré. Jamais je n'avais connu pareil désespoir. J'étais totalement anéantie. Mes parents et mon frère s'inquiétaient pour moi. Quand ma mère me suggéra de suivre une thérapie pour m'aider à surmonter le deuil, je ne protestai pas. J'étais prête à tout essayer pour atténuer ma douleur. Je me félicite aujourd'hui d'avoir eu ces séances. J'y appris notamment que les rêves jouent un rôle important dans le processus de guérison. Le psy m'en a décrit deux types distincts : les premiers, sans doute les plus fréquents, s'inspirent de souvenirs où le défunt reprend vie. Dans les seconds, l'être aimé revient voir ceux qu'il a laissés derrière lui. Ils sont en général réconfortants : le défunt y apparaît heureux et en paix, ce qui rassure ses proches.

Dans mon rêve, Kevin ne chercha pas tout de suite à me rassurer. Il se tenait devant moi dans son uniforme militaire, entouré d'une lumière si vive que j'avais du mal à le regarder. Cependant, j'étais incapable de me détourner de lui.

Je brûlais de courir vers lui mais n'osais esquisser le moindre geste de peur qu'il ne disparaisse. Je ne supportais pas l'idée de le perdre de nouveau, même s'il n'était qu'une apparition.

Tout d'abord, il resta silencieux. Moi aussi, car j'étais trop émue pour savoir quoi dire. J'avais les larmes aux yeux, la main plaquée contre ma bouche pour ne pas crier.

Enfin, il s'approcha de moi et me serra dans ses bras, me chuchotant des mots tendres. Je me cramponnai à lui. Je ne voulais plus le lâcher.

Lorsque je pus maîtriser un peu mon émotion, je levai la tête et nos regards se soudèrent. C'était comme s'il était en vie et que nous nous retrouvions après une longue absence. Il y avait tant de choses que je voulais lui dire, tant de choses que je voulais qu'il m'explique. J'ai été stupéfaite par le montant de l'assurance-vie qu'il avait souscrite à mon nom. Au début je me suis sentie coupable d'accepter une somme aussi considérable. N'aurait-elle pas dû plutôt revenir à sa famille ? Mais sa mère était morte, son père s'était remarié et vivait en Australie. Ils n'avaient jamais été particulièrement proches. D'après le notaire, Kevin avait laissé des instructions très claires.

Je voulais aussi expliquer à Kevin que j'avais acheté ce gîte, que je l'avais rebaptisé en souvenir de lui. Que j'avais l'intention d'y planter une roseraie, où j'installerais un banc à l'ombre d'une treille. En réalité, je ne lui dis rien de tout cela parce qu'il semblait déjà le savoir.

Il écarta les mèches de cheveux qui tombaient sur mon front et y déposa un baiser très doux.

— Tu as bien choisi, murmura-t-il, les yeux brillant d'amour. Avec le temps, tu connaîtras le bonheur de nouveau.

Le bonheur ? Cela ne me paraissait ni probable ni même possible. On ne guérit pas d'un tel chagrin. Ma famille et mes amis ont tenté de trouver les mots justes pour me consoler, mais en vain… il n'y a tout simplement pas de mots.

Je gardai le silence. Je voulais que le rêve continue, que Kevin reste près de moi, et j'avais peur qu'il s'en aille si je lui posais des questions. Un sentiment de paix m'a envahie, mon cœur jusque-là si lourd semblait un peu plus léger.

— Je ne sais pas si je peux vivre sans toi, avouai-je sincèrement.

— Oui. En fait, tu vas vivre longtemps et faire énormément de choses, insista Kevin.

Il parlait comme l'officier qu'il avait été, accoutumé à donner des ordres sans que personne ne remette en question son autorité.

— Tu connaîtras le bonheur de nouveau, répéta-t-il, et cela sera en grande partie grâce à cet endroit.

Je fronçai les sourcils.

— Mais…

— Cette maison est mon cadeau, reprit Kevin. Ne doute pas, mon amour.

L'instant d'après, il avait disparu.

Je poussai un cri qui me réveilla. Des larmes bien réelles roulaient sur mes joues et mon oreiller humides.

Pendant un long moment, je restai assise dans le noir, m'accrochant à la sensation que mon mari avait été présent. Elle se dissipa petit à petit et, presque contre mon gré, je me rendormis.

Le lendemain matin, à mon réveil, j'empruntai pieds nus le couloir au plancher ciré pour gagner le petit bureau adjacent à la cuisine. J'allumai la lampe et feuilletai le registre des réservations laissé par les Frelinger. Deux clients devaient arriver cette semaine.

Joshua Weaver avait fait sa réservation juste avant que je devienne propriétaire. Les précédents occupants de la maison m'en avaient informée la dernière fois que je les avais vus.

La seconde cliente s'appelait Abby Kincaid.

Deux hôtes.

Kevin avait affirmé que cette maison était son cadeau. Je ferais de mon mieux pour que ces deux inconnus passent un agréable séjour ; en donnant de moi-même peut-être retrouverai-je le chemin de la vie.

Et, avec le temps, le bonheur que Kevin m'a promis.

2

Josh Weaver s'était juré de ne jamais retourner à Cedar Cove. Depuis son départ à la fin de ses études secondaires, il n'était revenu qu'une seule fois, pour les obsèques de son demi-frère, Dylan. Il n'avait même pas passé la nuit en ville. Il avait pris l'avion à l'aube, loué une voiture à l'aéroport, et était reparti sitôt l'enterrement terminé pour regagner le chantier où il travaillait, en Californie. C'était tout juste si son beau-père et lui avaient échangé quelques mots.

À vrai dire, Richard n'avait pas pris la peine de le saluer. Pas plus qu'il n'avait jugé bon de lui demander de porter le cercueil. Josh n'en avait pas été surpris, mais cet affront l'avait profondément blessé.

Nés à un an d'intervalle, les deux garçons avaient toujours été proches. Dylan était un casse-cou et Josh avait tout de suite admiré son intrépidité. Sa mort prématurée lors d'un accident de moto avait été un choc brutal. Cinq années avaient passé. Douze depuis que Richard Lambert avait mis Josh à la porte du logis familial, le forçant à se faire seul une place en ce monde.

Cedar Cove ne signifiait plus rien pour lui, hormis le fait que sa mère et Dylan y étaient enterrés. Et voilà qu'il était de retour. Les Nelson, les voisins de Richard, lui avaient téléphoné. Son beau-père était apparemment sur le point de mourir. Michelle Nelson et Dylan étaient dans la même classe à l'école, tandis que Josh avait un an de plus. Après ses études, la douce Michelle était devenue assistante sociale. Josh se souvenait que cette fille obèse avait un gros béguin pour Dylan, lequel ne partageait pas ses sentiments. Josh se demandait si sa gentillesse envers Richard venait de l'affection qu'elle avait pour Dylan autrefois.

« Richard est mal en point, lui avait-elle déclaré durant leur brève conversation. Si tu veux le revoir, tu ferais mieux de ne pas trop tarder. »

Josh n'avait aucune envie de voir le vieil homme. Aucune. Ils n'avaient en commun que leur inimitié l'un pour l'autre. Malgré tout, il avait accepté de faire le déplacement, pour plusieurs raisons. Déjà, il était entre deux contrats en tant que chef de chantier et, bien qu'il n'y attache guère d'importance au fond et que cela paraisse *a priori* impossible, il souhaitait vaguement faire la paix avec son beau-père avant qu'il meure. Enfin, il espérait aussi profiter de son séjour à Cedar Cove pour récupérer certains objets et quelques effets personnels de sa mère, qui lui appartenaient de droit. Rien de moins et certainement rien de plus.

« Je viendrai dès que possible, avait-il promis à Michelle.

— Dépêche-toi, avait-elle insisté. Richard a besoin de toi. »

Josh en doutait. Son beau-père aurait sûrement préféré tomber raide mort plutôt que d'admettre avoir besoin de quelqu'un, surtout de lui. Les voisins semblaient avoir oublié que Richard n'avait pas hésité à le jeter dehors quelques mois après la mort de sa mère, et quelques semaines avant la remise des diplômes, lui interdisant d'emporter autre chose que ses vêtements et livres de classe.

Richard avait prétendu que Josh l'avait volé. Deux cents dollars avaient disparu de son portefeuille. En réalité, Josh ignorait tout de cet argent, ce qui ne laissait qu'un coupable possible : Dylan. Jamais Richard n'aurait reconnu que son propre fils était responsable, aussi Josh avait-il endossé le blâme. Il n'avait pas prévu que Richard exigerait qu'il s'en aille sur-le-champ.

Avec le recul, Josh se rendait compte que cet incident n'avait été qu'un prétexte. Richard voulait le chasser de chez lui et de sa vie, et jusqu'à aujourd'hui, Josh n'avait pas demandé mieux que de le satisfaire.

Il engagea son pick-up dans l'allée du gîte, dont il avait griffonné l'adresse sur un bout de papier. Il avait trouvé cet endroit sur Internet, en cherchant un logement à proximité du domicile de son beau-père.

Une chose était sûre : il ne pouvait séjourner chez Richard. Pour autant qu'il le sache, ce dernier n'était même pas au courant de sa visite, ce qui lui convenait parfaitement. Si tout se passait bien, il aurait quitté la ville dans un jour ou deux. Il ne tenait pas à rester plus longtemps que nécessaire. Après ça, il avait la ferme intention de ne jamais revenir.

Il se gara dans le petit stationnement, descendit de voiture, tendit la main vers son sac de voyage et son ordinateur portable. Le ciel couvert était annonciateur de pluie, ce qui était normal pour un mois de janvier dans le nord-ouest de la côte Pacifique. Les nuages gris charbon reflétaient précisément son humeur. Il aurait donné cher pour être n'importe où ailleurs qu'à Cedar Cove – n'importe où pourvu qu'il n'ait pas à se confronter à un beau-père qui le détestait.

Cependant, il ne servait à rien de retarder l'inévitable. Il prit ses bagages et gravit les marches de la véranda ouverte, puis sonna à la porte. Une femme vint lui ouvrir au bout de quelques secondes.

— Madame Frelinger ?

Elle était de taille moyenne, et beaucoup plus jeune qu'il ne s'y attendait. Lorsqu'il avait fait la réservation, la femme qui lui avait répondu au téléphone semblait âgée d'une soixantaine d'années, tandis que son interlocutrice devait avoir trente-cinq ans. D'épais cheveux bruns tombaient sur ses épaules, séparés par une raie au milieu. Ses yeux bleu vif lui rappelaient un ciel d'été. Elle portait un tablier multicolore sur un pantalon en toile et un chandail à manches longues.

— Désolée, non, je suis Jo Marie Rose. J'ai récemment acheté la maison des Frelinger. Entrez, je vous en prie.

Elle s'effaça pour le laisser passer. En pénétrant dans le vestibule, Josh se sentit brusquement rasséréné. Un petit feu était allumé dans l'âtre et l'odeur du pain frais lui donna l'eau à la bouche. Il ne se souvenait pas de la dernière fois qu'il avait senti l'odeur du pain sortant du four. Sa mère avait coutume d'en confectionner, autrefois.

— J'ai toujours aimé faire la cuisine, déclara Jo Marie, qui semblait éprouver le besoin de s'expliquer. J'espère que vous avez bon appétit.

— En effet.

— Vous êtes mon premier client, ajouta-t-elle avec un sourire éclatant. Soyez le bienvenu.

Elle se frotta les mains, comme si elle ne savait pas quoi faire au juste.

— Voulez-vous ma carte de crédit ? demanda Josh en sortant son portefeuille de sa poche.

— Oh ! Oui, c'est sans doute une bonne idée.

Elle le précéda à travers la cuisine jusqu'à un petit bureau qui avait dû être la réception par le passé.

Jo Marie fixa la carte qu'il lui tendait.

— Il va falloir que je me contente de noter votre numéro pour l'instant – j'ai rendez-vous à la banque cet après-midi, dit-elle en levant vers lui un regard incertain. Cela ne vous ennuie pas ?

— Pas du tout.

Elle griffonna les numéros et lui rendit la carte.

— Pourrais-je avoir ma clé à présent ? interrogea-t-il.

— Oh ! Bien sûr. Excusez-moi. Comme je vous le disais, vous êtes mon premier client. J'ai acheté la maison juste avant Noël, enchaîna-t-elle.

— Les Frelinger ont-ils déménagé ?

Josh ne se rappelait pas les avoir connus à l'époque où il vivait en ville, mais se demandait pourquoi ils avaient vendu.

— Apparemment, ils ont décidé de traverser le pays en roulotte, expliqua Jo Marie tout en retournant dans la cuisine.

Elle souleva la cafetière, lui offrant silencieusement une tasse. Josh acquiesça tandis qu'elle poursuivait :

— Leur véhicule était chargé et prêt à partir le jour où nous avons signé. Ils m'ont donné les clés et sont partis rejoindre leurs deux filles en Californie pour Noël. Ce devait être leur première étape.

— On dirait qu'ils n'ont pas perdu de temps, observa Josh alors qu'elle lui servait un café fumant.

— Vous prenez du sucre ? De la crème ?

— Non merci, le café noir me va très bien.

— Vous pouvez choisir votre chambre si vous voulez, suggéra Jo Marie.

Josh haussa les épaules.

— N'importe laquelle fera l'affaire. Il ne s'agit pas exactement d'un voyage d'agrément.

— Ah non ? s'étonna-t-elle, visiblement intriguée.

— Non, je suis ici pour installer mon beau-père dans un établissement de soins palliatifs.

— Oh ! Je suis désolée.

Josh l'interrompit d'un geste, soucieux de couper court à toute compassion.

— Nous n'avons jamais été proches et, franchement, nous n'avions pas les meilleures relations qui soient. Je suis venu par devoir plus qu'autre chose.

— Si je peux faire quoi que ce soit...

Josh secoua la tête et la remercia. S'il avait pu s'éviter cette corvée, il l'aurait fait, malheureusement il n'y avait personne d'autre pour s'occuper de Richard.

Jo Marie le conduisit au deuxième étage et lui montra une chambre dotée d'une grande fenêtre qui donnait sur la baie et les chantiers navals de Puget Sound. Plusieurs navires et un porte-avions y étaient entreposés. Le ciel reflétait le gris des vaisseaux.

Richard avait longtemps travaillé au chantier naval. Après avoir servi dans la marine pendant la guerre du Vietnam, il avait quitté l'armée et obtenu un emploi de soudeur à Bremerton. Dylan aussi y avait été employé, jusqu'à l'accident qui lui avait coûté la vie.

Josh s'éloigna de la fenêtre, mais ne prit pas la peine de défaire son sac. Il sortit son téléphone cellulaire et vérifia ses courriels, espérant avoir des nouvelles de son prochain chantier. Il n'avait pas encore vu Richard et déjà il préparait son retour.

Le premier message venait de Michelle Nelson. Elle l'avait envoyé à peine deux heures plus tôt.

De : NelsonM0@wavecable.net
Envoyé : 12 janvier
À : Joshweaver@sandiegonet.com
Sujet : Bienvenue

Cher Josh,
J'attends ton arrivée à Cedar Cove d'un instant à l'autre et je voulais être sûre que nous soyons en contact tout de suite. Mes parents sont partis dans l'Arizona chez mon frère – il vient d'être papa – et je loge chez eux pour m'occuper de leur chien et veiller sur Richard. J'ai deux jours de congé à partir de ce soir, alors appelle-moi dès que tu seras installé au gîte, et je viendrai voir Richard avec toi si tu veux.
Michelle
360-555-8756

Josh se laissa aller contre le dossier du fauteuil et croisa les bras. Il se souvenait que le béguin évident de Michelle pour Dylan avait été une source d'embarras pour son demi-frère. Pourtant, ce dernier n'avait jamais été cruel envers elle, contrairement à d'autres garçons du lycée, qui lui lançaient des méchancetés ou faisaient des plaisanteries déplacées à son sujet.

C'était gentil de sa part de proposer de l'accompagner voir Richard. Sa présence aurait sans doute un effet apaisant sur le vieil homme. Josh composa le numéro de Michelle, elle répondit presque aussitôt.

— Michelle, c'est Josh.

— Oh ! Josh, mon Dieu ! Comment vas-tu ?

— Bien.

L'accueil de Michelle lui fit l'impression d'un baume bienfaisant. Il était surpris que sa venue fasse plaisir à quelqu'un. Il n'était resté en contact avec aucun des amis qu'il avait eus à l'école secondaire. Après ses études, il s'était engagé dans l'armée et avait suivi une formation de base. Ensuite, il avait été embauché dans une entreprise de construction et avait gravi les échelons jusqu'à devenir chargé de projet. Ne rechignant pas à voyager, il était allé de ville en ville et de contrat en contrat, ne restant jamais plus de quelques mois au même endroit. Il avait vu une bonne partie du pays sans créer de liens nulle part. Tôt ou tard, le moment viendrait de se fixer, supposait-il, mais il n'en éprouvait pas encore le besoin.

— Ça me fait plaisir d'entendre ta voix, commenta Michelle d'un ton affectueux.

— À moi aussi, murmura-t-il.

Josh avait toujours apprécié Michelle, de même qu'il avait toujours eu un peu pitié d'elle à cause de son poids.

— J'imagine que tu es mariée à présent, et que tu as une ribambelle d'enfants ? plaisanta-t-il, sûr qu'elle avait trouvé quelqu'un qui appréciait ses qualités.

Elle avait toujours été gentille et généreuse. Il n'était guère étonnant qu'elle soit devenue assistante sociale.

— Non, malheureusement, répondit-elle, d'une voix empreinte de tristesse, qui fit regretter à Josh d'avoir posé la question.

— Et toi ? As-tu amené ta femme et tes enfants voir les lieux de ta jeunesse ?

— Non, je ne suis pas marié non plus.

— Oh !

Elle semblait surprise.

— J'ai demandé à Richard si tu avais une famille mais il ne le savait pas.

Évidemment, son beau-père et lui ne s'étaient pas parlé depuis des années.

— Comment va-t-il ces jours-ci ? reprit-il, désireux de changer de sujet.

— Pas très bien. Il est à la fois têtu et déraisonnable. Il affirme n'avoir besoin de personne, mais il me laisse lui apporter des repas et prendre de ses nouvelles de temps à autre.

C'était Richard tout craché : irrationnel, querelleur, et constamment de mauvaise humeur.

— Sait-il que je suis là ? demanda Josh.

— Je ne le lui ai pas dit.

— Tes parents non plus ?

— J'en doute. Nous n'étions pas certains que tu viendrais.

Apparemment, les Nelson le connaissaient mieux qu'il ne l'avait soupçonné.

— Je n'en étais pas sûr moi-même, avoua-t-il.

— Arrête-toi chez mes parents d'abord, suggéra Michelle. Nous pourrons aller le voir ensemble.

— Merci, c'est gentil.

Michelle hésita. Quand elle reprit la parole, sa voix était douce, presque mélancolique.

— J'ai souvent pensé à toi au fil des années, Josh. Je regrette... je regrette que nous n'ayons pas eu l'occasion de parler à l'enterrement de Dylan.

À vrai dire, Josh ne se souvenait pas d'y avoir vu Michelle. Et sa visite avait été si brève qu'il n'avait bavardé avec personne.

— Quand voudrais-tu venir ? reprit-elle.

— Dès que je serai installé. Disons, dans une heure ?

Plus tôt il affronterait le vieil homme, mieux cela vaudrait.

— Parfait. Je te retrouve chez mes parents.

— À tout à l'heure.

Josh coupa la communication, content d'avoir une alliée, quelqu'un avec qui parler librement. Le seul fait d'être là, à proximité de Richard, lui donnait le sentiment d'être assiégé.

Quelques instants plus tard, il descendit l'escalier, ses clés de voiture à la main.

Jo Marie le rejoignit dans l'entrée.

— Je vais à la banque cet après-midi. Si je ne suis pas là à votre retour, faites comme chez vous, je vous en prie.

— Merci. Je ne sais pas à quelle heure je vais rentrer.

Il avait décidé de faire un petit tour avant de se rendre chez les Nelson. Il serait intéressant de voir les changements que les années avaient apportés à Cedar Cove. Il n'avait guère prêté attention au paysage en sortant de l'autoroute, mais le quartier des quais ne semblait pas très différent de ses souvenirs. Sans doute en était-il de même du centre-ville.

— À plus tard, dans ce cas.

— Oui, à plus tard.

En sortant de la maison, Josh prit le temps de remonter la fermeture éclair de sa veste. Le froid l'assaillit dès qu'il franchit le seuil. La pluie s'était mise à tomber, cette bruine persistante, si fréquente l'hiver dans la région de Puget Sound.

Il se dirigea vers l'école secondaire. Hormis quelques nouveaux bâtiments préfabriqués, rien n'avait changé. Il se gara et contourna l'école pour atteindre les terrains de sport. La piste d'athlétisme semblait avoir été refaite récemment. Il avait été un assez bon coureur au à l'école, mais c'était Dylan l'athlète de la famille – il avait même intégré le Homecoming Court durant sa dernière année. Josh, qui était déjà dans l'armée à ce moment-là, se souvenait de la fierté qu'il avait ressentie quand Dylan lui avait annoncé qu'il avait été sélectionné.

Il n'avait pas assisté à son défilé, ni même au bal de fin d'année de sa promotion. Il n'en avait pas les moyens et Richard n'était pas disposé à payer quoi que ce soit en dehors de ses besoins les plus élémentaires. Après la mort de sa mère, Josh avait compris qu'il ne pouvait compter sur rien hormis un toit au-dessus de sa tête. Mais Richard l'avait même privé de cela.

À partir de l'école, Josh descendit Harbor Street, constatant avec plaisir que la bibliothèque était agrémentée d'une nouvelle fresque et que le restaurant chinois était toujours là. En revanche, plusieurs magasins avaient disparu, y compris celui de toilettage canin où il avait travaillé un été.

Finalement, se disant qu'il était ridicule de repousser l'échéance, il prit le chemin de son ancien quartier. Il n'avait nulle envie de revoir son beau-père, mais il n'allait tout de même pas se laisser intimider plus longtemps par un vieillard !

Il se gara devant chez les Nelson et, attrapant un stylo et un bout de papier, dressa une liste rapide des objets qu'il voulait prendre dans la maison. La Bible de sa mère, pour commencer, ainsi que sa broche. Il la donnerait à sa fille un jour, s'il en avait une. Il voulait aussi récupérer sa veste, celle qui portait l'emblème de l'école et qu'il avait payée avec ses maigres économies, et l'album souvenir de sa dernière année. Il n'avait pu les emporter lorsque Richard l'avait jeté dehors. Son beau-père ne l'y avait pas autorisé.

Une heure après son appel à Michelle, Josh sonnait à la porte des Nelson.

— Josh ?

La femme qui lui avait ouvert souriait, mais il ne pouvait s'agir de Michelle. Elle était mince, élancée… remarquablement séduisante.

Josh la fixa, bouche bée, incapable de dissimuler sa stupéfaction.

— Michelle ?

— Oui, répondit-elle en riant doucement. J'ai changé, n'est-ce pas ?

MARQUIS

Québec, Canada

Achevé d'imprimer le 19 septembre 2013

RECYCLÉ
Papier fait à partir
de matériaux recyclés
FSC® C103567

Imprimé sur du papier Enviro 100% postconsommation
traité sans chlore, accrédité ÉcoLogo et fait à partir de biogaz.